JN034534

市民のための刑法

《全条文つき》

福田　平著

有斐閣選書

はしがき

刑法を含めて法律というものは、法律を学んだことのない人々にとっては、とっつきにくい、したがって、敬遠されがちな性格をもっている。しかし、今日のような社会では、われわれの生活は、なんらかの意味で法的な規制にかかわりをもっていることが多い。そこで、市民の一人一人が一応の法律的知識をもっていることがのぞましい。ところが、こうした要望をみたしてくれる法律書は、意外とすくない。刑法の分野も、その例外ではない。これでは、人々をますます法律から遠ざけてしまうことになる。といったところから、市民のために、わかりやすい、しかもハンディな刑法の書物を書いてほしいという出版社の依頼に応じて、本書の執筆を引き受けたのが、数年前であった。

刑法は、犯罪と刑罰に関する法であるが、犯罪とか刑罰といった問題それ自体は、市民の一人一人にとって、親しみのないものではない。犯罪記事が新聞の三面をかざらない日はないといってもよいほどであるし、マスコミの報道する犯罪事件に人々がかなりの興味を示すのも事実である。しかし、刑法ということになると、わが国の刑法は、それほど親しみやすくはできていない。たとえば、「罪本重カル可クシテ犯ストキ知ラサル者ハ其重キニ従テ処断スルコトヲ得ス」（刑法三八条二項）といっても、なんのことをいっているのかすぐにはわからないし、また、刑法典は明治四〇年にできた法律であるので、たとえば、瘖唖者、汚穢、誣告、輸贏、贓物、牙保など、難解で、読むことすらむずかしい用語もすくなくない。そのうえ、刑法学は、学説の対立がはげしく、理論的にむずかしいことは、法律学の中でも定評がある。こうした刑法をどのように書いたら、わかりやすく、しかも正確な知識を提供できるような書物となるかといった点で考えがまとまらず、おもわぬ時間をとってしまったが、結局のところ、次のようような方法がもっとも適当であろうと考えて書いたのが、本書である。すなわち、

刑法典を、条文順に解説する、いわゆるコンメンタール方式を基本とし、判例や新聞記事などから実際に起こった事件を材料とした具体的事例を示し、これを糸口として解説し、こまかい学説の対立はできるだけはぶき、大筋がわかるように、代表的な主張だけを取り上げて、できるだけ通説的な立場から説明するとともに、学説と判例とが対立しているところは、判例の立場を明示して、裁判の実際における取り扱いを示した。また、判例については、具体的事例との関連を保ちながら、リーディング・ケースとおもわれる判例を取

り上げ、判決年月日、収録判例集などを略号で示し、判例そのものを読んでみたいという希望をもたれた読者に、検索の便をあたえた。

こうして、わかりやすい、しかもハンディな、市民のための注釈刑法を書いたつもりであるが、その成果の程については、読者の皆さんの評価をまつほかはない。

なお、最後に、本書の作成にあたり、その企画、資料の収集、校正等について、多大の助力を寄せられた有斐閣編集部の三倉三夫・稼勢政夫・樋浦理介の諸氏に厚く御礼を申し上げる。

昭和四七（一九七二）年四月二一日

福田　平

凡　例

◇判例の出典等の略語

大判（決）	大審院判決（決定）
最判（決）	最高裁判所判決（決定）
高　判	高等裁判所判決
地　判	地方裁判所判決

下級刑集	下級裁判所刑事判例集
刑　集	大審院刑事判例集，最高裁判所刑事判例集
刑　録	大審院刑事判決録
月　報	刑事裁判月報
裁判集	最高裁判所裁判集　刑事
高刑集	高等裁判所刑事判例集
裁判特報	高等裁判所刑事裁判特報
第一審刑集	第一審裁判例集
東高刑事報	東京高等裁判所刑事判決時報
判決特報	高等裁判所刑事判決特報
判　時	判例時報

◇刑法の法文は見やすいようにひらかなで表示し，各条文に見出しをつけた。

◇イラスト　　しとお　きねお

目次

＊目次の事例の表示は簡略化したため、本文の表示と必ずしも一致していない

第1編　総則

第1編　総則

外国人にも日本の刑法が適用されるか，刑罰にはどんなものがあるか，何回も犯罪をくりかえすとどんな刑が科せられるか，罪を犯しても処罰されないばあいがあるか，２人以上で一緒に犯罪をしたときはどのように処罰されるか，など，刑法の適用についての通則および犯罪と刑罰に関する一般的原則を規定したのが本編である。

第1章　法例

第一条【日本国内での犯罪】 ①本法は何人を問はず日本国内に於て罪を犯したる者に之を適用す
②日本国外に在る日本船舶又は日本航空機内に於て罪を犯したる者に付き亦同じ

第二条【日本国外での犯罪】 本法は何人を問はず日本国外に於て左に記載したる罪を犯したる者に之を適用す

一　削除
二　第七七条乃至第七九条の罪
三　第八一条、第八二条、第八七条及び第八八条の罪
四　第一四八条の罪及び其未遂罪
五　第一五四条、第一五五条、第一五七条及び第一五八条の罪
六　第一六二条及び第一六三条の罪
七　第一六四条乃至第一六六条の罪及び第一六四条第二項、第一六五条第二項、第一六六条第二項の未遂罪

第三条【日本国民が国外で犯した罪】 本法は日本国外に於て左に記載したる罪を犯したる日本国民に之を適用す

一　第一〇八条、第一〇九条第一項の罪、第一〇八条、第一〇九条第一項の例に依り処断す可き罪及び此等の罪の未遂罪
二　第一一九条の罪
三　第一五九条乃至第一六一条の罪
四　第一六七条の罪及び同条第二項の未遂罪
五　第一七六条乃至第一七九条、第一八一条及び第一八四条の罪
六　第一九九条、第二〇〇条の罪及び其未遂罪
七　第二〇四条及び第二〇五条の罪
八　第二一四条乃至第二一六条の罪
九　第二一八条の罪及び同条の罪を犯し因て人を死傷に致したる罪
一〇　第二二〇条及び第二二一条の罪
一一　第二二四条乃至第二二八条の罪
一二　第二三〇条の罪

一三　第二三五条乃至第二三六条、第二三八条乃至第二四一条及び第二四三条の罪
一四　第二四六条乃至第二五〇条の罪
一五　第二五三条の罪
一六　第二五六条第二項の罪

第四条【公務員が国外で犯した罪】本法は日本国外に於て左に記載したる罪を犯したる日本国の公務員に之を適用す
一　第一〇一条の罪及び其未遂罪
二　第一五六条の罪
三　第一九三条、第一九五条第二項、第一九七条乃至第一九七条の四の罪及び第一九五条第二項の罪を犯し因て人を死傷に致したる罪

第五条【外国裁判の効力】外国に於て確定裁判を受けたる者と雖も同一行為に付き更に処罰することを妨げず。但犯人既に外国に於て言渡されたる刑の全部又は一部の執行を受けたるときは刑の執行を減軽又は免除す

一条ないし四条は、わが刑法がどこで行なわれた犯罪に適用されるかという、刑法の場所的な適用範囲に関する規定である。一条は、犯罪が日本国内で犯されたばあいには、犯人が日本人であろうとなかろうと、わが刑法を適用するという原則をあきらかにしているが、このように、犯罪の場所によって適用法律をきめることを**属地主義**という。そこで、わが刑法は、属地主義を原則とするということになる。犯罪が日本国外で行なわれたばあいには、かならずしもわが刑法は適用されない。どのようなばあいにわが刑法が適用されるかについて規定するのが、二条から四条までの規定である。

▼外国船に危険物を託送、船火事（**託送したAは失火罪**）

〔1〕
Aは、横浜港に碇泊中のドイツ汽船に、不注意にも、自然的危険性のある特殊な油紙を積み重ねた荷物を託送した。ところが、その船が香港付近の洋上を航行中に、その油紙が自然発火し、船火事が発生した。

▼アメリカ人がホノルル空港で毒入ジュースを飲ます（**飲んだBは日本で死亡**）

〔2〕
ホノルル在住のアメリカ人Aは、Bを殺害しようとして、ホノルル空港で、観光旅行のため日本向け出発直前のBに、毒入ジュースを飲ませた。Bは、羽田空港で飛行機を降りて間もなく毒がまわって、通関手続中に、空港の建物内で死亡した。

日本国内での犯罪には，日本の刑法が適用される

一条の「日本国内」とは、日本国の領土・領海・領空内を意味し、犯罪がこの範囲内で行なわれたかぎり、犯人が日本人であろうと外国人であろうと、さらに無国籍人であるとをとわず、わが刑法が適用される。なお、日本国内で罪を犯したというばあいには、犯罪事実の全部が日本国内で発生したばあいだけでなく、犯罪行為は日本国内でなされたがその結果は国外で発生したばあい、逆に、犯罪行為は日本国外でなされたが、その結果は日本国内で発生したばあいも含まれる。そこで、右にあげた事例〔1〕のばあい、Aの過失行為は日本国内でなされたものであるから、失火の結果の発生が香港付近の洋上であっても、Aの犯した失火罪にはわが刑法の適用があるし、事例〔2〕のばあいは、Aの殺人の実行行為はハワイで行なわれたがBの死亡という結果は日本国内で発生しているから、Aの犯した殺人罪にはわが刑法の適用がある。

なお、船舶内・航空機内は、領土内と同じに取り扱うという考え方から、日本の船舶・航空機内で罪が犯されたときには、その船舶・航空機が日本国外にあるばあいでも、犯人の国籍をとわず、わが刑法が適用される（一条二項）。そこで、たとえば、右にあげた事例〔2〕のばあいにおいて、Bが日本の航空機に乗っていたとすると、太平洋上を飛行中の航空機内で死亡したときにも、わが刑法の適用があるということになる。

▼外交特権の交通殺人（酔っぱらい運転で早大生を死なす）

早大生Aさんは、学校から帰宅途中、自宅付近の通りを歩いていて、後からきたマレーシア大使館B二等書記官運転の乗用車にはねとばされ、出血多量で翌正午死亡した。Bは、現場付近にある同大使館公邸で行なわれたパーティーの帰りでかなり酔っぱらっていた。

犯罪が日本国内で行なわれたかぎり「何人を問は

ず」わが刑法が適用されるが、犯人が、外国の君主や大統領、大使・公使といった外交官、これらの者の家族・日本人でない従者であるときには、国際法上の原則から、わが国の裁判をうけることがないから、現実にはわが刑法が適用されて処罰されるということはない。したがって、右にあげた事例において、B書記官は処罰されない。しかし、これは、これらの者がいわゆる治外法権をもっているためにわが国の裁判権が及ばないからであって、わが刑法の適用そのものがこれらの者にないというわけではない。判例は、外国の外交官が外交官であった当時に犯した犯罪についても、その者が外交官たる身分を失った後であれば、わが刑法を適用して処罰することができるとしている（大判大一〇・三・二五刑録二七・一八七）。なお、特殊な事例であるが、わが国に駐留する米国軍隊の構成員、軍属およびその家族については、安保条約にもとづく地位協定によって、一定の範囲の犯罪に関して米軍当局が第一次の裁判権を行使することになっているが、これも裁判権行使の問題で、これらの者についてわが刑法の適用があることもちろんである。また、あまり現実性のない話であるが、天皇についても刑法の適用はあるのであって、ただ、天皇はその地位からいって訴追することができないものと解すべきであろう。

次に、犯罪が日本国外で行なわれたばあいに、どのような犯罪についてわが刑法が適用されるかの規定が二条ないし四条である。二条は、内乱とか外患、通貨偽造など重大な犯罪や国際性の強い犯罪について、それが日本国外で犯されたときでも「何人を問はず」、すなわち、日本人であると外国人であると無国籍人であるとをとわず、わが刑法を適用するものとしている（保護主義）。なお、昭和四五年三月末に発生した日航機「よど」号乗っ取り事件をきっかけとして制定された「航空機の強取等の処罰に関する法律」（昭四五法六八。二九五頁参照）は、同法所定の罪は二条の例によるとし、いわゆるハイジャックは日本国外で犯されたときでも、「何人を問はず」同法の適用があるものとしている。もっとも、外国人が外国で二条所定の犯罪を犯しても、その犯人が日本国外にいるかぎり、日本の裁判所で裁判することはできない。ただその外国人が日本にやって来たときに裁判することができるだけである。このことは、三条・四条についても同様である。そこで、わが国でわが刑法を適用して裁判しようと思えば、犯人のいる国からその犯人の引渡をうけることが先決で、犯罪人引渡の交渉が必要となる。交渉しても相手国が犯人を引き渡してくれなければ、それまでである。

三条は、放火・殺人・傷害・強姦・強盗・窃盗など比較的重い犯罪について、日本国民がそれらの罪を日本国外で犯したばあいに、わが刑法を適用するとしている（属人主義）。たとえば、アメリカに留学中の日本人学生がアメリカで人を殺したといったばあいは、三条によってわが刑法が適用される。四条は、日本国外で日本国の公務員（七条一項参照）が、職権濫用・収賄など職務に関する罪を犯したばあいに、わが刑法を適用するとしている。たとえば、インドネシヤ駐在の日本大使館の日本人館員が賄賂を収受したばあいは、四条によってわが刑法が適用される。三条・四条によってわが刑法が適用されるといっても、犯人である日本人が日本国外にいる間は、わが裁判所がわが刑法を適用して処罰することができないということは、前述したとおりである。

ところで、刑法の場所的適用範囲に関しては、各国がそれぞれの国内法でばらばらに規定している結果、同一の犯罪事実について、二つ以上の国の刑法の適用があることがある。このばあい、すでになされた外国裁判の効力をみとめるかどうかについて、わが刑法は、原則として外国裁判の効力をみとめず、外国で確定裁判をうけた者でも同一の行為についてさらに処罰することを妨げないとし、ただ、外国裁判の執行をわが国での刑の執行において考慮に入れることとし、すでに外国で言い渡された刑の全部または一部の執行をうけたときは、刑の執行を減軽または免除することとしている（五条）。たとえば、前にあげた例でアメリカに留学中の日本人学生がアメリカで人を殺したとすると、その日本人学生はアメリカの裁判所によってアメリカの刑法を適用されて処罰されることになろう。そして、かりに、六年の自由刑を言い渡され、その刑を服役後、その学生が日本に帰って来たとすると、日本の裁判所は、日本の刑法を適用してその学生を処罰することができる。ただ、そのばあい、かりに一〇年の懲役を言い渡すばあい、アメリカで服役してきた六年はその刑の執行から減じて、刑の執行は四年ということになる。

第六条【刑の変更】犯罪後の法律に因り刑の変更ありたるときは其軽きものを適用す
第七条【公務員・公務所の意味】①本法に於て公務員と称するは官吏、公吏、法令に依り公務に従事する議員、委員其他の職員を謂ふ
②公務所と称するは公務員の職務を行ふ所を謂ふ
第八条【他の刑罰法規に対する総則の適用】本法の総則は他の法令に於て刑を定めたるものに亦之を適用す但其法令に特別の規定あるときは此限に在らず

刑の変更　六条は、刑法の時間的適用範囲に関する規定である。刑法（刑罰法規）は、その施行のとき以後の犯罪に適用され、施行前の行為にまでさかのぼって適用されることはない。これは、**刑法不遡及の原則**といわれるもので、罪刑法定主義とよばれる刑法上の基本原則の一つのあらわれである。わが憲法三九条前段は、「何人も、実行の時に適法であった行為……については、刑事上の責任を問はれない」と規定して遡及処罰の禁止をあきらかにしている。そこで、たとえば、不動産侵奪罪（二三五条の二）は、昭和三五年（法律八三号）に新設されたものであるが、それ以前に他人の不動産を侵奪した者を、同罪として処罰することはできない。

次に問題となるのは、もともとその行為は犯罪であったが、その行為がなされた後に法律の改正によってその刑に変更があったばあい、いいかえると、犯罪を犯したときと裁判をうけるときとの間で、法律が改正され、その行為に対する刑罰が変更されたばあいに、その行為には、犯罪時の法律（旧法）を適用すべきか、裁判時の法律（新法）を適用すべきかであるが、この点について、六条は、犯罪後の法律によって刑の変更があったときは、その軽いものを適用すると規定している。たとえば、業務上過失致死傷罪（二一一条）の法定刑は、昭和四三年（法律六一号）に、「三年以下の禁錮又は一〇〇〇円以下の罰金」から「五年以下の懲役若くは禁錮又は一〇〇〇円以下の罰金」に変更されたが、この改正前に犯された業務上過失致死傷行為を改正後に裁判するばあいには、旧法が軽いから旧法が適用される。逆に、新法が軽いときには新法が適用される。

六条は、行為者保護の立場から、刑の変更があったときにその軽い方の適用をみとめたものであるから、刑そのものの変更でなくても、実質的に刑の変更に準じて考えられるような条件が変更されたときにも、行為者に有利な方を適用するのが、六条の精神にかなうものといえよう。たとえば、刑の執行猶予の要件の変更は、刑そのものの変更ではなくその執行方法の変更にすぎないが、このばあいにも被告人に有利な規定を適用すべきであろう。もっとも、判例は、刑の執行猶予の要件の変更は、六条の刑の変更にあたらないとしている(最判昭二三・一一・一〇刑集二・一二・一六六〇の一)。

▼エロ本を月販中、途中で刑法が改正(包括一罪で新法を適用)

> Aは、某年一月から一二月までの間に、郵送販売の方法で、毎月約一〇〇冊のエロ本を購買者に販売した。ところが、その中間の六月に、法律の改正があって、猥褻文書販売罪の法定刑が引き下げられたとすると、Aには、この引き下げられた軽い法定刑が適用されるか。

犯罪後の法律によって刑の変更があったばあいにはその軽いものを適用するというばあいの「犯罪後」とは、犯罪行為があった後という意味で、結果犯についても結果が発生したときではなく、行為のときが標準となる。たとえば、殺人の意思で被害者に毒薬を飲ませたところ、まだ被害者が死亡しないうちに、殺人罪の法定刑が変更され、その後に被害者が死亡したばあいには、殺人罪の実行行為は毒薬を飲ませたときに終っているから、このばあいの刑の変更は「犯罪後」に変更されたものにあたり、新旧両法のうち軽いものが適用される。これに反して、被害者を物置にとじこめて監禁中に、監禁罪の法定刑の変更があったばあいは、監禁罪がいわゆる継続犯で、被害者を監禁しているあいだは監禁という犯罪事実が継続しているものと解されるものであるので、刑の変更があったときには犯罪行為が終了していないことになるから、「犯罪後」にあたらず、このばあいは単純に新法が適用される。右にあげた事例において、Aの一月から一二月に至るエロ本の販売は包括して一罪として評価されるものであるから、犯罪行為の終了前に刑の変更があったばあいにあたり、このばあいも単純に新法が適用される。なお、他人の住居に侵入して財物を窃取したばあいにおいて、かりに改正法が施行される前夜の一二時まえに住居に侵入し、一二時すぎてから窃盗に着手したときには、住居侵入罪と窃盗罪とはいわゆる牽連犯（五四条一項後段）で、住居侵入と窃盗とは実行行為が別々であるから、これを分離して、住居侵入については新旧両法のうち軽いものを適用し、窃盗については単純に新法を適用し、その後、五四条によって処断すべきであろう。もっとも、判例は反対で、牽連犯については単純に新法を適用すべきであるとしている（大判明四四・六・二三刑録一七・一二五二）。

刑の廃止・限時法　犯罪後の法律によって刑が廃止されたばあいについては、六条には直接規定されていないが、「其軽きものを適用す」という六条の趣旨からいって、刑の廃止があったばあいには、廃止前になされた行為はもはや処罰されず、訴訟法的には免訴の判決が言い渡される（刑訴三三七条二号）。たとえば、姦通は、昭和二二年（法律一二四号）に削除されるまでは、刑法一八三条に規定され処罰されていたが、削除前になされた姦通も、削除後は処罰されず免訴ということになる。

ところが、一定の有効期間を定めて制定された法律について、右の原則をそのまま適用すると、その有効期間が終りに近づくにしたがって、実際上処罰の可能性のないことを予想して違反行為をなす者が多く出て、その法律の実効性が失われる危険が生ずる。そこで、一定の有効期間の定めのある法律、さらには一時的事情に応じて制定された法律を含めて、こうした法律については、その失効後においても有効期間中に行なわれた犯罪には、その法律を適用して処罰すべきであるとする見解も有力であるが、この見解は罪刑法定主義の精神からみて疑問である。むしろ、一定の有効期間の定めのある法律を限時法と解し、この限時法の有効期間中の行為はその期間経過後も処罰するという明文の特別規定のあるときにかぎって、期間経過後も有効期間中の行為を処罰しうると解すべきであろう。

▼奄美大島への密輸出入で逮捕、審理中に大島が日本に帰属（**刑の廃止により免訴**）

Aらは、九州から北緯三〇度以南の南西諸島奄美大島へ貨物を密輸出し、また同地から本邦に貨物を密輸入しようと企て、昭和二四年七月二〇日ごろ、税関の免許をうけないで、脱穀機・ミシン・下駄等を奄美大島に密輸出し、また同月三〇日ごろ、税関の免許がないのに、奄美大島から黒砂糖を密輸入しようとして福岡県下で逮捕された。ところで、右の犯行当時、奄美大島は旧関税法の適用については外国とみなされていたが、その後、この事件についての審理の継続中、政令の改正により、昭和二八年一二月二五日以降は、あらためて本邦の地域とされることとなった。

ここで注意しなければならないのは、法規の変更が構成要件そのものの変更ではなく、構成要件にあたる事実の変更にすぎないばあいには、六条の「刑の廃止」の問題とは関係がないことである。たとえば、改正前の民法では親子間における同一の親族関係が生ずるものとされていた継子が継父母を殺害した後で、民法の改正によって親子関係がなくなったばあいでも、なお尊属殺の罪責を免れることはできない（最判昭二七・一二・二五刑集六・一二・一四四二）。なお、ここで問題となるのは、刑罰法規の内容がその法規自体には完全に示されておらず、他の法令・告示によって補充されてはじめて犯罪構成要件として完結するという形式の刑罰法規（補充さるべき空白を残しているところから、**白地刑罰法規**とか**白地刑法**、**空白刑法**といわれる）において、その白地部分を補充する規範が改廃された後にも、改廃前の違反行為を処罰することができるかどうかである。たとえば、Aは、物価統制令にもとづく告示に指定された公定価格を超過した価格で統制物資を販売したが、その後、その事件の審理中に、告示が改正されて公定価格が引き上げられたが、Aの販売価格は新しい公定価格をこえるものではなかったといったばあいに、なお、Aの行為を物価統制令違反として処罰することができるかどうかである。この問題は、かなりむずかしい論点をふくんでいるが、白地刑法の白地部分を補充する命令・告示の改廃が、白地刑法の内容・形式からみて、構成要件そのものを定める法規の変更にあたるばあいとたんに構成要件にあたる事実の面における法規の変更にあたるにすぎないばあいとを区別して、前者のばあいには刑の廃止をみとめ、後者のばあいは刑の廃止の問題と関係がないと解するのが妥当であろう。なお、この問題について判例の態度はかなりの変遷があり、なお流動的である。右にあげた事例と同様の、密輸出入罪の犯行当時、関税法の適用について外国とみなされていた地域が、その事件の審理中に命令の改正によって本邦の地域となったばあいについて、判例は、はじめ刑の廃止にあたらないとしていたが（最判昭三〇・七・二〇刑集九・九・一九二二）、その後、まもなく、刑の廃止による免訴をみとめるに至った（最判昭三二・一〇・九刑集一一・一〇・二四九七）。ところが、道路交通取締法施行令四一条にもとづく新潟県道路交通取締規則八条によって第二種原動機付自転車の二人乗を禁止されていた当時、被告人はその禁止に違反して二人乗りをしたが、その後、右規則が改正されて二人乗りの禁止が解除されたばあいについて、判例は、規則が改正され二人乗りの禁止が解除された後においても、その改正前になされた二人乗りはなお処罰さるべきであるとしている（最判昭三七・四・四刑集一六・四・三四五）。したがって、この問題についての判例の動向はなお予測しがたいものといえよう。

公務員・公務所　公務員・公務所という言葉は刑法のいろいろな箇所で用いられているので、七条は、刑法における公務員・公務所の一般的意義をあきらかにしている。国家公務員法・地方公務員法が施行されている今日では、官吏・公吏という用語は死文化したものと解し、「法令に依り公務に従事する議員、委員其他の職員」という文言によって公務員の範囲を決定すべきであろう。「法令に依り公務に従事する」とは、その者の職務権限が法令に定められているかどうかをとわないが、その者の任命が法令の根拠を有することをいう。次に、議員・委員・職員の意義であるが、議員は衆議院議員・参議院議員・府県市町村議会の議員など、委員は、民生委員・調停委員などをさす。職員とは、国または公共団体の機関として公務に従事する者をいい、国家公務員・地方公務員の多くがこれに含まれるが、作業員・掃除婦・給仕などのように単純な機械的・肉体的労務に従事するにすぎない者は、ここにいう「職員」にあたらない。したがって、これらの者は、公務員法上は公務員であるが、刑法上の公務員ではない。「職員」といえるためには、ある程度、精神的・知能的な仕事に従事している者であることが必要である。郵便集配員は、かつては「職員」でないとされていたが（大判大八・四・二刑録二五・三七五）、最近では、「職員」にあたり、刑法上、公務員とされている（最判昭三五・三・一刑集一四・三・二〇九）。なお、「職員」は常勤者にかぎられない。たとえば、保護司なども「職員」にあたる。また国鉄の役職員のように公務員ではないが、刑法上、公務員とみなされる者もある。

「公務所」とは、官公署その他の組織体をいい、特定の場所や建物をさすものではない。

総則の適用　八条は、刑法総則の規定が刑法典以外の刑罰法規にも原則として適用されることをあきらかにしたものである。「他の法令に於て刑を定めたるもの」とは、刑法以外の法令で、死刑・懲役・禁錮・罰金・拘留・科料・没収を科する旨を規定したものをさし、法律・命令にかぎらず地方公共団体の制定する条例も含まれる。

但書は、それぞれの法令に特別の規定があるときには、刑法総則の適用が排除される旨をあきらかにしている。これは、いろいろな行政的な取締の必要から刑罰を科することとしている行政的刑罰法規（いわゆる行政刑法）のなかには、刑法総則をそのまま適用することが妥当でないばあいもあることを考慮したものである。事実、行政的刑罰法規には、特別の規定を設けているものが多い（たとえば、たばこ専売法七八条）。特別の規定のうち、行政的刑罰法規に特有なものとして、従業員の業務に関する違反行為について事業主を処罰する**事業主処罰規定**がある。この規定は、従業員に違反行為があれば事業主にその監督上の過失があることを推定したものと解されている（最判昭三二・一一・二七刑集一一・一二・三一一三）。なお、右のばあい、行為者である従業員を処罰するほか、事業主である自然人または法人をも処罰する形式の規定が多い。こうした規定を**両罰規定**という。たとえば、A会社の経理担当者Bが税務署に虚偽の申告をして法人税を逋脱したときには、Bが処罰されるほかA会社も処罰されることになる。

第2章 刑

本章は刑一般についての通則を規定するもので、刑の種類、刑の軽重、それぞれの刑の内容などを定めた規定がふくまれている。

刑罰の本質をどのように理解するかについては見解が対立している。すなわち、刑罰の本質をすでに行なわれた犯罪に対する応報にあるとする**応報刑論**と刑罰の本質を将来犯罪が行なわれないようにする予防手段であるとする**目的刑論**とが対立している。また、刑罰の目的については、刑罰の目的は刑罰を予告しまたは犯罪人に刑罰を加えることによって社会一般を威嚇・警告し、社会の一般人が犯罪を犯さないようにすることにあるとする**一般予防説**と犯罪人に刑罰を科することによってその犯罪人を改善しふたたび犯罪を行なわないようにすることにあるとする**特別予防説**とがある。一般予防説も特別予防説も刑罰の目的を応報以外にみとめているので、刑罰の本質は、正義の要求にもとづき犯罪に対して当然に加えられる応報であり、応報自体が刑罰の目的であり、それ以外に刑罰の目的はないとする古い応報刑論と結びつく可能性はないが、その後の歴史の発展においては、応報刑論は一般予防説と、目的刑論は特別予防説と結びついている。なお、目的刑論は、刑罰を犯罪を予防する手段と解するが、このために犯罪人の悪性を改善し、ふたたび犯罪を犯さないようにすることが主張され、目的刑論は、刑罰を犯罪人を教育改善し社会に復帰させる手段であるとする**教育刑論**に発展する。しかし、刑罰が国家による強制的制裁という要素をふくんでいる以上、非難さるべき違法行為に対する応報という意味をもつものであることは否定しえないであろう。もちろん、刑罰は犯罪に対するたんなる応報につきるものではない。そうかといって、刑罰は一般市民に対する威嚇とか、犯罪人の教育改善とかのたんなる手段にすぎないものでもない。刑罰は、国家的法秩序を維持するためにみとめられた国家権力の行使であるが、これによって国民全体の道義観念をめざめさせて、国民的共同社会の秩序を維持するとともに、犯罪人を改善せしめ、その規範意識を自覚せしめてその人格を完成せしめる意味をもつものといわなければならない。

第九条【刑の種類】死刑、懲役、禁錮、罰金、拘留及び科料を主刑とし没収を附加刑とす

第一〇条【刑の軽重】①主刑の軽重は前条記載の順序に依る。但無期禁錮と有期懲役とは禁錮を以て重しとし有期禁錮の長期有期懲役の長期の二倍を超ゆるときは禁錮を以て重しとす

②同種の刑は長期の長きもの又は多額の多きものを以て重しとし長期又は多額の同じきものは其短期の長きもの又は寡額の多きものを以て重しとす

③二個以上の死刑又は長期若くは多額及び短期若くは寡額の同じき同種の刑は犯情に依り其軽重を定む

第一一条【死刑】①死刑は監獄内に於て絞首して之を執行す

②死刑の言渡を受けたる者は其執行に至るまで之を監獄に拘置す

第一二条【懲役】①懲役は無期及び有期とし有期懲役は一月以上一五年以下とす

②懲役は監獄に拘置し定役に服す

第一三条【禁錮】①禁錮は無期及び有期とし有期禁錮は一月以上一五年以下とす

②禁錮は監獄に拘置す

第一四条【加減の限度】有期の懲役又は禁錮を加重する場合に於ては二〇年に至ることを得。之を減軽する場合に於ては一月以下に降すことを得

第一五条【罰金】罰金は二〇円以上とす。但之を減軽する場合に於ては二〇円以下に降すことを得

第一六条【拘留】拘留は一日以上三〇日未満とし拘留場に拘置す

第一七条【科料】科料は一〇銭以上二〇円未満とす

第一八条【労役場留置】①罰金を完納すること能はざる者は一日以上二年以下の期間之を労役場に留置す

②科料を完納すること能はざる者は一日以上三〇日以下の期間之を労役場に留置す

③罰金を併科したる場合又は罰金と科料とを併科したる場合に於ける留置の期間は三年を超ゆること

を得ず。科料を併科したる場合に於ける留置の期間は六〇日を超ゆることを得ず
④罰金又は科料の言渡を為すときは其言渡と共に罰金又は科料を完納すること能はざる場合に於ける留置の期間を定め之を言渡す可し
⑤罰金に付ては裁判確定後三〇日内科料に付ては裁判確定後一〇日内は本人の承諾あるに非ざれば留置の執行を為すことを得ず
⑥罰金又は科料の言渡を受けたる者其幾分を納むるときは罰金又は科料の全額と留置日数との割合に従ひ其金額に相当する日数を控除して之を留置することを以て残日数に充つ
⑦留置期間内罰金又は科料を納むるときは前項の割合を以て残日数に充つ
⑧留置一日の割合に満たざる金額は之を納むることを得ず

第一九条【没収】①左に記載したる物は之を没収することを得
一　犯罪行為を組成したる物
二　犯罪行為に供し又は供せんとしたる物
三　犯罪行為より生じ若くは之に因り得たる物又は犯罪行為の報酬として得たる物
四　前号に記載したる物の対価として得たる物
②没収は其物犯人以外の者に属せざるときに限る。但犯罪の後犯人以外の者情を知りて其物を取得したるときは犯人以外の者に属する場合と雖も之を没収することを得

第一九条の二【価額追徴】前条第一項第三号及び第四号に記載したる物の全部又は一部を没収すること能はざるときは其価額を追徴することを得

第二〇条【没収を科しえない罪】拘留又は科料のみに該る罪に付ては特別の規定あるに非ざれば没収を科することを得ず。但第一九条第一項第一号に記載したる物の没収は此限に在らず

第二一条【未決勾留の通算】未決勾留の日数は其全部又は一部を本刑に算入することを得

わが刑法がみとめる刑罰の種類は、死刑・懲役・禁錮・罰金・拘留・科料・没収の七種であり、このうち、死刑から科料までが主刑とされ、没収が附加刑とされている（九条）。主刑とは、それだけ独立に言い渡しうる刑罰であり、附加刑とは、それだけ独立に言い渡すことはできず、主刑が言い渡されるばあいにこれに附加して言い渡しうる刑罰をいう。現行刑法で刑罰というときには、右の七種にかぎられる。たとえば、法令中によくみられる「過料」（科料と区別して、「あやまち料」とよばれることがある）は刑罰ではない。死刑は、人の生命をうばう刑罰であるので生命刑、懲役・禁錮・拘

留は、人の自由をうばうことを内容とする刑罰であるので自由刑、罰金・科料・没収は、人の財産をうばうことを内容とする刑罰であるので財産刑といわれる。

刑法を適用するあたって、法定刑の軽重を比較することが必要なばあいがすくなくないので、刑の軽重が問題となる。この刑の軽重についての基準を定めたものが一〇条である。刑の種類についての軽重は、九条に規定されている順序、すなわち、死刑がもっとも重く、ついで、懲役・禁錮・罰金・拘留・科料の順となる。もっとも、無期禁錮と有期懲役とでは無期禁錮の方が重く、有期禁錮の長期(それぞれの条文に定められている自由刑の最高限)が有期懲役の長期の二倍をこえるときは、その有期禁錮の方が重いとされている。同じ種類の刑のばあい、自由刑においては長期の長いもの、財産刑においては多額(最高額)の多いものが重く、また、自由刑の長期が同じものでは短期(最低限)の長いものが重く、財産刑の多額が同じものは、最低額が多いものが重いとされている。たとえば、一年以上一〇年以下の懲役と三月以上一〇年以下の懲役とでは、前者の方が重いということになる。なお、法定刑の種類・範囲が同じときは、法定刑で軽重をきめることができないので、その軽重は「犯情」によって定めるものとされている。ここにいう犯情とは、犯罪の性質、犯行の手口、被害の程度その他の情状を意味する。

死刑は、歴史的にもっとも古い刑罰であり、昔は刑罰制度において主役の地位を占めていたが、文化の発展、歴史の発展とともに、死刑の意義は減少し、今日では主役の座から大きく後退している。現在、死刑を廃止した国家もかなりの数にのぼっているし(たとえば、オランダ、デンマーク、スウェーデン、スイス、西ドイツ、アメリカ合衆国のミシガン州ほか八州など)、死刑を存置している国でもその適用範囲はきわめて限定されている。わが国において、現在、死刑が規定されている罪は一三種で、法定刑に死刑だけを規定しているのは外患誘致罪(八一条)だけである。また、最近数年間の年間死刑確定人員は次頁のとおり、一〇名内外である。

死刑はともかく人の生命をうばうものであるので、古くからその存廃が論議されているが、死刑廃止論の論拠を要約すると、①死刑は野蛮であり人類の文化に反する、②死刑には威嚇力がない、③死刑は執行され

年度別死刑確定人員
(「犯罪白書」による)

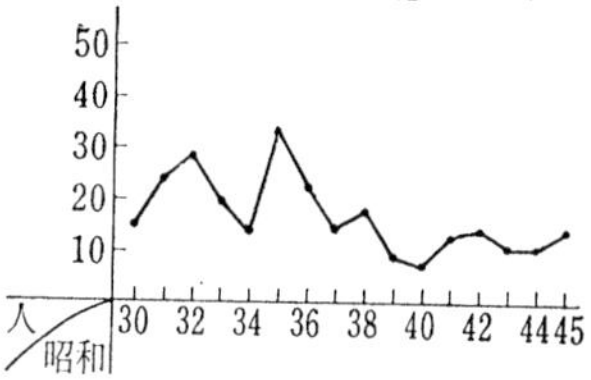

た後では回復不能であるから誤判のばあいに救済方法がない、などがあげられる。これに対して、死刑存置論は、①死刑の存置はなお一般国民の有する法的確信である、②法秩序の維持のため重大な犯罪に対しては死刑をもって威嚇する必要がある、③凶悪犯人を完全に淘汰することが必要である、などをその論拠としている。この両論の主張は、それぞれかなりの理由があり、それだけに両論とも相手方の論拠を論破するに至っていない。とくに、重要な論点である、死刑に威嚇力があるかどうかも結局のところ証明不能に終っている。そこで、死刑の存廃は国民一般の決断の問題といえよう。そして、今日のわが国において死刑廃止は時期尚早であるというのが国民的感情であるとすれば、漸進的に死刑を廃止するという立場から、死刑の適用を限定して行く方法をとるべきであろう。なお、死刑は残虐な刑罰であるから憲法三六条に違反するという違憲論があるが、憲法三一条をみれば、その主張が妥当でないことがわかろう(最判昭二三・三・一二刑集二・三・一九一参照)。

絞罪器械図式
〔明治6年太政官布告第65号にきめられており，現在も，原理的にはこれによっている〕

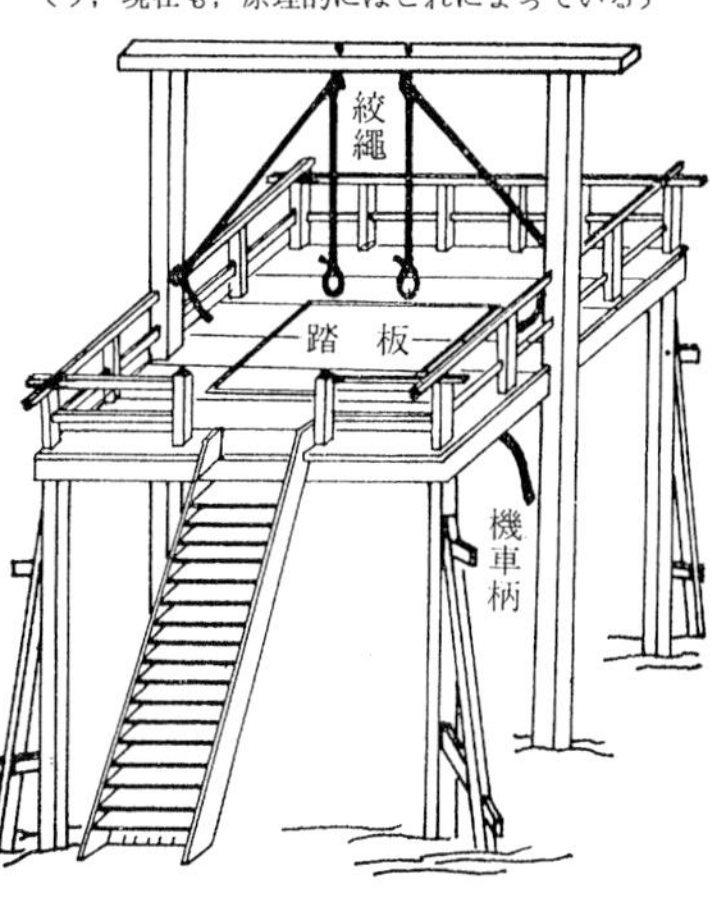

死刑の執行方法として現在、諸国で用いられているものとしては、銃殺・斬殺・電気殺・ガス殺・絞首などがあるが、わが刑法は、絞首を採用し、死刑は、監獄(刑務所または拘置所)内の特別区画に設けられた刑場で絞首して行なわれる(一一条)。絞首という執行方法が残虐かどうかが問題とされたが、判例は、現在わが国の採用している絞首方法が他の方法と比べて、と

くに人道上残虐であるとする理由はみとめられないとしている（最判昭三〇・四・六刑集九・四・六六三）。

懲役・禁錮・拘留は、いずれも受刑者を拘禁することによってその自由をうばうことを内容とする刑罰で自由刑といわれる。自由刑は、その適用範囲の広いことおよびその作用の大きいことによって、今日の刑罰制度中、もっとも重要な地位を占める刑罰である。

懲役および禁錮は、いずれも受刑者を監獄に拘置するものであるが、定役（義務的な刑務作業）を課するかどうかによって区別される（一二条二項、一三条二項）。もちろん、禁錮受刑者もみずから進んで願い出れば、その選択する作業につくことができる（監獄法二六条）。このように、懲役と禁錮とが区別されているのは、ひとしく罪を犯した者でも、破廉恥な心情動機による者とそうでない者（たとえば、政治犯とか過失犯）とが、その事情をことにする点を考慮したもので、禁錮刑においては犯人の名誉を幾分尊重しようとするものであるとされている。もっとも、自由刑の個別化は犯罪人分類にもとずく分類処遇という合理的な方法によるべきであるとする立場から、懲役、禁錮の区別を廃止して自由刑を単一化すべきであるとする主張がある（単一刑論）。懲役と禁錮は、いずれも無期と有期とがあり、有期の懲役または禁錮は一月以上一五年以下である（一二条一項、一三条一項）。そこで、刑法各則や特別法の罰則に規定されているそれぞれの罪についての法定刑で、たとえば、「五年以上の有期懲役」（二三六条）とか「一〇年以下の懲役」（二三五条）とかいうように、長期または短期の定めないときには、当然、その長期一五年、その短期は一月ということになる。なお、長期の懲役・禁錮が一月以上一五年以下であるのは原則であって、これを加重するときには二〇年まで引き上げることができ、減軽するときには一月以下に引き下げることができる（一四条）。

拘留は、受刑者を拘留場に拘置するもので、その期間は一日以上三〇日未満（最高限は二九日ということになる）である（一六条）。懲役とことなり作業を課せられない。この点は禁錮と同じである。拘置場も監獄の一種であるが、警察の留置場を代用監獄として使うことがみとめられているので、拘留のばあいは警察の留置場に入れられることが多い。拘留は、軽微な犯罪、とくに軽犯罪法違反に多く適用される。なお、この自由刑の一種としての拘留と刑事法上の強制処分の一種としての勾留とを混同しないように留意する必要がある。

罰金および科料は一定の金額をうばうことを内容とする刑罰である。両者のちがいは、たんに金額の相違にあるだけなので、両者をあわせて罰金刑ということができよう。罰金刑は比較的軽微な犯罪に対する制裁として、また、短期自由刑の弊害を回避するために適用されるところに意味がある。なお、行政法規の中には、罰金に処せられると一定の資格や免許を失ったり取り消されたりすると定められているものがすくなくないが、科料についてはこうした定めはほとんどないので、刑の言渡にともなう附随的効果の面では罰金と科料とでちがいがあることに注意する必要がある。

刑法の規定では、罰金は、二〇円以上、ただしこれを減軽するばあいには二〇円以下に引き下げることができるとされ（一五条）、科料は一〇銭以上二〇円未満（一七条）とされているが、この金額は、刑法制定当時と比べて貨幣価値がいちじるしく低下した今日の社会のもとでは、あまりにも不合理な少額である。そこで、第二次大戦後のインフレで貨幣価値が暴落した昭和二三年に「**罰金等臨時措置法**」が制定され、それぞれ五〇倍に引き上げられたが、それでも現状にそぐわなくなったので、昭和四七年に同法が改正された。これによって、罰金は四〇〇〇円以上（ただしこれを減軽するばあいには四〇〇〇円以下に引き下げることができる）、科料は二〇円以上四〇〇〇円未満とされ、刑法各則のそれぞれの条文に規定されている罰金については、その多額（最高額）の二〇〇倍に相当する額をもってその多額とするとされた（なお、二九頁のカコミ参照）。

罰金または科料を完納することができない者は、一定の期間、労役場に留置される（一八条）。労役場留置は、罰金や科料を完納することができない者を一定の期間労役場に留置して、罰金や科料の納付に代える制度である。その法律的な性質については議論が分かれているが、一種の換刑処分と解すべきであろう（最判昭二五・六・七刑集四・六・九五六参照）。

たとえば、傷害に使った短刀を犯人に返してやっては、それがまた犯罪に使われる危険があるし、また、ばくちでもうけた金銭をそのままにしておいては、犯罪でえた不当な利得をみとめることになり妥当でなく、犯人に犯罪は利益にならないのだということをさとらせる必要がある。そこで、これらの物を取り上げる処分が必要となる。これが**没収**である。すなわち、没収とは、一定の犯罪が行なわれたことを原因として、その犯罪行為に関係のある物を犯人その他の者から取り上げて、これを国庫に帰属させる処分である。没収は附加刑であるので、主刑が言い渡されるばあいに、これに附加して言い渡されるものである。もっとも、没収はその実質において多分に保安処分的性質をもっている。たとえば、一九条二項但書は、犯人以外の第三者の所有物の没収をみとめているが、これなどは、あきらかに刑罰の本質と相容れないものであろう。

一九条一項は、没収しうる物として次の四種の物をあげている。すなわち、一号の「犯罪行為を組成したる物」とは、エロ本を販売したばあいのエロ本（一七五条）とか賭博にかけた金銭（一八五条）とかのように、それがなければその犯罪が成り立たない物をいう。二号の「犯罪行為に供し又は供せんとしたる物」とは、殺人に用いたピストル、日本刀とか、放火のために準備したガソリン、ぼろぎれとかのように、犯罪を実行するためにとくに利用した物、またはその目的で用意したが現実には使用されなかった物をいう。三号の「犯罪行為より生じた物」とは犯罪行為によって作り出された物で、たとえば通貨の偽造によって作り出されたにせ札などがこれにあたり、「犯罪行為によってえた物」とは、犯罪行為の当時すでに存在していた物で犯罪行為によって取得した物をいい、たとえば、盗品と知って買い取った時計などがこれにあたり、「犯罪行為の報酬として得たる物」とは、犯人が犯罪行為をしたことの対価・報酬として取得した物をいい、たとえば、いわゆる殺し屋が依頼に応じて人を殺害してやったことの謝礼金として受け取った金銭、ストリッパーが全ストをしたことの謝礼として受け取った出演料などがこれにあたる。四号の「前号に記載したる物の対価として得たる物」とは、三号にあげられた物件の対価としてえた物で、たとえば、窃盗犯人が盗品を他に売却してえた金銭などがこれにあたる。

これら四種のいずれにあたる物でも没収することが

できるのが原則であるが、あまり軽微な犯罪に対して拘留または科料を附加するのは過酷にすぎるので、拘留または科料のみにあたる罪については、犯罪行為を組成した物をのぞき、特別の規定がなければ没収しえないこととされている（二〇条）。

▼懐胎中の親狸を捕獲後、子狸が出生（狩猟法違反で仔狸も没収）

Aは、狩猟法に違反して、おすとめすの親狸各一頭を捕獲した。ところが、めす狸は当時懐胎中であったので、Aが自宅で飼養中に子狸二頭を産んだ。このばあい、子狸二頭も没収することができるか。

さて、没収することができるための第一の要件は、一九条一項各号にあげられた物が現に存在することである。たとえば、賭博の犯人が賭博でもうけた金銭を費消してしまったとか紛失してしまったとかのように、その物の存在が失われたとき、また、たとえば、賄賂としてもらった反物を着物の表として裏地を使ってあわせの着物を作ったばあいのように、加工・混同などによってその物の同一性が失われたときには、没収は不能となる。なお、日本刀の鞘のように附属物は、日本刀が没収されるときはその鞘も一緒に没収できる。また、右にあげた事例について、判例は、犯罪行為によってえた物を没収するのは、犯人に犯罪によって利得をえさせない趣旨であるから、事後の事情によってその物の価値が増加してもこれを没収することができるとし、子狸は、捕獲の当時、親狸の胎内にあって、これと一体をなしていたものであるから、後に自然の分娩事実によって分離したとしても、それは、「犯罪行為により得たる物」に含まれるから没収しうるとしているが（大判昭一五・六・三刑集一九・三三七）、妥当であろう。

没収することができるための第二の要件は、原則として、その物が犯人以外の者に属しないことである（一九条二項本文）。「犯人以外の者に属せざるときに限る」というのは、犯人（共犯者を含む）自身の所有物であるばあいおよびだれの物でもないばあいには没収できるが、犯人以外の第三者の所有物であるばあいには没収できないという意味である。これは原則であって、例外として、犯人以外の者に属するばあいでも、その者が犯罪後、情を知ってその物を取得したばあいには、没収しうる（同項但書）。たとえば、Aがにせ札作りに使用した自己所有の印刷機を犯行後にBに売ろうとしたところ、Bはその事情を知りながらこれを買い取ったばあいには、裁判のときに右印刷機がBの所有に属していても、これを没収することができる。

一九条一項のあげる没収の対象物のうち、一号・二号の物は、主としてそれを犯人の手中におくことは治安上好ましくないという見地から没収の対象物とされているのに対して、三号・四号の物は、むしろ犯罪による不正の利得を犯人にあたえたままにしておくべきでないという見地から没収の対象物とされているものである。ところで、たとえば、殺し屋が殺人行為の報酬として受け取った金員を手元にもっているときには没収できるが、これを遊興費に使ってしまったときには没収することはできない。しかし、遊興費に使ったのであるから、犯人はそれだけ不正の利益を享受したのであるから、没収できないといって、そのままほっておくことは妥当でない。そこで、没収できるはずであった金品に相当する金員を強制的に納付させることが必要である。これが追徴である。一九条の二は、一九条一項三号および四号に記載した物の全部または一部を没収することができないときには、その価額を追徴することができるとしている。なお、没収するはずであった物が金銭以外の物件のときは、その価格が変動するばあいもすくなくないので、どの時点を標準として追徴額を決めるかが問題となり、この点について見解が分かれているが、判例は、犯罪行為が行なわれたときの価格と解している（最判昭四三・九・二五刑集二二・九・八七一）。

未決勾留は、有罪・無罪が未確定の間にもっぱら訴訟手続の必要から被疑者または被告人の身柄を拘束するものであって、刑罰ではないが、それが人の自由を現実に拘束する点では自由刑の執行と同じである。そこで、有罪のときには、未決勾留日数の全部または一部を本刑に算入することができるとされている（二一条）。未決勾留日数を算入するかどうかは原則として裁判所の自由裁量に委ねられている。なお、未決勾留の本刑算入は、刑期そのものを短縮することではなく、ただ本刑に算入された日数だけがすでに執行されたものとみなされるのである。

第3章 期間計算

> **第二二条【期間の計算方法】** 期間を定むるに月又は年を以てしたるときは暦に従ひて之を計算す
>
> **第二三条【刑期の計算方法】** ①刑期は裁判確定の日より起算す
>
> ②拘禁せられざる日数は裁判確定後と雖も刑期に算入せず
>
> **第二四条【第一日・最終日】** ①受刑の初日は時間を論ぜず全一日として之を計算す。時効期間の初日亦同じ
>
> ②放免は刑期終了の翌日に於て之を行ふ

刑法上問題となる期間の計算は形式的な暦的計算方法による（二二条）。そこで、期間の計算は、暦のうえの年月にしたがって計算されるので、たとえば、懲役二ヵ月といっても、刑期に二月のように一ヵ月が二八日から二九日の短い月がはさまると得になるが、反対に、刑期が七月と八月とか、一二月と一月とかのように大の月が二ヵ月つづくときは損になる。また懲役一年でもうるう年では一日損になる。刑期は裁判確定の日から起算するのが原則であるが、実際に拘禁されていない日数は裁判確定後であっても刑期に算入しない（二三条）。なお、受刑の第一日は、時間をとわず、つねに全一日として計算されるので、たとえ午後四時に刑務所入りしたときも全一日として計算される。刑の時効における時効期間の初日についても同様である（二四条一項）。放免（満期釈放）は、刑期終了の翌日に行なわれる（二四条二項）。刑期は受刑の最終日の午後一二時に終了するが、そんな時間に釈放するのはいろいろと不都合があるので、その翌日に行なうとされている。なお、監獄法は翌日の午後六時までに釈放しなければならないとしているが（監獄法六八条）、釈放時の保護上特別のことがないかぎり、午前八時まえに行なうのが例である。

第4章 刑の執行猶予

第二五条【刑の執行猶予の要件】①左に記載したる者三年以下の懲役若くは禁錮又は五〇〇〇円以下の罰金の言渡を受けたるときは情状に因り裁判確定の日より一年以上五年以下の期間内其執行を猶予することを得

一　前に禁錮以上の刑に処せられたることなき者

二　前に禁錮以上の刑に処せられたることあるも其執行を終り又は其執行の免除を得たる日より五年以内に禁錮以上の刑に処せられたることなき者

②前に禁錮以上の刑に処せられたることあるも其執行を猶予せられたる者一年以下の懲役又は禁錮の言渡を受け情状特に憫諒す可きものあるとき亦前項に同じ。但第二五条の二第一項の規定に依り保護観察に付せられ其期間内更に罪を犯したる者に付ては此限に在らず

第二五条の二【保護観察】①前条第一項の場合に於ては猶予の期間中保護観察に付することを得前条第二項の場合に於ては猶予の期間中保護観察に付す

②保護観察は行政官庁の処分を以て之を仮に解除することを得

③保護観察を仮に解除せられたるときは前条第二項但書及び第二六条の二第二号の規定の適用に付ては其処分を取消さるるまでの間は保護観察に付せられざりしものと看做す

第二六条【刑の執行猶予を必ず取り消すばあい】左に記載したる場合に於ては刑の執行猶予の言渡を取消す可し

一　猶予の期間内更に罪を犯し禁錮以上の刑に処せられ其刑に付き執行猶予の言渡なきとき

二　猶予の言渡前に犯したる他の罪に付き禁錮以上の刑に処せられ其刑に付き執行猶予の言渡なきとき

三　第二五条第一項第二号に記載したる者及び第二六条の二第三号に該る者を除く外猶予の言渡前他の罪に付き禁錮以上の刑に処せられ

たること発覚したるとき

第二六条の二【刑の執行猶予を取り消すことができるばあい】左に記載したる場合に於ては刑の執行猶予の言渡を取消すことを得

一　猶予の期間内更に罪を犯し罰金に処せられたるとき

二　第二五条の二第一項の規定に依り保護観察に付せられたる者遵守す可き事項を遵守せず其情状重きとき

三　猶予の言渡前他の罪に付き禁錮以上の刑に処せられ其執行を猶予せられたること発覚したるとき

第二六条の三【競合した刑の執行猶予の同時取消】前二条の規定に依り禁錮以上の刑の執行猶予の言渡を取消したるときは執行猶予中の他の禁錮以上の刑に付ても其猶予の言渡を取消す可し

第二七条【刑の執行猶予の効力】刑の執行猶予の言渡を取消さるることなくして猶予の期間を経過したるときは刑の言渡は其効力を失ふ

有罪判決で懲役刑・禁錮刑が言い渡され、その裁判が確定すると、言い渡された刑が執行されるのが原則であるが、刑務所に入れると他の受刑者との接触によって悪にそまる可能性があり、とくに短い刑期を言い渡された犯罪性の弱い初犯者などは刑務所に入れられ悪質な犯罪者と接触したためにその犯罪性がひどくなるばあいも多いし、また、刑務所に入れるとその期間だけ社会から断絶された刑務所生活をすることになり、そのためにかえって受刑者の社会復帰が困難になるおそれがある。そこで、犯罪がそれほど重大なものでないときには、言い渡した刑の執行を一時猶予して、犯罪者自身の自覚による改善更生を期待し、もし不都合があればそのときには刑を執行するが、無事改善更生したときには刑を執行しないですませることが、犯罪者本人の社会復帰に役立つばかりでなく、結局は社会の安全を守ることにもなろう。こうした考えにもとづいて考案された制度が、刑の執行猶予の制度である。

わが刑法は、本章において、刑の執行猶予の要件（二五条）、執行を猶予されたばあいの保護観察（二五条の二）、執行猶予の取消（二六条・二六条の二・二六条の三）、執行猶予の効力（二七条）について規定している。わが刑法は、懲役・禁錮だけでなく罰金についても執行猶予をみとめている。これは、罰金刑の執行猶予は自由刑の執行猶予と比べるとそれほど大きな意義をもつものではないが、刑をできるだけ現実に執行しないで執行したと同一の効果をあげようとする考え方にもとづくものであるといえよう。

主要犯罪について執行猶予された者の数と割合

罪　　名	執行猶予の割合	有罪の言渡数	執行猶予の言渡数
贈　収　賄	94.0%	359	338
業務上過失致死傷	66.4	10,277	6,825
横　　領	66.3	1,409	934
恐　　喝	58.1	3,728	2,166
窃　　盗	54.8	22,008	12,067
傷　　害	54.7	4,341	2,374
放　　火	49.5	190	94
詐　　欺	44.7	4,725	2,113
強姦・同致死傷	42.9	2,566	1,101
強　　盗	28.5	467	133
殺　　人	28.2	960	271
刑法犯全体	**56.9**	**66,257**	**37,694**

注：1.　『犯罪白書』(昭46年度) 106, 108 頁による。
　　2.　有罪の総数は懲役と禁錮の和である。

刑の執行猶予は、たとえば、「被告人を懲役一年に処する。ただし、本裁判確定の日から三年間その刑の執行を猶予する」という形で言い渡される。この刑の執行猶予の言渡ができる要件については、二五条に規定されている。すなわち、執行猶予の言渡ができるばあいは二つに分けられるが、その第一のばあいは、これまでに禁錮以上の刑に処せられたことがない者、またはまえに禁錮以上の刑に処せられたことがあってもその執行を終りまたはその執行の免除をえた日から五年以内に禁錮以上の刑に処せられたことのない者が、三年以下の懲役もしくは禁錮または五〇〇〇円（罰金等臨時措置法六条により五万円）以下の罰金の言渡をうけたときに、情状により刑の執行を猶予することができる（二五条一項）。そこで、懲役三年六月の刑では執行猶予はありえない。尊属殺人罪（二〇〇条）や強盗殺人罪（二四〇条後段）のように法定刑が死刑と無期懲役しかないばあいには、いくら減軽しても（六六条ないし七一条参照）、三年六月までしか引き下げられないから、執行猶予にすることはできない。また、強盗致傷罪（二四〇条前段）のように、法定刑の短期が七年であるときには、法律上の減軽事由がないかぎり酌量減軽しても三年六月以上の刑を言い渡さなければならないから、これまた執行猶予にすることはできない。「情状」により刑の執行を猶予することができるというばあいの情状には、犯罪の動機が同情すべきものであること、犯罪が悪質でないこと、犯罪による被害が軽微であること、犯罪による被害の弁償がなされてること、犯人の年齢が若いこと、犯人の性格環境からみて再犯のおそれがすくないことなどがあげられる。

刑の執行を猶予された者の改善更生を援助し、犯罪行為や犯罪の原因となるような行動をしないように指導するための制度として**保護観察**の制度があるが、二五条の二は、どのようなばあいに保護観察を言い渡すか（一項）、保護観察の仮解除とその効果（二項、三項）についてだけ規定し、その他の事項については「執行猶予者保護観察法」に委ねている。

二六条は執行猶予の必要的取消、二六条の二は執行猶予の裁量的取消について規定し、二六条の三は、競合した執行猶予の同時取消のばあいに関して規定している。

刑の執行猶予は、言い渡された刑の執行を猶予するもので、刑の執行猶予があったばあいにも刑の言渡はあったのであるから、執行猶予中の者は「刑に処せられた者」にあたる。そこで、たとえば、その刑が禁錮以上であるばあいには、執行猶予中の者は、国家公務員や弁護士になることはできないし、すでに国家公務員または弁護士であれば自動的にその地位を失うことになる。しかし、刑の執行猶予の言渡を取り消されないで無事に猶予期間を経過したときには、刑の言渡はその効力を失い、刑の言渡がなかったと同じことになる（二七条）。そこで、もはや刑の執行をうける可能性がないことはもちろん、その後に罪を犯して裁判にかけられたばあいには、「前に禁錮以上の刑に処せられたことのない者」として、執行猶予の言渡をうけることができるし、前述の国家公務員や弁護士になる資格も回復する。もっとも、刑の言渡が効力を失うのは将来に向かってであるから、あらたに国家公務員としての任命や弁護士としての登録をうけないかぎり、禁錮以上の刑に処せられたことによって失った地位にそのままもどることはできない。

第５章 仮出獄

第二八条【仮出獄の要件】懲役又は禁錮に処せられたる者改悛の状あるときは有期刑に付ては其刑期三分の一無期刑に付ては一〇年を経過したる後行政官庁の処分を以て仮に出獄を許すことを得

第二九条【仮出獄の取消】①左に記載したる場合に於ては仮出獄の処分を取消すことを得

一　仮出獄中更に罪を犯し罰金以上の刑に処せられたるとき

二　仮出獄前に犯したる他の罪に付き罰金以上の刑に処せられたるとき

三　仮出獄前他の罪に付き罰金以上の刑に処せられたる者にして其刑の執行を為す可きとき

四　仮出獄中遵守す可き事項を遵守せざりしとき

②仮出獄の処分を取消したるときは出獄中の日数は刑期に算入せず

第三〇条【仮出場】①拘留に処せられたる者は情状に因り何時にても行政官庁の処分を以て仮に出場を許すことを得

②罰金又は科料を完納すること能はざるに因り留置せられたる者亦同じ

刑務所でいくら真面目につとめても、判決で言い渡された刑期が満了しなければ社会に出られない、無期のばあいにはそれこそ死ぬまで一生刑務所ぐらしというのでは、受刑者は希望をもつことができず、改善の効果もさまたげられる。もともと、行刑というものが、受刑者を改善し、社会の有用な一員として社会に復帰させることを目的とする以上、すでに改善した者を刑務所に拘禁しておくことは無意味であろう。そこで、無用な拘禁をできるだけさけるとともに、受刑者に将来に対する希望をもたせ、積極的にその改善を促進して受刑者の社会復帰を容易にすることが必要である。そのための一つの制度が仮釈放といわれるものである。すなわち、**仮釈放**は、自由刑の執行をうけている者が改悛の状があるときには、まだその刑期が満了していなくても、自由刑の執行をかりに停止して社会に出し、その後一定期間を無事に経過したときはその執行を免除する制度である。

わが刑法は、懲役または禁錮に処せられた者が改悛の状があるときには、有期刑については、その刑期の三分の一、無期刑については一〇年を経過した後、行政官庁の処分で、かりに出獄を許すことができるとしている（仮出獄という。二八条）。仮出獄を決定する「行政官庁」は地方更生保護委員会である。二九条は、仮出獄の処分を取り消すことができる事由を定めるとともに、取り消したときは出獄中の日数は刑期に算入しないとしている。そこで仮出獄を取り消されたばあいには、仮出獄になるまでに服従した期間の残りの期間全部をあらためて服役しなければならないことになる。仮出獄の処分を取り消されないで残りの期間を無事に経過したときには、刑の執行が終ったものとして、その執行が免除されるので、もう服役しないでよいことになる。

拘留に処せられた者および罰金・科料を完全に納めることができないために労役場に留置された者は、情状によっていつでも、行政官庁の処分によって、かりに出場を許すことができるとされている（仮出場という。三〇条）。仮出場の取消については明文の定めもなく、実際上の取扱においても行なわれていない。仮出場を決定する行政官庁は、仮出獄と同様、地方更生保護委員会である。

なお、仮釈放という言葉は、仮出獄と仮出場といわれているものの総称である。

罰金等臨時措置法の改正について

罰金等臨時措置法（昭二三）は、罰金は一〇〇〇円以上、科料は五円以上一〇〇〇円未満、刑法各則のそれぞれの条文に規定されている罰金については（一五二条をのぞく）、その多額の五〇倍に相当する額をもって多額とするとしていたが、それでも罰金の金額が現状にそぐわなくなったので、昭和四七年六月一二日改正され、同年七月一日から施行された。改正の骨子は、罰金は四〇〇〇円以上、科料は二〇円以上、四〇〇〇円未満、刑法等に定められている罰金刑の最高額を五〇倍から二〇〇倍に引き上げるというもの。そこで、罰金刑の高い贈賄（一九八条）などは一〇〇万円以下の罰金となる。

第6章

刑の時効および刑の消滅

第三一条【時効の効果】 刑の言渡を受けたる者は時効に因り其執行の免除を得

第三二条【時効の期間】 時効は刑の言渡確定したる後左の期間内其執行を受けざるに因り完成す

一　死刑は三〇年

二　無期の懲役又は禁錮は二〇年

三　有期の懲役又は禁錮は一〇年以上は一五年、三年以上は一〇年、三年未満は五年

四　罰金は三年

五　拘留、科料及び没収は一年

第三三条【時効の停止】 時効は法令に依り執行を猶予し又は之を停止したる期間内は進行せず

第三四条【時効の中断】 ①時効は刑の執行に付き犯人を逮捕したるに因り之を中断す

②罰金、科料及び没収の時効は執行行為を為したるに因り之を中断す

刑の言渡の判決が確定しても、その刑が執行されないで一定の期間が経過してしまうと、もはやその刑を執行することができなくなる制度を**刑の時効**という(三一条)。たとえば、人を殺して六年の懲役を言い渡された者が、その刑の言渡が確定してから一〇年間逃げまわってつかまらないでいると、その刑の執行が免除されることになる。死刑囚でも刑務所を脱走して三〇年間かくれていたときは、その後は死刑を執行することはできない。このような刑の時効の制度がみとめられる理由としては、①時の経過とともに被害者や社会の一般の犯人に対する感情がやわらぎ、実際に刑を執行する必要がなくなる、②長期間逃げかくれていることで犯人は刑の執行をうけたと同じくらいの苦しみをなめているから、そのうえこれに刑を執行するには及ばない、③長い年月の間には犯人が改善更生しているなど事情が大きく変化するので刑を執行する意味がなくなる、④時の経過とともに出来あがった社会的事

実関係をそのまま尊重することが必要である、などがあげられている。なお、犯罪があったときから一定の期間内に起訴がないと、もはや裁判できず実際上処罰される可能性がなくなる、いわゆる**公訴の時効**（刑訴二五〇〜二五五条、三三七条）と、ここにいう刑の時効とは区別されなければならない。

刑の時効は、刑の言渡が確定してから、言い渡された刑の執行をうけないで、(1)死刑は三〇年、(2)無期の懲役または禁錮は二〇年、(3)有期の懲役または禁錮は一〇年以上は一五年、三年以上は一〇年、三年未満は五年、(4)罰金は三年、(5)拘留・科料および没収は一年の期間が経過すると、時効が完成し（三二条）、その刑の執行が免除される。時効は、現実に執行をうけていないことを条件として、刑の言渡が確定した日から進行をはじめる。

なお、刑の執行が猶予されたり、停止されたりしたばあいは、その猶予・停止の期間は時効の進行がなく、時効期間の計算に入らない（三三条）。また、時効は刑を執行するために犯人を逮捕したことによって中断される（三四条一項）。罰金・科料および没収については、その執行行為をしたことによって時効が中断される（同条二項）。なお、時効の中断は、三三条の時効の停止とはことなり、いったん進行した時効期間をゼロとし振り出しにもどすことである。たとえば、窃盗で一年の懲役を言渡された者が逃げまわって、その裁判の確定した日から三年経ったところで刑の執行のために逮捕されたが、また逃走したときは、あと二年経てば時効が完成するのではなく、つかまるまえの三年はふいになって、あらためて五年が経過しなければ時効は完成しない。

第三四条の二【刑の消滅による資格の回復】①禁錮以上の刑の執行を終り又は其執行の免除を得たる者罰金以上の刑に処せらるることなくして一〇年を経過したるときは刑の言渡は其効力を失ふ。罰金以下の刑の執行を終り又は其執行の免除を得たる者罰金以上の刑に処せらるることなくして五年を経過したるとき亦同じ

②刑の免除の言渡を受けたる者其言渡確定したる後罰金以上の刑に処せらるることなくして二年を経過したるときは刑の免除の言渡は其効力を失ふ

刑に処せられると、法律上においても、いろいろと権利または資格が制限される例が多い。たとえば、執行猶予をうけにくくなったり（二五条）、再犯として懲役刑が加重されたり（五六条、五七条）、公務員や弁護士になる資格がなくなったりする（国家公務員法三八条・七六条、弁護士法六条など）。このことは、前科者が、就職の機会がきわめてすくないなど、社会において事実上こうむっている不利益と結びついて前科者の社会復帰を困難にしている。そこで、前科者の社会復帰を容易にするためには、その権利または法律上の資格を回復させることが必要である。この目的に奉仕するものが**復権**といわれる制度である。復権には恩赦法による復権と三四条の二に規定されたいわゆる法律上の復権とがある。法律上の復権とは、前科者が一定の期間真面目な生活をつづけたときには、法律的には刑の言渡をうけなかったと同じように取り扱うとするものである。

三四条の二によると、禁錮以上の刑に処せられた者がその執行を終わりまたは執行の免除をえてから一〇年間罰金以上の刑に処せられなかったとき、および、罰金以下の刑に処せられた者がその執行を終わりまたは執行の免除をえてから五年間罰金以上の刑に処せられることがなかったときには、刑の言渡はその効力を失うことになり、さらに、有罪になっても刑の免除の言渡をうけた者がその裁判が確定した後二年間罰金以上の刑に処せられることがなかったときには、刑の免除の言渡はその効力を失うことになる。「言渡はその効力を失ふ」というのは、その後の法律上の取扱として、過去にそのような言渡がなかったと同じようにみるということである。そこで、弁護士法や医師法の適用上においても「刑に処せられた者」にあたらないということになる。もっとも、それまでに、その言渡によって生じた効果をさかのぼって無効とするわけではない。したがって、禁錮以上の刑に処せられたために公務員の地位を失った者が、一〇年経過したからといって、その失った地位に当然に復職するというわけではない。

第7章 犯罪の不成立および刑の減免

刑法上の犯罪とは、犯罪構成要件に該当し違法有責な行為であるとされている。本章は、犯罪構成要件に該当するが、違法性か責任を欠くため犯罪が成立しない主要なばあい（三五条ないし三七条は違法性の欠けるばあい、三八条ないし四一条は責任の欠けるばあい）に関する規定と、犯罪の成立はあるが刑を減軽・免除する事由に関する一般的規定（三六条二項・三七条一項但書・三八条三項但書・三九条二項・四〇条後段は犯罪そのものに内在する刑の減免の事由、四二条は犯罪の外にある刑の減免の事由）から成っている。なお、刑の減免に関する一般規定は、本章以外にも総則で規定されている（たとえば、四三条・六二条・六六条）。

犯罪の成立要件　刑法上の犯罪とは、犯罪構成要件に該当し違法有責な行為であるとするのが今日の通説である。そこで、以下、それぞれの要件について簡単に説明することにしよう。

(1)　構成要件に該当すること　刑法上、犯罪といえるためには、刑罰が科せられる行為でなければならない。ところが、刑罰が科せられる行為は、法律上特定の行為として規定されている。すなわち、立法者は、われわれの社会において、社会の秩序を害する反社会的な行為のうちから、刑罰を科するに値すると考えた行為をえらび出して、これを類型化し、法律的な犯罪の定型として規定する。たとえば、すり、置引き、空巣ねらい、板の間かせぎといった反社会的な行為を「他人の財物を窃取したる」という窃盗罪として類型化して規定している。この「他人の財物を窃取したる」とか「人を殺したる」とかいうように、法律上個個の犯罪定型として規定されたものが、刑法学で構成要件といわれる。そこで、犯罪であるためには、まずこの構成要件に該当した行為でなければならない。構成要件に該当しない以上、たとえどんなに不都合で不道徳な行為であっても、法律上の犯罪ではない。たとえば、姦通という行為が不都合で不道徳で社会秩序に反するものであっても、姦通に対しては今日刑罰が加えられていないから、姦通は法律上の意味における犯罪ではない。

また、犯罪であるためには、構成要件に該当する行為であることを要するから、ただ心の中で泥棒をしようと思っただけでは、犯罪とはならず刑罰を科せられないのである。「何人も考えることによっては処罰せられない」という法格言はこのことを示しており、この点で内心の規律である道徳と区別される。キリストは「すべて色情をいだきて女を見るものはすでに心のうちに姦淫したるなり」といっているが、これだけでは刑罰は科せられない。心のうちだけの姦淫や窃盗は刑法では問題となりえないのであって、行為として外部にあらわれたときにはじめて問題となるのである。

さて、犯罪であるための行為は、かならずしも積極的動作（作為）である必要はなく、消極的動作（不作為）であってもよい。人を殺すばあいは、通常は、ピストルを発射したり、日本刀で切りつけたり、毒薬を飲ませたりする、積極的動作によって行なわれるが、たとえば、母親がその乳児を殺す意思で、わざと乳をあたえないで餓死させたばあいは、消極的動作による殺人罪を構成する。

(2)　違法であること　犯罪として刑罰が科せられるためには、その行為は違法、すなわち法秩序に違反するものでなければならない。ところで、構成要件は上述したように、殺人とか放火とか窃盗とかいった刑罰を加えるに値する違法な行為を類型化したものであるから、ある行為が構成要件に該当するばあいには、その行為は原則として違法であるといえる。しかし、具体的ばあいについてみると、ある行為は構成要件に該当しているが違法でないばあいがある。たとえば、医者が治療のために、患者の承諾をえてその左足をひざから切断したばあい、その行為は「人の身体を傷害したる」という傷害罪の構成要件に該当するが、その行為は、違法な行為とはいえない。そこで、個々のばあいに、具体的に行為が違法かどうかを判断しなければならない。もっとも、構成要件に該当する行為は一応違法であるという推定をうけるので、その行為が違法かどうかの判断は、その違法性の推定をやぶる例外的事由——違法性阻却事由——が存在するかどうかという消極的な形でなされる。三五条・三六条・三七条は、こうした違法性阻却事由に関する規定である。

(3)　責任があること　ある行為が、構成要件に該当し違法であっても、なお犯罪は成立しない。犯罪となるためには、さらに、その行為につき行為者が非難さるべきものであること、すなわち、責任のあることが必要である。たとえば、精神病者が家に放火したばあい、この放火行為について、精神病のために物ごとの善悪を判別する能力を失った行為者を責めることはできないであろう。このばあいには、行為者に責任がなく犯罪は成立しない。そこで、責任のあることが犯罪成立の第三の要件となる。

このように、責任を犯罪成立の要件とすることは近代刑法の原則であって、古い時代には、狂人に対しても刑罰を科することが行なわれていたが、今日では、責任のない者に刑罰を加えることをみとめる刑法はない。そこで「責任がなければ刑罰はない」ということは近代刑法の根本観念であるといわれている。

刑罰権の発生　犯罪の成立があると、原則としてただちに刑罰権が発生する。すなわち、ある行為が犯罪構成要件に該当し、違法であり、それが行為者の責任に帰せられるものであるときには、犯罪が成立し、と同時に刑罰権が発生するのが原則である。ところが、例外として、犯罪が成立しても、刑罰権の発生が他の外部的事由によって条件づけられているばあいがある。たとえば、詐欺破産罪においては破産宣告の確定によってはじめて刑罰権が発生する。このように一定の条件がなければ刑罰権が発生しないばあい、このような条件を**客観的処罰条件**という。また、たとえば、直系血族、配偶者、同居の親族の間において窃盗・詐欺・恐喝・横領などが行なわれたばあいには、その刑が免除される（二四四条・二五一条・二五五条）。このように一定の事由があると刑罰権の発生が妨げられるばあい、このような事由を**処罰阻却事由**という。なお、右の例でもわかるように、処罰阻却事由は行為者の身分であるのが一般である。そこで、これを**一身的処罰阻却事由**という。

客観的処罰条件および処罰阻却事由は、なんらかの政策的理由からみとめられたもので、犯罪の成立と無関係である。そこで、(1)客観的処罰条件、処罰阻却事由の有無は、行為の違法性と関係がない。いいかえると、客観的処罰条件を具備していなくても、または処罰阻却事由があっても、その行為は違法である。たとえば、子供が親の物を盗んだばあい、その行為は違法であるから、これに対して正当防衛をなしうる。(2)客観的処罰条件や処罰阻却事由にあたる事実を表象したかどうかは、故意の成立に無関係である。たとえば、親がその友人から借りて持っていたカメラを、子供が親の物だと思って盗み出したばあいでも、窃盗罪の故意は阻却されない。(3)客観的処罰条件、処罰阻却事由は、犯罪の完成、すなわち、既遂とは関係がない。

第三五条【正当行為】法令又は正当の業務に因り為したる行為は之を罰せず

第三六条【正当防衛】①急迫不正の侵害に対し自己又は他人の権利を防衛する為め已むことを得ざるに出でたる行為は之を罰せず

②防衛の程度を超えたる行為は情状に因り其刑を減軽又は免除することを得

第三七条【緊急避難】①自己又は他人の生命、身体、自由若くは財産に対する現在の危難を避くる為め已むことを得ざるに出でたる行為は其行為より生じたる害其避けんとしたる害の程度を超えざる場合に限り之を罰せず。但其程度を超えたる行為は情状因り其刑を減軽又は免除することを得

②前項の規定は業務上特別の義務ある者には之を適用せず

正当行為　三五条は、法令による行為または正当な業務による行為は、それが犯罪構成要件にあたるばあいでも違法性を欠き犯罪とならないとしている。たとえば、警察官が逮捕状を示して収賄した汚職公務員を逮捕したばあいに、その行為は逮捕罪（二二〇条）の構成要件にあたるものであるが、法令にもとづいてなした行為であるので違法性を欠き罪とならないし、また、プロボクサーが試合中に相手ボクサーに強打を加えノックアウトしたところ相手が脳内出血で死亡したばあいも、その行為は正当な業務による行為であるので違法性を欠き傷害致死罪で処罰されることはない。外科医は、しばしば治療のために患者の足を切断したり開腹手術をしたりしているが、傷害罪で処罰される

ことがないのは、それが医学的に一般に承認された方法であるかぎり正当な業務によってなされた行為であるからである。ところで、大学のボクシング部の選手が対抗試合中に相手選手をケガさせたばあいでも傷害罪で処罰されることがないこともちろんである。しかし、このばあいは大学生であるので正当な業務による行為にはあたらない。ここから、法律が正当な業務による行為を違法でないとしているのは、それが業務行為であるからではなく、正当な行為、すなわち、社会的にみて正当な行為といえるからであることがわかろう。いいかえると、三五条は、社会倫理秩序からみて正当とみとめられるような行為は、形式的には犯罪構成要件にあたるものであっても、実質的には違法でない旨をあきらかにしたものである。

▼市電の出庫阻止で労使がもみあう（正当行為として職員無罪）

某市役所の労働組合は、市当局に対して職員の正当な経済的地位の向上を目ざした団体交渉を要求しつづけてきたが、市当局の不当な団体交渉の拒否や引き延しのため一年以上もの期間を徒過させられたうえ、当局側から、ストをやるならやれなど誠意のない返答がなされるに至った。そこで、某日午前六時ごろ、組合側は団体交渉における労使の実質的対等を確保するため、市電・市バスの乗務員の乗車拒否を主眼とするストライキに踏み切った。ところが、同日午前一〇時ごろ、ストから脱落したBらが当局側の業務命令にしたがって市電の運転をはじめるため車庫内に格納されていた電車を運転して車庫外に出ようとした。Aら約四〇名の組合員は、そのストが実効性を失うのを防ぐ目的で、とっさにBの運転する市電の前に立ちふさがり、くちぐちに組合の指令にしたがって市電を出さないよう叫けんでいたところ、これをみた市当局側が腕力で組合員を排除しようとしたため、約二〇分間市当局側の者たちともみ合った。

労働争議行為は、それが労働者の経済的地位の向上を主たる目的として行なわれ、その手段が具体的事情のもとで相当とみとめられるかぎり、形式的に業務妨害罪その他の犯罪構成要件にあたるものであっても、正当な行為として違法性が阻却される。右にあげた事例について、判例は、Aらが市電の前に立ちふさがりその進行を阻止し業務を妨害した行為は正当な行為として罪とならないとしている（最決昭四五・六・二三刑集二四・六・三一一）。

▼隣家がつけた目かくしを自力で叩き落す（自力救済はみとめられないか）

A女の経営する旅館の建物はBの住宅と壁一重で隣接し、同旅館の裏側二階の廊下の壁に、横約一・八メートル、縦約七五センチで約一〇センチ間隔で縦に鉄棒をはめ込んだ窓があった。ところが、Bは、某日、突然、A女に対するいやがらせの意図で、この窓に密着して、幅約一二センチ、長さ約一メートルの板を重ねて打ちつけた横約二メートルの目かくしを作った。そのためA女の旅館は屋内への採光、通風が遮断され営業に多大の支障が生じたので、A女は、Bにその撤去を求めたが、Bはこれに応じなかったので、たまたま同旅館に宿泊していたお客Cにたのんで、右目かくし板二、三枚を内側から金鎚で叩き外してもらった。

たとえば、泥棒を現場から追いかけて盗まれた物を実力で取りもどす行為のように、法律上の手続によらないで被害者みずから権利の救済をはかる行為を**自救行為**（自力救済）という。自救行為をあまり広くみとめると、私人の力がものをいうようになり、法治国家としての秩序がみだされることになるから、自救行為が許されるために 厳格な要件が必要である。すなわち、ただちに救済をはからなければ後日の救済が事実上不可能ないしいちじるしく困難となること、そして、権利を保全する目的でなされ、その行為はその目的を達成するために適当な限度であることが必要である。判例は、自救行為をみとめることについてはきわめて消極的で、これまで自救行為として違法性がないとされた事例はほとんどないといってよかろう。右にあげた事例は、自救行為をみとめた簡裁判例（長崎地佐世保簡判昭三六・五・一五下級刑集三・五＝六・四九三）の事案であるが、判例の基本的態度からみてこの結論がみとめられるかどうかは疑問がのこる。

そのほか、正当行為として、普通あげられるものとしては、安楽死（二二七頁参照）、被害者の承諾による行為（二三二頁参照）などがある。

▼夫婦喧嘩で妻を殴打しその頭髪を切る（夫は可罰的違法性なしとして無罪）

Aは、某日アパートの居室で同居中の内縁の妻Bが昼すぎても風邪気味だといって起きず口答えをするので腹を立て、三面鏡用の布張りの腰掛や竹ぼうきでBの頭部・背部を殴打し、剃刀でその頭髪の一部を切りとり、Bに加療三日間の傷害を負わせた。

〔1〕

▼公害反対運動でビラを貼った住民、無罪

〔２〕

Ａは、松山市所在の丸善石油松山製油所と公害問題について交渉中の同市門樋部落の組長であったが、丸善石油に対する公害問題についての交渉を有利に展開する一方法として、昭和四〇年三月二一日午前九時ごろから一一時ごろまでの間、管理責任者の承諾をえないで愛媛自動車運転試験場西側のコンクリート製外壁に、「丸善よ悪水を流すな廃液は完全浄化せよ」など墨書した、たて約七三センチ、よこ二五センチのビラ約一九枚を糊で貼付した。

たとえば、夫婦喧嘩で夫が妻の頭を殴ったため妻の頭にこぶができたばあい、形式的には傷害罪の構成要件にあたっているが、そうだからといって、それが処罰に値するとはだれも考えないであろう。しかし、街頭で不良Ａが通行中のＢにいいがかりをつけて、Ｂの頭を殴ってこぶを作ったばあいには、そのこぶの程度が夫が作ったのと同じ程度であっても、傷害罪として処罰に値するものといえよう。とすると、前のばあいは、夫婦間のことであるところから、その程度の傷害は、国家が刑法上は不問に付することが家庭生活の利益に合致するものと考えられるからであろう。すなわち、侵害行為が具体的ばあいにおける全事情を考慮すると被害法益が比較的軽微であることとの関連から、社会的に相当といえるようなばあいには、**可罰的な違法性**がないと解すべきである。右にあげた事例〔１〕について、大阪地裁の判決は、Ａの行為は治療日数三日の軽微な傷害であってとくに強暴な暴行にもとづくものでもなく、夫婦関係の破壊をともなわない以上、当事者間の自律に委ねられ国家の刑罰権より放任された領域の行為として、刑法上の違法性を阻却すると述べている（大阪地判昭三七・一二・二四判時三二六・一四）。右にあげた事例〔２〕について、判例は、Ａの行為の目的・態様・法益侵害の程度などを考慮すれば、Ａの行為は軽犯罪法一条三三号違反罪を構成しないとしている（高松高判昭四三・四・三〇高刑集二一・二・二〇七）。

正当防衛　突然、暴漢が凶器を振りかざしておそってきたので、手に持っていたステッキで暴漢を殴ってケガをさせても罪にとわれないということはだれも疑問としないところであるし、こうしたばあいが正当防衛といわれるものであることも周知のところであろう。三六条一項は、正当防衛の要件を規定している。すなわち、正当防衛といえるためには、まず第一に、

「急迫不正の侵害に対するものであること」が必要である。「急迫」な侵害とは、目の前にさしせまった侵害をいうから、「近いうち殴り込みをかけるぞ」といわれたので、その機先を制してこちらからさきに殴り込みをかけたり、昨日、頭をぽかりとやられたので、今日、相手の頭を殴りかえしたといったばあいは、いずれも「急迫」な侵害に対するものでないから正当防衛にはならない。もっとも、泥棒が入るのを防止するためにあらかじめ電流を通じた鉄条網を設備しておいても、それが現実に泥棒が侵入しようとしたときに作動するように設備されていれば、急迫な侵害に対するものといえよう。「不正」とは違法ということであるから、責任無能力者（三九条・四〇条・四一条）による侵害、たとえば、気狂いが突然おそいかかってきたときにも、正当防衛は可能である。「侵害」は、積極的な行為だけでなく、いわゆる不作為でもよい。たとえば、夫婦喧嘩のあげく、ふてくされて乳児に授乳しないで放置している妻君に、夫が「子供に乳をやらないと、なぐりとばすぞ」といっておどかしたようなばあいは、不作為に対する正当防衛といえよう。なお、動物や自然現象による侵害に対しては正当防衛はみとめられず緊急避難（三七条）がみとめられるにすぎないとするのが通説である。もっとも、たとえば、飼主が他人を傷つける目的で自分の飼犬をけしかけたばあいとか、飼主が飼犬を鎖でつないでおくのを忘れたため、その犬が外に出て被害者にかみついてきたばあいには、この犬による侵害は飼主自身の侵害とみとめられるから、このばあいには正当防衛が可能である。

▼組みつこうとした男に一撃して死亡させる（正当防衛）

Aは、かねてから凶暴だと噂のある背の高く四角張った身体つきでどうもうな人相をした屈強な男Bが開墾地内から薪木を盗んで帰るのを目撃し、「そんなに薪を持っていっては困る」といったところ、Bが「なにっ」といいながら杖にしていた雑木の生木をもって打ちかかってきたので奪いとったところ、なおもBが素手で組みつく勢を示したので、Aはその生木でBの頭を一回殴ったが、当り所が悪くBは死亡した。

次に、「自己または他人の権利を防衛するため、やむことをえずにしたものであること」が必要である。「権利」といっても、ここでは、たとえば所有権のように何々権と名のつくものにかぎらず、法律によって保護されるだけの価値のある利益（法益という）であればよい。また、たとえば、夜道で痴漢におそわれている女性をみて、これを助けるためその痴漢をなぐりつけるといったばあいのように、他人のためにも正当防衛ができる。しかも、その他人は、個人だけでなく、会社その他の団体、さらには国家も含まれる（最判昭二四・八・一八刑集三・九・一四六五参照）。正当防衛は、権利を「防衛するため」になされること（防衛の意思）が必要である。もっとも、反撃の際に、憤激・憎悪などの感情がともなったからといって、防衛の意思がないとはいえない。「やむことをえず」とは、具体的事情のもとで法益をまもるために必要であり、その手段として相当とみとめられるばあいをいう。そこで、逃げれば逃げられたばあいに反撃したとしても、それが具体的事情のもとで防衛のため必要であり、その手段として相当なものであれば正当防衛たりうる。右にあげた事例について、判例は、正当防衛にあたるとしている（最判昭二六・三・九刑集五・四・五〇〇）。

〔1〕

▼喧嘩の最中相手を小刀で刺殺（正当防衛成立せず）

Aは友人Bと国民学校横のC方に浪花節を聴きに行ったところ、Bが同じ浪花節をききにきていたDに国民学校の裏庭に連れてゆかれ、殴られた。Aは、その場にとんでいって仲裁に入ったが、Dと口論の末、殴りあいになり、小柄なAはたちまちDのためさんざん殴られ、鉄条網に仰向におしつけられたうえ睾丸なども蹴られたので、持っていた小刀でDに切りつけ、死亡させた。

〔2〕

▼飲酒のうえナイフで切りかかった男を負傷（正当防衛）

Aは、酒を飲んでいたところ、Bが飲酒のうえ乱暴をするので、これを取りしずめようとして喧嘩となった。BがAにナイフで切りかかってきたので、その手をつかまえたところ、Bがその手をかんだので、Aはやむなく Bの口に左手を入れ、かんだ口をはなさせようとした際に、Aの左手の爪がBの口の右端から右頰にあたって傷をあたえた。

喧嘩をやっている者同士はどちらも不正なことをしているのであるから、喧嘩のばあいは正当防衛がみとめられないのが通例である。右にあげた事例〔1〕において、AがDを切りつけたのは防衛のためであっても、闘争の全般からみて正当防衛とはいえない。しかし、喧嘩闘争と正当防衛とは氷炭相容れないものだから、喧嘩闘争のばあいには正当防衛は全然問題にならないと解すべきでなく、喧嘩闘争のばあいにおいても、闘争の全般を観察しながら具体的に正当防衛の要件を具備するかどうかを検討すべきである。右にあげた事例**〔2〕**のばあいには、Aの行為は正当防衛にあたるといえよう（広島高岡山支判昭二七・三・二〇高刑集五・四・五一〇）。

▼娘をからかった若者を父親が殺傷（過剰防衛で有罪だが、執行猶予）

Aは養女のB子さん（一三歳）を連れ、国鉄池袋駅西口付近で買物をして帰る途中、通称池袋大踏切前で遮断機が開くのを待っていたところ、酒を飲んだC・D・E三名が通行中の女性をからかいながら通りかかり、CがB子さんに「よお！」と声をかけ、首のあたりに手を触れようとしたので、B子さんを傍に引きよせかばうとともに、C対して「私の娘だ、手を出すな」とたしなめた。ところが、これにいきりたったCがAの顔面をなぐったので、AがCのあごのあたりを突き返したところ、いきなりDがAにはげしく体当りしてきたため、Aははねとばされて転倒し、起き上がって後ずさりに道路中央に移動した。Cらはなおも執拗にAにおそいかかり、サンダルでなぐりかかり、あるいはけりつけたりしてくるので、Aはポケットから飛出ナイフを取り出し、おそいかかってくるC・D・Eをつぎつぎに刺し、Dを死亡させ、C・Eに入院を要する傷害をあたえた。

急迫不正の侵害に対して自己または他人の権利を防衛するためにした行為でも、その程度をこえたばあい、たとえば、下駄で打ちかかられたので匕首で斬りつけて死亡させたばあいなどは、正当防衛にはならない。このようなばあいを**過剰防衛**といい、正当防衛でないので違法性は阻却されないが、事情によって、その刑を減軽したり免除したりすることができる（三六条二項）。右にあげた事例について、東高高裁は過剰防衛をみとめ刑の執行猶予を言い渡した（東京高判昭三七・九・一九判時三二三・九）。

たとえば、夜間、女中のところにこっそり訪ねてきた女中の恋人を、主人が泥棒と誤信してなぐりつけてしまったというように、急迫不正の侵害がないのに、こうした侵害があるものと誤信して防衛行為をなしたばあいを**誤想防衛**という。このばあい、正当防衛ではなく違法性が阻却されないこともちろんである。誤想防衛が故意を阻却するかどうかについては問題がある（五一頁参照）。

緊急避難　船が難破して海中に投げ出された二人の者が、一枚の板にしがみつこうとしたとき、その板は一人ならこれにつかまっても浮いていられるが、二人ともつかまったら沈んでしまうようなものであったので、先にこの板につかまった者が、後からこれにつかまろうとした他の一人の者をつきとばして溺死させ自分だけ助かったというばあいに、その者の行為は緊急避難行為として犯罪とならない。緊急避難が犯罪とならない理由として、それが違法性を阻却するものであるのか責任を阻却するものであるのかについては見解が対立しているが、三七条の規定する緊急避難はその要件からみて違法性を阻却するものと解すべきであろう。

▼水田の浸水を防ぐため、他人の板堰をこわす（**緊急避難で器物損壊罪に当らない**）

A・B・Cらは、豪雨のため自分達の水田に浸水し、稲苗の剣先が水没にひんし、このまま二、三日にもわたると稲苗が枯死するおそれを生じたので、水田から減水させるためやむをえず下流の他人の板堰を破壊した。なお、浸水のため枯死のおそれのあったのはAらの水田九ヘクタール余の稲苗であり、板堰は破壊しても下流の水田には影響のない状態のものであった。

三七条は緊急避難の要件を次のように規定している。すなわち、第一に、「自己または他人の生命、身体、自由もしくは財産に対する現在の危難があること」が必要である。条文は、生命・身体・自由・財産だけをあげているが、この四種にかぎる理由はなく、貞操・名誉に対する現在の危難に対しても緊急避難をみとむべきである。「現在」の危難とは、法益侵害の危険状態が目前にさしせまっていることをいう。右にあげた事例のようなばあいに、現在の危難があるとした判例がある（大判昭八・一一・三〇刑集一二・二一六〇）。これに反し、韓国の某元高官がわが国に密入国した事件で、韓国の革命立法による革命裁判で重い刑に処せられるおそれがあることを理由に緊急避難が主張されたが、革命立法の法案の内容が新聞紙に報道されたにすぎない段階では、なお現在の危難があるといえないとされた（最判昭三九・八・四判時三八〇・二）。「危難」は、人の行為にもとづくものにかぎらず、自然現象、動物の動作にもとづくものであってもよい。右にあげた事例は、洪水といった自然現象にもとづく危難の例である。また、危難の原因となった侵害行為が正当なものであっても緊急避難は可能である。たとえば、他人の緊急避難行為によって害をうける者がこれを排除する行為も緊急避難たりうる。なお、急迫不正の侵害を加えられた者が侵害者に対して反撃すれば三六条の要件をそなえているかぎり正当防衛にあたるが、その侵害をさけるために第三者の法益を侵害したばあいは、その関係では、右の急迫不正の侵害は現在の危難にあたる。みずから招いた危難であっても緊急避難をみとめる余地はある。たとえば、Aが、通行中、道傍に寝そべっていたBの飼犬の尾をあやまって踏んでしまったところ、犬が怒って猛烈な勢でとびかかってきたので、持っていたステッキで犬をなぐりつけてケガをさせたようなばあいには緊急避難をみとめることができよう。

▼暴走車を避けた事故（緊急避難で無罪）

Aさんは和歌山市西浜の幅一四・七メートルの道路でトラックを運転、時速五五キロぐらいで北進中、センターラインを越えて時速約七〇キロで南進してくる乗用車を約三〇メートル手前で発見した。衝突をさけるため、速度を約五〇キロに落しながらハンドルを左に切って、約一メートル左に寄ったところ、トラックのすぐ後を走っていたBさん運転の自動二輪車がトラックの左後部に追突、Bさんは右手に三週間のケガをした。

次に、「危難をさけるため、やむことをえずにしたものであること」が必要である。緊急避難も「危難をさけるために」なされること（避難の意思）が必要である。「やむことをえず」とは、正当防衛のばあいと同じ言葉が用いられているが、ここでは、他にとるべき方法がなかったことを意味する（**補充の原則**という）。緊急避難行為による法益の侵害は最小限にとどめるべきであるからである。右にあげた事例について、大阪高裁は、Aの行動をやむをえないものとみとめている（大阪高判昭四五・五・一高刑集二三・二・三六七）。

第三に「行為から生じた害がさけようとした害の程度をこえないこと」が必要である（**法益権衡の原則**という）。同種の法益のばあいはその大小の判定は比較的容易であるが、法益の種類が異なると、その判断がむずかしいばあいが多い。結局のところ、法秩序全体の精神からみて合理的な判断をすべきであるというほかはない。

緊急避難の規定は業務上特別の義務のある者には適用されないとされているが（三七条二項）、これは、警察官・消防職員・船員などのように、その業務の性質上危難に立ちむかう特別の義務を負担している者は、緊急避難を理由にその義務に違反することは許されないという趣旨に解すべきである。そこで、特別の義務を負担する者も、その本来の義務の履行と調和するかぎりでは緊急避難をみとめることができる。たとえば、消火作業中の消防職員が崩れおちてきた柱材の下敷になるのをさけるために隣家の板塀をこわして避難する行為は、緊急避難として許されるものといえよう。

現在の危難をさけるためになされた行為が、その程度をこえたばあい、すなわち、他にとるべき方法があったばあいとかその行為から生じた害がさけようとした害の程度をこえたばあいを、**過剰避難**という。このばあいは緊急避難でないから違法性は阻却されないが、事情によって、その刑が減軽されたり免除されたりされうる（三七条一項但書）。過剰避難の例として、トンネル内での有毒ガスによる列車乗務員の身体・生命に対する危険をさけるために、三割減車したのは緊急避難にあたるが、さらに全面的に職場を放棄した行為は、三割減車を行なえば身体・生命に対する危険を回避できるものであるから、他にとるべき手段があったのであるから、避難の程度をこえたものとして過剰避難にあたるとする判例がある（最判昭二八・一二・二五刑集七・一三・二六七一）。なお、現在の危難がないのに、こうした危難があるものと誤想して避難行為をなしたばあいを**誤想避難**という。その取扱は誤想防衛と同様である（五一頁参照）。

第三八条【故意・過失の意味】①罪を犯す意なき行為は之を罰せず。但法律に特別の規定ある場合は此限に在らず
②罪本重かる可くして犯すとき知らざる者は其重きに従て処断することを得ず
③法律を知らざるを以て罪を犯す意なしと為すことを得ず。但情状に因り其刑を減軽することを得
第三九条【心神喪失・心神耗弱】①心神喪失者の行為は之を罰せず
②心神耗弱者の行為は其刑を減軽す
第四〇条【瘖啞者】瘖啞者の行為は之を罰せず又は

其刑を減軽す

第四一条【刑事未成年者】 一四歳に満たざる者の行為は之を罰せず

故意　三八条一項は、「罪を犯す意」すなわち、故意でやった行為でなければ原則として処罰しないことをあきらかにしている。たとえば、他人の物をわざとこわしたときには器物損壊（二六一条）で処罰されるが、あやまってこわしてしまったときには処罰されない。もっとも、過失致死罪や失火罪のように、特別の規定があるときは、あやまって人を殺してしまったり、不注意で火事を出し隣近所の家まで焼いてしまったばあいも、処罰される。刑法は、故意犯のときはきびしくその責任を追及するが過失犯のときはそれほどでないことは、過失犯の処罰は例外で、処罰されるときでも、その刑が同じ法益を害する故意犯の刑と比べてはるかに軽いことからもわかる。

故意とは、犯罪事実を認識予見し、これを実現しようとする意思である。そこで、故意があるといえるためには、まず、犯罪構成要件にあたる事実を認識していることが必要である。たとえば、いのししが畑を荒らすので、いのしし狩りをすることになり、村の人達と一緒に出かけたAが、遠くの草むらで動くものをみつけ、いのししと思って発砲したところ、一緒に出かけた村人であって、Aの弾にあたって死亡したというばあい、Aは、人を死亡させてしまったが、Aにはそれをねらって発砲したものが人であることの認識がなかったので、人を殺す意思（殺人の故意）がないから、殺人罪とはならず、過失致死罪が成立しうるにすぎない。

▼洋書のエロ本をそれと知らずに売る（エロ本との認識がないので無罪）

古本屋Aがまとめて買い取ってきた古本の中に洋書のエロ本が数冊まじっていた。外国語が読めないAは、それがエロ本であることを知らずに、適当な定価をつけて店の本棚に置いておき、客Bの求めに応じてこれを販売した。

右の事例において、Aは、外国語が読めなかったのでその内容を知らなかったが、しかし、問題の洋書を外形的には表象していたし、各頁に印刷された字体は認識していた。しかし、こうした認識では、わいせつ文書販売罪（一七五条）の故意があるとはいえないから、

Aは同罪で処罰されることはない。というのは、同罪の故意には、問題の洋書の性質、問題の記載の意味、すなわち、それがエロ本であることを認識していることが必要であるからである。このように、犯罪事実の認識というばあい、それは、たんに事実を外形的・表面的に認識しているだけでは足りず、その意味内容を認識していることが必要なのである（**意味の認識**という）。

なお、故意は、人の生命を奪ってやろうというように、結果の発生を意欲・希望していたばあいだけでなく、人の死を積極的に希望・意欲するわけではないが、死ぬなら死んでもかまわないとか死んでもしかたがないと思っていたばあいのように、結果の発生を認容していたばあいにもみとめられる（**未必の故意**という）。たとえば、客に呼びとめられたタクシーの運転者Aがその客の行先が気に入らなかったので乗車拒否をして自動車を発車させたところ、客が窓に手をかけてぶらさがったのを知りながら、そのままスピードをあげて、客を振りおとして死亡させたばあい、Aがその客が死んでもかまわないと思っていたときは殺人罪の故意（未必の故意）が成立し、これに反して、いいかげんのところ客がかならず手をはなすから死ぬことはないと思っていたときには殺人罪の故意は成立しない（なお、二二三頁参照）。

錯誤　人をいのししとまちがって、いのししと思って発砲し人を死亡させてしまったばあいには、殺人の故意がみとめられないということは前に述べたとおりである。ところで、このように行為者が認識したところと実際に生じた事実とがくいちがうことは往々にして起こりうることである。このくいちがいを**事実の錯誤**（**構成要件の錯誤**）という。事実の錯誤があればつねに故意がなくなるというわけのものではないので、どのような点にくいちがいがあれば故意がなくなるかが問題となる。

Aを殺すつもりでAだと思って殺したところ、実は人違いでその人はBであったばあい（**客体の錯誤**という）、Aを殺そうとしてAをねらってピストルを発射したところ、傍にいたBにあたってBが死んだばあい（**方法の錯誤**という）は、いずれもAという「人」を殺すつもりであやまってBという「人」を殺してしまったのであって、殺人罪の構成要件の要素である「人」を殺したという点では、行為者の認識したところと実際に発生した事実とは一致しており、その「人」がAであるかBであるかは重要性がないから、このくいちがいは故意を阻却せず、殺人罪の既遂がみとめられるとするのが通説・判例（大判大一一・二・四刑集一・三二、大判大一一・五・九刑集一・三一三など）である（**法定的符合説**または**構成要件的符合説**という）。この立場からは、Aを溺死させるつもりで橋の上から河に突き落としたところ、Aはコンクリートの橋げたに頭をぶつけ脳しんとうを起こして死亡したばあい（**因果関係の錯誤**という）も、行為者の認識・予見した因果関係の経過と実際に発生した因果関係の経過とが相当因果関係の範囲で一致しているから、殺人罪の既遂がみとめられる。

▼絞殺したと思った男を放置したら、砂を吸って死亡（因果関係の錯誤）

A女は、私通の相手であったBを殺そうと思い、自宅の座敷で熟睡中のBの首を細麻縄でしめつけたところ、Bが身動きしなくなったので、すでに死亡したものと思い、犯行の発覚を防ぐため、Bを背負って自宅から一キロすこしはなれた海岸の砂上にはこんで、そこにBを放置して帰宅したところ、Bは砂末を吸引して死亡した。

右の事例は、事実関係がやや複雑であるが、Aが認識・予見した因果関係の経過（絞扼〔こうやく〕による死亡）と実際に発生した因果関係の経過（砂末吸引による窒息死）とが一致しなかったばあいであるので因果関係の錯誤の一例である。そこで、このばあいの不一致が相当因果関係の範囲内にあるかどうかであるが、身動きしなくなったBを死亡したものと誤信すること、Bを殺したと思ったAが犯跡をかくそうとする行動に出ること、および、失神して身動きできなくなった者が砂上に放置されれば砂末を吸い込んで窒息死するであろうことは普通ありうることであるので、Aの行為とBの死亡との間に相当因果関係の存在をみとめることができるから、Aは殺人既遂罪の罪責を負うものといえる（大判大一二・四・三〇刑集二・三七八参照）。

▼半身不随の義父を薬殺（嘱託があったと誤信した嫁は嘱託殺人罪）

A子の夫Bの父Cは脳出血のため半身不随になり二年以上経っても回復の見込みのない状態であったが、Cはしばしば「死にたい」と口走り、ときには「薬局から毒薬を買って来て呑ませてくれ」ということもあったが、

Cが死にたいということを口にするのは、便を催すときとか食事をするときなどで、自分の意のままにならぬのを立腹していうことが多く、真意から出たものではなかった。某日、Cが、用便の始末をしていたA子に対して「死にたい」と平常よりも数多く繰返したところ、これを聞いたA子は、あさはかにもCから真実自分を殺してくれるよう嘱託があったものと誤解して、昇汞の水溶液をCに服用させたため、Cは死亡した。

ところで、行為者が認識したところと実際に生じた事実とのくいちがいが、二つのちがった構成要件にまたがって生ずるばあいがある。たとえば、他人を殺すつもりで自分の親を殺してしまったばあいとか、他人の飼犬を殺すつもりでその飼主を殺してしまったばあいなどがこれである。このようなばあいに関して、三八条二項は、「罪本重かる可くして犯すとき知らざる者は其重きに従て処断することを得ず」と規定している。この規定は一寸読んだだけではわかりにくい文章であるが、その意味は、軽い甲罪を犯す意思で重い乙罪の結果を発生させたばあいには重い乙罪をもって処断することはできないということである。たとえば、Aが他人であるBを殺害しようとして、あやまってBだと思って自分の父親Cを殺してしまったばあい、Aは結果的には尊属殺人罪を犯したことになるが、被害者が自分の父親Cであることを知らなかったのであるから、このばあいは、Aを重い尊属殺人罪で処断することはできないという意味である。この規定は直接には右のようなばあいの処断上の制限をしているだけであるので、錯誤がちがった二つの構成要件にまたがっているばあいに、故意にどのような影響をあたえるものであるかは、理論的に解決しなければならない。

通説的見解である法定的符合説は、行為者が認識したところと実際に発生した事実とがちがった別個の構成要件にあたるものであるときは、原則として実際に発生した事実についての故意の成立を否定し、ただその構成要件が同質的で相互に重なり合うものであるときは、その重なり合う範囲において軽い罪についての故意の成立をみとめている。すなわち、たとえば、Aは、隣家Bの飼犬を殺すつもりで垣根のところに毒まんじゅうを置いておいたところ、Bの子供Cがこれを食べて死んだばあいは、器物損壊の意思で殺人の結果が生じたばあいであるが、器物損壊罪の構成要件と殺人罪の構成要件は異質で重なり合わないから、器物損壊罪の未遂と過失致死罪とが成立するということになるが、器物損壊罪の未遂は現行法上処罰されないから、単に過失致死罪で処罰されることになる。これに反して、右にあげた事例のように、自分の親が真意から殺してくれと頼んだものではなかったのに、真意から死の嘱託があったものと誤信して、自分の親を殺害したばあいは、嘱託殺人罪の構成要件と尊属殺人罪の構成要件は同質的で重なり合っているから、嘱託殺人罪の故意が成立し、同罪で処断される。

▼こんにゃく玉を盗みにきた女をつかまえる（逮捕罪にはならない）

Aは、自分のこんにゃく畑から成熟したこんにゃく玉約一五貫が何者かに窃取されたので、一家の者がかわるがわる見張りをすることになり、ある夜、Aは、妹Bおよび義弟Cと見張をしていたところ、Dがこんにゃく玉を窃取する目的で、かます、ざるおよび棒を入れた籠を背負って畑道を進んできて、Aの畑に数間の地点まできたとき、付近に人のいるのに気づいて逃げ出したので、こんにゃく玉を盗みにきたことを知ったAらは「泥棒、泥棒」と叫びながらDを追いかけてこれを捕え、Aは、Dの背負っていた籠につけてあったわら縄でDの手足をしばり、ただちにその旨を実弟Eをして巡査駐在所に届け出させ、警察官がくるまで現場で待っていたものであるが、Aは、Dを窃盗の現行犯と信じ、これを逮捕することは法律上許されるものと信じていた。

自分のやっていることは、法律上許されていると思った、あるいは悪いこととは思わなかったばあいを**法律の錯誤**という。この法律の錯誤が故意にどのような影響をあたえるかについては、三八条三項に規定されている。この規定の解決をめぐって見解が対立しているが、最高裁判所は、法律の錯誤は故意を阻却しないという見解をとっている（最判昭二五・一二・二六刑集四・一二・二六二七など）。そこで、最高裁判所の見解によると、自分のやっていることは法律上許されていると思っても故意は阻却されず、ただ事情によって刑が軽減されることがあるということになる。右にあげた事例でも、最高裁の判例の立場からは、Aは逮捕罪で処罰され、せいぜい刑が減軽されるにとどまる。しかし、この結論はいかにも不合理であろう。そこで、学説では、自分のやっていることが法律上許されていると信じたことが無理からぬばあいには故意責任を阻却するものと解すべきであるとする見解が有力である。

右の事例において、Aが自分の行為を法律上許されたものと信じていたことは無理からぬところであるから、右の有力説によると、逮捕罪の故意は阻却され、Aは処罰されないことになる（なお、東京高判昭二七・一二・二六高刑集五・一三・二六四五参照）。

さて、事実の錯誤と法律の錯誤とでは行為者の刑事責任に及ぼす影響がかなりことなるものであるが、具体的なばあいに、ある錯誤が事実の錯誤であるのか法律の錯誤であるのかが問題となるばあいがある。たとえば、狩猟法では銃猟禁止区域において銃猟することを処罰しているが、Aがその場所が銃猟禁止区域であることを知らずに銃猟をしたばあい、このAの錯誤が事実の錯誤であるのか法律の錯誤であるのかについて見解が分かれているが、判例は事実の錯誤と解し故意の阻却をみとめている（大判大一一・一一・二八刑集一・七〇九）。なお、正当防衛の要件である急迫不正の侵害がないのに、そのような侵害があると誤信して防衛行為に出たばあい（誤想防衛）、この錯誤が事実の錯誤か法律の錯誤かについても見解が分かれているが、通説・判例（大判昭八・六・二九刑集一二・一〇〇一）は、事実の錯誤と解し、故意の阻却をみとめている。そこで、前にふれた例（四二頁）で、夜間、女中のところにこっそり訪ねてきた女中の恋人を泥棒と誤信して殴りつけてケガさせてしまった主人の行為は、傷害罪ではなく、過失傷害罪ということになる。

過失　過失による行為が処罰されるのは「法律に特別の規定がある場合」にかぎられる（三八条一項但書）。過失犯は、不注意、いいかえると、行為者がある行為をする際に守らなければならない注意義務を怠ったために予期していなかった結果をひきおこしてしまったばあいである。予期しない結果をひきおこしたばあいでも、それが行為者の不注意な行動によるものでないときは、不可抗力による事故であって処罰されない。

ところで、過失には、たとえば、自動車を運転しながら、隣にすわっていたガールフレンドとの話に夢中になって、前方で道路を横断中の通行人に気づかずに、これをはねとばして重傷を負わせてしまったばあいのように、不注意で犯罪事実の認識を欠いていたばあいと、通行人がいるのに気づいたが、自分は運転がうまいから大丈夫うまくかわして通ることができると思って運転したところ通行人に衝突し重傷を負わせてしまったばあいのように、犯罪事実、とくに結果の発生の可能性を認識していたが、軽卒にも結果をさけることができると信じていたばあいとがある。前者が**認識なき過失**、後者が**認識ある過失**といわれる。認識ある過失は、未必の故意と境界を接し、その限界が微妙であるので、実際の裁判において、未必の故意による殺人罪か認識ある過失による過失致死罪かが争われることがしばしばある。

▼なごやふぐ料理で客が中毒死（客観的予見可能性なしとして料理店主無罪）

Aは、調理師の免許をうけ、神戸市で飲食店を経営し、季節にはなごやふぐの鍋物を販売していた。某日、Aは、B鮮魚店から、なごやふぐの体と皮および身と肝とをそれぞれポリエチレン袋に入れたものを仕入れ、とくに肝だけは塩もみをして三〇分ぐらい水につけておき、その他は二、三分塩水で洗った後、いずれもタッパーに入れて冷蔵庫に入れておいた。その夜、Cら五人連れの客がきて、ふぐの水炊き二人前鍋二つを注文したので、Aは、ふぐを冷蔵庫から出し、一鍋につき、身と骨二五〇グラムぐらい、皮は一二グラムぐらい、肝三グラムぐらいを二切れ、白菜、菊菜、とうふ等を入れ、一五分ぐらい煮てこれを二鍋でお客に出し、肝は一人占めして食べないよう注意した。Cは、とくに肝を含めてよく食べたため、翌朝急に苦しみ出し、ふぐ中毒で死亡した。なお、他の四人は中毒症状も生じなかった。

結果についての客観的予見可能性がなければ過失はない

過失があるといえるためには、行為者が守らなければならない注意義務を怠ったことが必要であるが、われわれが社会生活においていとなむ行動は千差万別であるので、それに応じて個々のばあいに守らなければならない注意義務の内容も多種多様である。そこで、過失犯の裁判においては、問題になっている事件に関してそこで要求されている注意義務がどのようなものであるかをあきらかにしなければならない。最近、過失による道路交通事犯に関してよく主張されている信頼の原則は、注意義務の内容を道路交通事故に関して具体化するために判例が形成した方法的原則である（二四一頁参照）。もっとも、注意義務の内容は、前述したように千差万別であるので、結局のところ、一般通常人が行為者のおかれた同じ具体的事情のもとで結果を予見することができ（いわゆる客観的予見可能性）、その結果を回避するために適した行動をとることができたこと（いわゆる客観的結果回避可能性）を基礎として、個々のばあいに具体的に確定するほかにない。そして、行為者が具体的に確定された注意義務を怠った行為によって結果を惹起したばあいに、その行為者の能力からみて、そうした結果を回避するために適切な行動をとりえたとみとめられるときに、行為者に対して過失犯の責任を負わせることができる。右にあげた事例について、判例は、神戸地方ではふぐ料理に肝を入れることが常識であり、なごやふぐは毒性が弱く、その毒（主として肝）も水洗いを十分にすれば除去されると一般に信ぜられ、魚屋で一般家庭にも販売されていたことなどをあげて、神戸地方でふぐ料理を提供する一般業者にとって、Ｃの死亡は、とうてい予見しえない結果であるとし、いわゆる客観的予見可能性がないから、Ｃの死亡の結果を回避すべき注意義務はないとして、Ａを無罪としている（大阪高判昭四五・六・一六月報二・六・六四三）。

▼**公定価格を超過した価格でめかじきを買う**（期待可能性がないとして無罪）

Ａ冷蔵株式会社の工場長Ｂは、会社の業務である冷凍めかじきまぐろの製造のために、統制品である鮮魚めかじき千五百貫余を公定価格を超過した価格で買い入れた。当時、主要食糧を輸入するために見返り輸出をすることが日本政府にとって焦眉の急を要する問題であった。ちょうど、アメリカから冷凍めかじきの注文があったので、政府は、Ａ会社をはじめ一四業者を集め、責任数量を割当指定し、かつ、製品の優良なること、期限を厳守すべきことを指示した。ところが、当時めかじきの市場相場は公定価格の倍以上しており、しかも需要が急増することが見越された際であったので、強制供出制度のない以上、公定価格で買い入れることは何人にも期待することができない状態であり、そうかといって買入中止すなわち輸出断念ということも国策上到底ゆるされない状態であった。

期待可能性　右の事例において、Bは、買入価格が公定価格を超越していることを知りながら、あえて鮮魚めかじきを買い入れたのであるから、判例の立場からは物価統制令違反罪の故意があることになる。しかし、当時の具体的事情からみて、Bに公定価格の遵守を期待することはできないから、Bに対し物価統制令違反の刑事責任を追及することは妥当でなかろう。というのは、具体的事情のもとで行為者がその行為をしないことを期待できないときに、行為者がその行為をしたことについて責任非難を加えることはできないからである。このように、具体的事情のもとで行為者に適法行為に出ることを期待しうることを期待可能性といい、この期待可能性がなければ責任非難を加えることができないとする理論（**期待可能性の理論**）は、学説においてはひろくみとめられているところであるが、最高裁判所もこれをみとめる姿勢を示しており（最判昭三一・一二・一一刑集一〇・一六〇五）、下級審の判例では、期待可能性の不存在を理由に無罪を言い渡したものもあらわれている（たとえば、右にあげた事例に関する東京高判昭二五・一〇・二八判決特報一三・二〇）。なお、期待可能性の有無、すなわち、具体的事情のもとで適法行為に出ることが期待できるかどうかを判断する標準については見解が分かれているが、社会一般の平均人がが行為の際の行為者の地位にあったとして、その平均人に他の適法行為をなしうる可能性があったかどうかを判断の標準とする平均人標準説がわが国における通説とされており、高裁判例でこの説に立つ趣旨を示しているものもある（東京高判昭二三・一〇・一六高刑集一追・一八）。

責任能力　気狂いが被害妄想から人を殺しても処罰されない。それは、気狂いは自分のやっていることの良し悪しを普通の人なみに判断することができないものであるから、これを普通の人と同じようにとがめることができないからである。このように、行為者に刑法上の責任を負わせるには、その者が責任を負いうる能力をもっていることが要件となっている。この能力を責任能力という。すなわち、責任能力とは、ものごとの良しあしがわかり、その判断にしたがって自分の行動を制御することができる能力をいう。こうした能力のない者を責任無能力者、その能力があることはあるが、いちじるしく弱い者を限定責任能力者という。三九条・四〇条・四一条は、この責任能力に関する規定である。

心神喪失者（しんしんそうしつ）とは、精神機能の障害によって、ものごとの良しあしがわからないか、わかってもその判断にしたがって自分の行動を制御できない者をいい、**心神耗弱者**（こうじゃく）とは、精神機能の障害によって、ものごとの良しあしを区別し、その判断にしたがって自分の行動を制御することがいちじるしく困難な者をいう。心神喪失者の行為は処罰されず、心神耗弱者の行為はその刑が減軽される（三九条）。ところで、心神喪失・心神耗弱は、精神病とか精神薄弱（白痴など）にもとづくものが多いが、酩酊、麻薬中毒、催眠状態にもとづくものもある。裁判において精神状態の異常性が問題となるときには、専門医の鑑定をへて判断されることが多い。

瘖唖者（いんあ）とは、俗にいう「おし」をさすが、聴覚機能と言語機能とを生まれつきもっていないか、またはごく幼少のときに失った者と解されているので、実質的には聾唖（ろうあ）者と同じ意味である。刑法は、このような者の精神的発育が一般の人よりもおくれていることを考慮して、これらの者を責任無能力者または限定責任能力者としている（四〇条）。しかし、聾唖教育の進歩した今日ではこうした規定は不適当であるとされている。

小学生が先生に叱られたのをうらんで学校に火をつけ校舎を焼いてしまったばあいでも、この小学生は処罰されない。これは、刑法が一四歳未満の者の行為は処罰しないこととしているからである（四一条）。一四歳にならなければ刑法上の責任を負うことがないので満一四歳を**刑事責任年齢**という。この一四歳という年齢を刑事責任年齢の限界としたのは、一四歳未満の子供は、ものごとの良しあしがわからず、わかってもその判断にしたがって自分の行動を制御する能力がないということだけを念頭において決定されたものではなく（こうした能力なら一〇歳ぐらいの子供でも結構もっている）、同時に、心身ともに発育の途上にある年少者の精神状況とまだ性格がかたまっておらず教育によって改善する可能性が十分にあることから、刑罰よりも適切な保護処分によって年少者の将来をはかる方が妥当であるという考えにもとづいている。罪を犯した一四歳未満の子供については、少年法・児童福祉法に適切と思われる方策が規定されている。なお、一四歳以上の者は責任能力者であるが二〇歳未満の者に対しては、同様の考慮から少年法で特別の取扱がなされている。

〔1〕

▼酔っぱらって他人を刺し殺す（「原因において自由な行為」で有罪）

Aは、某飲食店で同店の使用人Bと一緒に飲食し、酩酊の末、同店の調理場で女給Cから「いい機嫌だね」といわれたので、Cの左肩に手をかけ顔を近づけたところ、Cからすげなく断わられた。Aは、腹を立ててCを殴打したところ、居合わせたBらに制止されて激昂し、とっさに傍にあった肉切包丁でBを突き刺し、Bは出血多量で即死した。なお、Aは、右犯行時、心神喪失の状態にあたったが、多量に飲酒すると病的酩酊におち入り、心神喪失の状態で他人に犯罪の害悪を及ぼす危険のある素質を有する者であった。

〔2〕

▼母親が添寝して乳児が窒息死（「原因において自由な行為」で母親有罪）

A女は、自宅六畳の間で、生後一ヵ月の長男Bを抱いて添寝し、左乳房をふくませ授乳していたが、そのまま寝入ってしまったため、その左乳房の圧迫によってBを窒息死させた。

心神喪失・心神耗弱は一時的なものであってもよいから、酒を飲み酒乱状態で人を殺傷したばあいは、その時点で精神状態が心神喪失であれば処罰されないし、心神耗弱であればその刑が減軽されることになる。しかし、自分自身をみずから心神喪失の状態におとし入れてその状態で犯罪の結果をひきおこすようなばあい（原因において自由な行為という）を不問に付すことは許されないであろう。たとえば、はじめから病的酩酊におち入ったうえで人を殺そうと思って酒を飲み、病的酩酊の状態で人を殺害したばあい、酒を飲めば酒乱になることを承知していたのに、うかうかと酒を飲みすごし心神喪失の状態におち入って人を殺してしまったばあい、心神喪失の原因は飲酒であるが、その飲酒のとき行為者には責任能力があり、酒を飲むか飲まないかの判断は、その者にとって自由であったのである。そこで、行為者が自分の病的酩酊状態を利用しその状態で人を殺そうと決心して飲酒し、その結果心神喪失状態で人を殺害したばあいは、その飲酒からはじまる全体が犯罪行為とみられるから、行為者は犯罪行為のときに責任能力があったことになり、殺人罪の罪責を負い、うっかり飲みすごして心神喪失状態で人を殺してしまったばあいは、その飲酒をさしひかえるべきであったのに不注意にもしなかったという過失がとわれ、行為者は過失致死罪の罪責を負う。右にあげた事例〔1〕、〔2〕は、原因において自由な行為であって、いずれも過失致死罪が成立する（最判昭二六・一一・七刑集五・一二・二〇、大判昭二・一〇・一六刑集六・四一三）。なお、実際問題として、故意犯について原因において自由な行為がみとめられるのはまれで、そのほとんどは過失犯についてである。

第四二条【自首・首服】①罪を犯し未だ官に発覚せざる前自首したる者は其刑を減軽することを得
②告訴を待て論ず可き罪に付き告訴権を有する者に首服したる者亦同じ

自首とは、犯人が捜査当局にみずからすすんで自分のやったことを申告することである。自首は「未だ官に発覚せざる前」になされると、刑が減軽されうる（四二条一項）。「官」とは警察など捜査当局をさし、「発覚」とは犯罪事実および犯人の発覚をさすものであるから、捜査当局に犯罪そのものが知られていないまえだけでなく、事件の発生は知られたがだれがその犯人かがまだわかっていないまえに自首すれば、四二条一項の要件を具備し、刑が減軽されうる。しかし、強盗殺人事件の犯人として指名手配中の者が逃げきれずに警察署に出頭したようなばあい、新聞などでは強盗殺人犯何某が警察署に自首したなどと報道されるが、このばあいの自首は四二条一項にいう自首にはあたらない。

犯罪の中には、名誉毀損罪や器物損壊罪のように、被害者その他の法律上定められた一定の権利者が犯人を処罰してほしいという要求（告訴）をしたばあいでないと処罰できないとされている犯罪がある（**親告罪**）。この親告罪について、犯人が被害者その他の告訴権者に対して、みずからすすんで自分のやったことを告知して、その者の告訴にゆだねることを**首服**といい、このばあいも自首と同様に、刑が減軽されうる。なお、首服も、捜査当局に発見されるまえになされたばあいにかぎって、刑が減軽されうるものと解する。

第8章 未遂罪

第四三条【未遂犯・中止犯】 犯罪の実行に著手し之を遂げざる者は其刑を減軽することを得。但自己の意思に因り之を止めたるときは其刑を減軽又は免除す
第四四条【未遂罪を罰するばあい】 未遂罪を罰する場合は各本条に於て之を定む

犯罪がなされるばあいには、行為者が、まずなんらかの動機から犯罪を決意し、ついで、その決意を実現するための準備をし、そして、犯罪行為にとりかかり、最後に、意図した結果が実現されるという順序になる。このばあい、犯行の準備をすることは**予備**といわれ、殺人・強盗など重大な犯罪では、この予備も処罰される。ついで、犯罪行為にとりかかると犯罪が完成しなくても、未遂として、比較的重要な犯罪では処罰されることになっている。そして、犯罪が完成すれば、既遂となる。

▼現金をすり取ろうとしてポケットの外側に触れる（窃盗の実行の着手）

〔1〕

Aは、呉市水産市場内でBのズボンの右ポケットから現金をすり取ろうとして、手を差しのべ、その外側に触れたが、その時Cに発見され、取り押えられたため、現金はとれなかった。

▼郵便で毒薬入砂糖を送る（到達したとき実行の着手）

〔2〕

Aは、猛毒薬昇汞一包を致死量であることを知りつつ、白砂糖六〇〇グラムの中に混ぜ、架空の名前で歳暮の贈品のようによそおい、小包郵便で医師のBに送った。Bは、これを純粋の砂糖と思い、調味として薩摩煮の中に入れたが、異常に泡が出たため、怪しいと思って口で少量なめ毒薬が入っているとわかったので、Bおよびその家族はこれを食べるのをやめた。

未遂犯は、犯罪の実行に着手したが、犯罪を完成するに至らなかったばあいである（四三条）。そこで、未

遂犯にとっては、まずたんなる準備行動である予備と未遂との限界を画する**実行の着手**の時期をあきらかにすることが重要な問題となる。実行の着手時期については、行為者の意思を重視する見解と客観的な行為に重点を置く見解が対立しているが、構成要件的結果を発生さす現実的可能性のある行為が開始されたと判断されるときに実行の着手があるとみてよかろう。たとえば、右にあげた事例〔1〕のばあい、スリにとってポケットの内容物は瞬間的にすりとりうるものであるから、AがBの財布をすりとる意思でBのポケットの外側に手をふれた以上、ポケット内にある財布に対する侵害の可能性は十分現実化しているものと解しうるから、Aは窃盗の実行に着手したものとみてよかろう（最決昭二九・五・六刑集八・五・六三四）。もっとも、スリが混雑した電車の中で、ねらいをつけた人に近づき身体をふれている段階、さらに、そのポケットに財布が入っているかどうかをたしかめるために、ポケットを外側から手で押してみる、いわゆる「あたり行為」の段階では、窃盗の着手があったとはいえないであろう。なお、右にあげた事例〔2〕は、情を知らない郵便局員を利用した殺人の間接正犯（八二頁参照）の一例であるが、判例は、Aが右小包を受領したときに実行の着手があるとしているが（大判大七・一一・一六刑録二四・一三五二）、学説では、小包を郵便局で局員に渡せば、そのあとは郵便機構の機械的な流れにのってB方に配達されるのであるから、Aが小包を郵便に付したときにB殺害の現実的な可能性がみとめられ、したがって、この段階で実行の着手があるとする見解が有力である。そこで、もし右小包が事故で行方不明になってしまったときには、判例の立場では殺人予備罪ということになるが、後者の見解ではこのばあいにも殺人未遂罪となる。

犯罪が完成すれば既遂となるから、未遂犯は犯罪が完成に至らなかったばあいであることもちろんである。犯罪が完成に至らないとは、構成要件の内容が完全に実現しなかったことである。行為者が主観的に目的とした事実をなしとげなかったとしても、客観的に構成要件の内容が完全に実現したばあいは既遂である。たとえば、一〇万円をおどし取ろうとして脅迫したが一万円しかおどし取れなかったばあいでも、恐喝罪は既遂である。未遂は、着手した実行行為を終了したかどうかによって二つに分けられる。すなわち、たとえば、人を殺そうとしてピストルを照準し引き金を引こうとしたところで逮捕されてしまったばあいのように、着手した実行行為が終わらなかったばあい（**着手未遂**という）、ピストルを発射したが、ねらった相手にあたらなかったばあいのように、実行行為は終わったが結果が発生しなかったばあい（**実行未遂**という）とである。

未遂は、刑法の各則で未遂を処罰する規定のあるときだけ処罰されるが（四四条）、その刑を減軽することができる（四三条）。ただし、犯罪の実行に着手した者が自分の意思でやめたときは、**中止犯**（**中止未遂**）といわれ、その刑がかならず減軽されるか免除される（四三条但書）。このように中止犯が軽く取り扱われるのは、自分の意思でやめた点に犯罪性の弱いことがみとめられるとともに、行為者に犯罪の遂行を思いとどまらせて法益の侵害をできるだけ防止しようとする政策的考慮が働いているとされている。なお、自分の意思でやめたのでないばあいを**障害未遂**という。このばあいは、刑を減軽してもしなくてもよい。

▼強姦しようとして途中で驚いてやめる（障害未遂）

Aは、午後六時三〇分頃、近鉄奈良線石切駅東南約七〇メートルの墓地付近の道路を通行中のB子さんをみつけ、姦淫しようと思い、後から両手でノドをしめ、意識不明にし、B子さんを引ずって墓地に連れ込み、姦淫しようとした。ところが、たまたま石切駅に到着した大阪行電車のヘッドライトの光の直射で自分の左手の人差指と中指に血がついているのを見て驚いて逃げ帰ったため、目的をとげなかった。

中止犯は、自分の意思でやめたことが必要である。「自分の意思で」やめたといえるかどうかについても見解が分かれているが、犯罪の遂行に障害となるような外部的事情を表象してやめたときは障害未遂であり、そうではなく、やればやれると思っていたがやめたときは中止犯となる。たとえば、右にあげた事例のように、強姦に着手したところ電車のヘッドライトに照らされ、おどろいてやめたときは中止犯にならないが（最判昭二四・七・九刑集三・八・一一七四）、強姦犯人が強姦しようとしたところ被害者から哀願され可愛想になってやめたときは中止犯となる。発覚・逮捕のおそれ、恐怖・驚愕によってやめたばあいは、中止犯にならない。もっとも、自分の意思でやめたものであれば、かならずしも後悔の念にもとづく必要はなく、たとえば、大金を盗もうと思い金庫破りをしたところ、金庫の中に小銭しかなかったのでなにも取らずに帰ったときでも中止犯となる。

▼放火したあと「よろしくたのむ」といって逃げ去る（中止犯でなく障害未遂）

〔1〕

Aは、Bの家を焼いてうらみをはらそうと決意し、某夜、Bの家の者の不在に乗じて、同家台所の土間に枯松枝などを積み重ね、マッチでこれに点火し、ただちにその場を立ち去り、裏手のC方の門前にさしかかった際、屋内から炎上する火勢をみとめ、にわかに恐怖心を生じ、Cに放火したからよろしくたのむと叫びながら逃げ去った。Cらがただちに現場にかけつけ消火したので、わずかに枯松枝の一部が焼けただけにとどまった。

▼睡眠薬を飲ませたあと警察に通報、一命をとりとめる（中止犯）

〔2〕

家事手伝いA子は、主人Bへの当てつけと子供Cに対する嫌悪の念から、Cを殺害しようとして、Cに睡眠薬を飲ませたが、まもなく大変なことをしたとさとり、みずからCを助けようとあれこれ焦慮した。しかし、Cの苦悶の様相をみて、もはや独力ではいかんともしがたいと観念したB子は、一一〇番に電話して警察官に右の事実を通報した結果、Cはただちに病院に収容され医療処置が講ぜられたことにより、Cの一命を取りとめた。

犯罪をやめるというのは、着手した犯罪の完成を阻止することである。そこで、自分の意思で犯罪行為をやめても結果が発生してしまえば中止犯にならない。いわゆる着手未遂のときは、着手した実行行為を中止すれば、たとえば、人を殺そうとしてねらったピストルの引き金を引くのをやめれば、中止犯となるが、いわゆる実行未遂のばあいは、結果が発生しないよう真剣な努力をしなければならない。他人の助力をうけることはもちろんさしつかえないが、そのばあいには、自分でするのと同視できる程度に真剣な努力をすることが必要である。そこで、右にあげた事例〔1〕は中止犯にならないが（大判昭一二・六・二五刑集一六・九九八）、事例〔2〕は中止犯をみとめてよいであろう。なお、犯人が結果の発生を防止するため真剣な努力をし、結果は発生しなかったが、その結果の不発生は犯人の努力とは関係のない事情によるものであるときにも、中止犯をみとめてよいと考えるが、判例（大判昭四・九・一七刑集八・四四六）は反対の趣旨のようである。たとえば、AはBを殺害しようとして多量の睡眠薬を飲ませたが、その後ただちに後悔し、十分な解毒剤を飲ませ、Aは死亡しなかったが、それは、Aの飲ませた睡眠薬が致死量に達していないものであったようなばあいにも、中止犯をみとめてよいと考える。もっとも、いくら真剣な努力をしても結果が発生してしまったときは、もはや未遂ではないから中止犯とはならない。

▼AとBが強盗を共謀、Aはやめたが Bが金を奪い、一緒に遊ぶ（**ABともに有罪**）

AとBは、強盗を共謀しC方に押し入り、BがCを脅迫して「あり金を皆出せ、一万や二万はあるだろう」といったところ、Cの妻Dが現金九〇〇円を差し出したので、Aは気の毒に思い、これを受けとることをやめて、Bに「帰ろう」といって表に出た。間もなくBが出てきたので二人で帰ったが、途中で、Bが「お前は仏心があるからいかん、九〇〇円は俺がもらって来た」といったので、AはBが右九〇〇円を奪ってきたことを知り、一緒に遊興費に費消した。

共犯のばあいは、自分の意思で犯罪をやめた者だけが中止犯となる。たとえば、AがBにC殺害を依頼し、これを引受けたBがCを殺そうとして日本刀を振りあげたところ、Cが哀願するので可愛想になりC殺害をやめたときには、Bは中止犯となるがAは中止犯とはならない。この事例において、BがCを日本刀で切りつけ、Cが血を流して倒れたので、このまま放置すれば死ぬだろうと思ってその場を立ち去ったあと、後悔したAが現場にかけつけ、倒れているCを病院に運び医師の手当によってCの一命を取り止めたときには、Aは中止犯となるが、Bは中止犯とならない。なお、共同犯においては、共同正犯の一人が自分だけ犯行をやめて立去り、他の共犯者の犯行を阻止しないで放任したときには、その者は中止犯とならない。他の共犯者の犯行を阻止するか結果の発生を防止してはじめて中止犯となる。したがって、右にあげた事例においてAは中止犯とならない（最判昭二四・一二・一七刑集三・一二・二〇二八）。

▼他人を殺すつもりで硫黄の紛末を飲ませる（**殺人の不能犯**）

〔1〕 Aは、Bと共謀して、Bの内縁の夫Cを殺そうと計画し、Bが硫黄紛末五グラムを汁鍋の中に入れCに飲ま

せ、また、三日後に、A自身がC宅を訪れ、硫黄粉末を入れた水薬をCに飲ませたが、苦しむだけで死ななかった。

▼静脈内に空気を注射（不能犯か）

〔**2**〕 Aは、自分の姪のB子さんを殺害し、その保険金を取得しようと思い、C・D・Eと共謀し、最初は自動車でひき殺す計画であったが、その後、計画を変更しB子さんをだまして両腕の静脈内に注射器で蒸留水とともに空気を合計三〇cc～四〇cc注射した。しかし、致死量でなかったため、Cを殺害することができなかった。

未遂犯が処罰されるのは、犯罪構成要件に規定された結果を発生させる可能性があるからである。ところが、行為者がいくら罪を犯す意思で行為しても、その行為が結果を発生させる可能性が全然ないようなばあいには処罰されない。たとえば、失恋した女性がその相手の男をうらみ、丑の刻（午前二時）に八幡様にお詣りして男が死ぬよう願をかけたばあい、この丑の刻詣りの行為は人の死という結果を発生さす可能性がまったくないから殺人行為とはいえず、したがってこの女性は殺人罪で処罰されることはない。このようなばあいを**不能犯**という。ところで、この結果を発生させる可能性の有無を判断する基準について、判例は、その行為からその結果が発生することが「絶対に不能」なばあいを不能犯、「相対的に不能」なばあいを未遂犯と解する考え方に立っているようであるが（最判昭二五・八・三一刑集四・九・一五九三参照）、学説では、行為の当時において、行為者がとくに認識していた事情および一般人が認識できたであろう事情を基礎として、一般人の判断において、結果発生の可能性があるとされるばあいを未遂犯、そうでないばあいを不能犯とする見解（いわゆる**具体的危険説**）が有力であり、判例のうちにも結論的にはこの見解に立つと思われるものもある（大判大三・七・二四刑録二〇・一五四六）。右にあげた事例〔**1**〕は、判例の立場からも具体的危険説からも、殺人の不能犯である（大判大六・九・一〇刑録二三・九九九）。事例〔**2**〕について、判例は殺人の目的で静脈中に致死量以下の空気を注射しても結果が絶対に不能とはいえないから殺人未遂罪が成立するとしているが（最判昭三七・三・二八刑集一六・三・三〇五）、具体的危険説のいう一般人の判断を社会における普通の通常人の判断と解すれば、具体的危険説によっても殺人未遂罪の成立がみとめられる。

第9章 併合罪

たった一度、犯罪を犯しただけでつかまってしまうことが多いが、たとえば、毎日、あっちこっちのデパートや商店からいろいろな品物を盗む万引き犯人とか、縄張り内でバーやスナックを開いている業者達をおどし、毎月協力金と称して金銭をまきあげる暴力団員など、一人でいくつもの犯罪を犯す例もめずらしいことでない。このように、一人の犯人がいくつもの犯罪を犯しているばあいのことを**犯罪の競合**という。本章は、犯罪の競合の生ずるばあいの要件や処罰に関して規定している。ところが、つねに、犯人がやった行為の数だけ刑法上の犯罪が成立するわけのものではないので、一人の人間がなしたいくつかの行為が刑法上の犯罪として一個であるのか数個であるのかが問題となる。たとえば、Aが、一週間ばかりの間に新宿の裏通りで、通りがかりの人、二〇名にエロ写真を売ったばあい、Aは二〇回のエロ写真販売行為を行なっているが、だからといって、二〇個のわいせい図画販売罪（一七五条）が成立するものではなく、エロ写真二〇枚を販売した一個のわいせつ図画販売罪が成立するとされている。しかし、Aが通りがかりの人をおどして金をまきあげたようなばあいは、一〇人からおどし取ったとすれば、一〇個の恐喝罪が成立する。これは、犯罪の数は、構成要件を充足する回数によってきまるものであるので、それぞれの構成要件の趣旨が犯罪の数に決定的な意味をもつものであるからである。前にあげたエロ写真を二〇回にわたって販売したばあいにも一個のわいせつ図画販売罪であるのは、わいせつ物販売罪の構成要件的行為である「販売」がくりかえしてなされるものであることを予想する概念であるからである。

　このように、同じ構成要件に該当するいくつかの行為が包括的に一罪とされるばあいとして、次のようなばあいがある。①前述のわいせつ図画販売罪のように、構成要件の性質からいって同種の行為をくりかえすことが予想されているときには、数個の行為がくりかえされても全体で一罪となる（集合犯という）。たとえば、常習賭博罪は、賭博行為がくりかえされることが予想されているから、何回賭博が行なわれたとしても一個の常習賭博罪である。②たとえば、収賄罪（一九七条）の構成要件は「賄賂を収受し又は之を要求若くは約束したるとき」と規定しているが、このように、一個の構成要件中に、同じ法益の侵害に向けられたいくつかの行為態様が規定されているときは、それぞれの行為態様に該当する一連の行為は一罪となる（狭義の包括一罪という）。たとえば、公務員が、まず賄賂を要求し、それから賄賂の授受を約束し、最後に賄賂を収受したときも、一個の収賄罪である。また、同一の被害者を不法に逮捕してから、引き続き監禁したときも、監禁罪の一罪である。③たとえば、Aが夜間二時間ぐらいの間に同じ倉庫から米俵を三俵ずつ三回にわたって運び出し、合計九俵を窃取したばあい、その一回の行為を別々に取り上げてみても、それぞれが窃盗罪の構成要件にあたるが、Aの行為が同じ倉庫の米俵という同一法益に向けられ、同一機会に米俵の窃取という同種の動作が相接続して行なわれている点に着眼して、こうしたばあいは、三個の窃盗罪を構成するものではなく、数個の行為を包括して一個の窃盗罪を構成するものとされている（最判昭二四・七・二三刑集三・八・一三七三）。こうしたばあいを接続犯というが、具体的要件において、どこまでを接続犯として一罪とみるかについては、その認定が困難なばあいがある。④たとえば、強盗強姦罪（二四一条）は、強盗と強姦というそれぞれ独立に犯罪となる行為を結合して作られた犯罪（結合犯という）であるので、強盗犯人が婦女を強姦したときは、強盗罪と強姦罪とが別々にみとめられることはなく強盗強姦罪が成立するだけである。すなわち、結合犯のばあいは、それぞれ部分ごとに犯罪が成立するものではなく、全体が一体となって結合犯一罪が成立するものである。

さて、一人の犯人がいくつもの犯罪を犯したことになると、これら数個の犯罪は、一定の要件のもとに、併合罪（四五条以下）とされ、科刑上の一罪（五四条）とされる。

第四五条【併合罪の意味】確定裁判を経ざる数罪を併合罪とす。若し或罪に付き禁錮以上の刑に処する確定裁判ありたるときは止だ其罪と其裁判確定前に犯したる罪とを併合罪とす

第四六条【併合罪と刑の吸収】①併合罪中其一罪に付き死刑に処す可きときは他の刑を科せず。但没収は此限に在らず

②其一罪に付き無期の懲役又は禁錮に処す可きときは亦他の刑を科せず。但罰金、科料及び没収は此限に在らず

第四七条【併合罪と刑の加重】併合罪中二個以上の有期の懲役又は禁錮に処す可き罪あるときは其最も重き罪に付き定めたる刑の長期に其半数を加へたるものを以て長期とす。但各罪に付き定めたる刑の長期を合算したるものに超ゆることを得ず

第四八条【併合罪と刑の併科】①罰金と他の刑とは之を併科す。但第四六条第一項の場合は此限に在らず

②二個以上の罰金は各罪に付き定めたる罰金の合算額以下に於て処断す

第四九条【併合罪と没収附加】①併合罪中重き罪に没収なしと雖も他の罪に没収あるときは之を附加することを得

②二個以上の没収は之を併科す

第五〇条【併合罪中の余罪】併合罪中既に裁判を経たる罪と未だ裁判を経ざる罪とあるときは更に裁判を経ざる罪に付き処断す

第五一条【複数の裁判の執行】併合罪に付き二個以上の裁判ありたるときは其刑を併せて之を執行す。但死刑を執行す可きときは没収を除く外他の刑を執行せず。無期の懲役又は禁錮を執行す可きときは罰金、科料及び没収を除く外他の刑を執行せず。有期の懲役又は禁錮の執行は其最も重き罪に付き定めたる刑の長期に其半数を加へたるものに超ゆることを得ず

第五二条【併合罪と大赦】併合罪に付き処断せられたる者或罪に付き大赦を受けたる場合に於ては特に大赦を受けざる罪に付き刑を定む

第五三条【拘留・科料の併科】①拘留又は科料と他の刑とは之を併科す。但第四六条の場合は此限に在らず

②二個以上の拘留又は科料は之を併科す

第五四条【一つの行為が数罪にあたるばあいなど】①一個の行為にして数個の罪名に触れ又は犯罪の手段若くは結果たる行為にして他の罪名に触るるときは其最も重き刑を以て処断す

②第四九条第二項の規定は前項の場合に之を適用す

第五五条【連続犯】削除

あっちこっちで強盗をしたり人殺しをしたりして悪事を重ねた悪人が逮捕され裁判されることになると、いろんな犯罪が一度に問題となるが、一人の人間のやったことであるから、刑罰の適用にあたっては、なるべくこれらを一括して全体的な評価をすることが合理的であろう。こうした趣旨から、同一の犯人がいくつかの犯罪を犯し、それが同時に裁判される可能性があるばあい、またはあったばあいにおけるこれらの数罪を併合罪として、特別の取扱をすることとされている。そこで、四五条は、まだ確定裁判のない複数の罪、および、ある罪について禁錮以上の刑に処する確定裁判があったときは、ただその罪とその裁判の確定するまえに犯した罪とを併合罪としている。たとえば、Aが甲、乙、丙、丁という四つの罪を順次犯し、いずれもまだ確定裁判をへていないときは、この四つの罪が併合罪となる。丁罪が犯されるまえに甲罪について確定裁判があったときは、甲と乙・丙とは併合罪となるが（このばあい、乙・丙を甲の余罪という）、丁は、甲・乙・丙のそれぞれと併合罪ではなく、このばあいの刑は、乙・丙（相互に併合罪）と丁についてそれぞれ言い渡され、二つの刑が宣告されることになる。

併合罪を同時に裁判するばあいには、次のような取扱がなされる。①併合罪のうち、二つ以上の有期の懲役または禁錮に処すべき罪があるときには、そのうちでもっとも重い罪について定められた刑の期間の最高にその半数を加えたものをその併合罪の刑の期間の最高限とする。ただし、それぞれの罪について定められた刑期の最高の合計をこえることはできない（四七条）。そこで、たとえば、窃盗罪（一〇年以下の懲役）と横領罪（五年以下）とが併合罪のばあいは、窃盗罪の刑の最高限すなわち一〇年の一・五倍で、一五年が最高限度となる。もっとも、窃盗罪と強盗予備罪（二年以下の懲役）とが併合罪のばあいは、両者の刑期の最高限の合計は一二年であるので、このばあいは一二年が最高限となる。②二つ以上の罰金はそれぞれの罪について定められた罰金の合計額以下で処断する（四八条二項）。③二つ以上の拘留または科料は併科する（五三条二項）。④併合罪のうち、一つの罪について死刑に処すべきときには、他の刑は科さない。ただし、没収はこのかぎりでない（四六条一項）。併合罪のうちの一つの罪について無期の懲役または禁錮に処すべきときにも他の刑を科さない。ただし、罰金・科料および没収は、このかぎりでない（四六条二項）。⑤罰金と他の刑とは、これを併科する。ただし、併合罪のうちの一つの罪について死刑に処すべきときはこのかぎりでない（四八条一項）。拘留または科料と他の刑とは、これを併科する。ただし、その一罪について無期の懲役・禁錮に処すべきときはこのかぎりでない（五三条一項）。⑥併合罪のうちの重い罪に没収がなくても、他の罪に没収があるときには、これを附加することができる。二個以上の没収は併科する（四九条）。

併合罪のうち、すでに裁判をうけた罪とまだ裁判をうけていない罪とがあるときには、まだ裁判をうけていない罪について、さらに処断する（五〇条）。こうして、併合罪について、二つ以上の裁判があったときには、その刑をあわせて執行する。ただし、死刑を執行すべきときには、没収以外の刑は執行しない。無期の懲役または禁錮を執行すべきときには、罰金・科料および没収以外の刑は執行しない。有期の懲役または禁錮の執行は、そのうちでもっとも重い罪について定められた刑期の最高にその半数を加えたものをこえることができない（五一条）。この刑の執行を減軽する五一条の規定は、併合罪が同時に裁判されたばあいとの不均衡をできるだけ除去しようとするためのものである。たとえば、併合罪である甲・乙二つの強盗罪について、甲について一三年の懲役が言い渡されたあと、余罪である乙について一〇年の懲役が言い渡されたばあい、この二つの刑をあわせて執行すると、その刑期は二三年ということになるが、甲・乙を同時に裁判するばあいの刑の最高限は二〇年であるから、二〇年までその刑の執行を減軽しようとするものである。なお、併合罪について処断された者が、そのうちのある罪について大赦をうけたばあいには、とくに大赦をうけない罪について刑を定める（五二条）。

▼喧嘩して銃剣で殺す（銃剣の不法所持罪と殺人罪の併合罪）

Aは、数年前から銃剣一本を不法に自宅に保管していたが、某日、酩酊の上、Bと喧嘩をした結果、Bを殺す意思を生じて自宅から右銃剣をもってきて、Bの背後からその右側頸部を突刺して同人を殺害した。

たとえば、一個の爆弾を群衆の中に投げ込み一度に一〇人を殺害したときには一〇個の殺人罪が成立し、一個の爆弾を他人の建造物に投げ込んで、建造物を損壊するとともに中にいた人を殺害したときには建造物損壊罪と殺人罪とが成立する。このように、一個の行為で数個の犯罪が成立するばあいを**観念的競合**という。観念的競合のばあいには数個の犯罪が成立しているが、それが一個の行為によってなされたものである点に着眼して、刑をきめる上で一罪として取り扱い（**科刑上の一罪**という）、そのもっとも重い刑で処断される（五四条一項前段）。もっとも重い刑とは、上限・下限とも、もっとも重いものによる趣旨と解すべきである。たとえば、傷害罪と公務執行妨害罪との観念的競合のばあいは、一月以上一〇年以下の懲役ということになる。なお、観念的競合は、「一個の行為」であることが必要であるが、一個の行為といえるためには、行為が構成要件の観点から主要な部分において重なり合っていることが必要である。右にあげた事例において、なるほどB殺害の時点では銃剣の不法所持と殺人行為とは重なっているが、このようにある時点で交叉しているにすぎないときは一個の行為とはいえないから、銃剣の不法所持罪と殺人罪は観念的競合とならず併合罪である（最判昭二六・二・二七刑集五・三・四六六）。

ここで、観念的競合と外観上はよくにているが、これとまったくちがうものがあることに注意しなければならない。すなわち、一つの行為が外見上は二つ以上の刑罰法規にふれるようにみえるが、それらの法規相互の関係からそのうちの一つの規定だけが適用され、それによって他の規定の適用が排除されるばあいで、結局、一個の犯罪が成立するばあいである（**法条競合**という）。法条競合には次の四つのばあいがある。すなわち、①たとえば、自分の親を殺すと、尊属殺（二〇〇条）に該当するが、同時に普通殺（一九九条）にもあたるようにみえるが、尊属殺の規定は普通殺の規定の特別規定で、特別規定が適用されれば普通規定は適用する必要がないから、このばあいは尊属殺だけが成立する（**特別関係**という）。②たとえば、着衣を貫いて人を殺したときは、殺人罪の規定だけが適用され器物損壊罪の規定はこれに吸収され、殺人罪だけが成立する（**吸収関係**という）。③基本的法規と補充的法規があるときには、補充的法規は基本的法規の適用がないときにのみ適用される（**補充関係**という）。たとえば、傷害罪の規定（二〇四条）が適用されれば暴行罪の規定（二〇八条）は適用されない。④一方の規定が適用されれば、論理的に他の規定の適用が排除されるようなばあいで（**択一関係**）、たとえば、横領罪の規定（二五二条）が適用されると、背任罪の規定（二四七条）は適用されない。

▼貸ビルのエレベーターに連れ込み、金を奪う（**強盗と監禁の二罪――牽連犯にはならず**）

> Aは通行中のBとCを呼び止め、「足を踏んで黙って行く気か」といいがかりをつけ、貸ビルのエレベーターの中に押し込み、匕首をちらつかせて両者をおどし、合わせて一二万円余を奪い取ったうえ、「一〇分以上中にいろそのまえに出たらただではすまぬぞ」と言い残して逃げた。B、Cは言われたとおり一〇分以上エレベーター中にとどまってから外に出て警察に届け出た。

数個の行為がそれぞれ各別の構成要件に該当するが、その相互間に、一方が他方の手段であるが、他方が一方の結果である関係がみとめられるときは、**牽連犯**（けんれんはん）といわれ、観念的競合と同様に、科刑上一罪として取り扱われ、そのもっとも重い刑で処断される（五四条一項後段）。この目的・手段、原因・結果の関係は社会一般の経験からみて、通常一般的にそのような関係があるかどうかによって決定すべきであるとするのが通説・判例（大判大六・二・二六刑録二三・一三四）である。そこで、たとえば、他人の住居に侵入して財物を窃取したばあい、住居侵入と窃盗は牽連犯となる。そのほか、判例が牽連犯をみとめたものとして、たとえば、住居侵入と強盗・殺人・放火、文書偽造とその行使などがある。こうした関係にない犯罪行為のばあいは、いくら犯人が一つの犯罪を他の犯罪の手段としていたとしても牽連犯とはならない。たとえば、AがBを殺すために、金物屋から出刃包丁を盗み、その出刃包丁を使ってBを殺害したばあいでも、出刃包丁の窃盗と殺人とは牽連犯とはならず、併合罪である。判例が牽連犯を否定し併合罪とした例として、強盗殺人の犯行後その証拠を隠滅するために放火したばあいの強盗殺人と放火、被害者を監禁したうえで強姦したばあいの不法監禁と強姦致傷などがある。右にあげた事例も判例の立場からは、牽連犯はみとめられず、強盗と不法監禁の併合罪ということになろう。

第10章　累犯

第五六条【再犯】 ①懲役に処せられたる者其執行を終り又は執行の免除ありたる日より五年内に更に罪を犯し有期懲役に処す可きときは之を再犯とす
②懲役に該る罪と同質の罪に因り死刑に処せられたる者其執行の免除ありたる日より又は減刑に因り懲役に減軽せられ其執行を終り若くは執行の免除ありたる日より前項の期間内に更に罪を犯し有期懲役に処す可きとき亦同じ
③併合罪に付き処断せられたる者其併合罪中懲役に処す可き罪ありたるときは其罪最重のものに非ずと雖も再犯例の適用に付ては懲役に処せられたるものと看做す
第五七条【再犯の刑】 再犯の刑は其罪に付き定めたる懲役の長期の二倍以下とす
第五八条【確定後の再犯の発見】 削除
第五九条【三犯以上】 三犯以上の者と雖も仍ほ再犯の例に同じ

罪を犯したために刑を科せられた者が性こりもなくまた罪を重ねたときには、まえに刑に処せられたのに改悛もせずまたやったという点で重い道義的非難に値するとともに、こうした犯罪者は社会的危険性が大きいものであるので、初犯者よりも重く処罰する必要がある。わが刑法は、①前に懲役に処せられた者、懲役にあたる罪と同質の罪により死刑に処せられた者、もしくは併合罪について処断され、その併合罪中に懲役に処すべき罪（この罪がもっとも重い罪である必要はない）があった者であること、②前の犯罪の刑についてその執行を終わり（死刑に処せられた者にあっては減刑によって懲役に処せられたうえその執行を終わり）、またはその執行の免除があった日から五年以内にさらに罪を犯したこと、③後の犯罪で有期懲役に処せられるべきばあいであること、この三つの要件を具備したばあい、後の犯罪が再犯ということになる。再犯の後さらに同じ条件のもとで罪を犯したばあいを三犯、以下順次、四犯・五犯ということになるが、この再犯以上をすべて累犯と称する。累犯の刑は、その罪について定められた懲役の長期の二倍以下とされる（五七条・五九条）。すなわち、長期が加重されるだけで短期はもとのままである。たとえば、初犯の刑の執行を終わった者が、それから五年以内に、逮捕監禁罪（三月以上五年以下の懲役）を犯すと、この者は再犯ということになるから、長期は一〇年になるが短期はそのままであるから、三月以上一〇年以下の懲役で処断されることになる。なお、強盗の累犯だと、強盗罪の長期一五年であるので、これを二倍すると三〇年になるが、有期刑の加重は二〇年をこえることができないから（一四条参照）、このばあいは五年以上二〇年以下の懲役で処断される。累犯は長期が二倍となるので、窃盗でも再犯ということになると二〇年以下の懲役ということになる。ところで、累犯となりうるためには、前の犯罪について刑の宣告があり、かつ、実際にその執行を終わり、または、執行の免除があったことが必要である。そこで、前の犯罪に対する刑の執行前または執行中、もしくは、執行停止中に罪を犯しても累犯とならない。たとえば、受刑者が、刑務所内で人を殺したばあいとか服役中に刑務所から脱走し、盗みを働いたばあいには、累犯とならない。また、前の犯罪について刑の執行が猶予されているときの猶予期間中に犯した犯罪、前の犯罪の刑についての仮出獄中に犯した犯罪も、累犯とはされない。なお、「五年以内」とは、起算日から五年以内に後の犯罪の実行行為の着手があれば足り、その犯罪の完成が五年内であることを要しない。

なお、再犯の刑を加重するのは、前の犯罪をもう一度取り上げて重ねて責任を問おうとするものではなく、後の犯罪の責任を加重するもので処罰の対象となるのはあくまで後の犯罪だけである。したがって、五六条・五七条の再犯加重の規定は、憲法三九条に違反するものではない（最判昭二四・一二・二一刑集三・一二・二〇六二）。

第11章　共　犯

犯罪は一人で犯ずこともあれば数人で犯すこともある。数人で犯すばあいを共犯という。刑法の規定は、たとえば「人を殺したる者は」（一九九条）というように、原則として一人の行為者によってなされることを予想してできているが、例外的に、たとえば、内乱罪（七七条）、騒擾罪（一〇六条）、重婚罪（一八四条）、賄賂罪（一九七条から一九八条）のように、数人の行為者によってなされることを予定している規定がある。すなわち、内乱罪、騒擾罪のような犯罪は、多数の者が同一の目標に向かって協力することを要件とするもので、これに参加した多数の行為者は、それぞれその関与の仕方に応じて処罰される犯罪であり（集団犯または集合的犯罪といわれる）、重婚罪、賄賂罪のような犯罪は、数人の行為者の相対立する行為を要件としている犯罪である（対向犯または対立的犯罪といわれる）。これらの犯罪は、一人が単独で犯すことができないものであるので、これらのばあいの共犯を**必要的共犯**というが、これは本来の意味での共犯ではなく、これらについては、本章の「共犯」規定は適用されない。これに対して、一人でも犯しうる犯罪を数人で犯したばあい、たとえば、強盗罪は一人でもなしうるが、集団強盗などといわれるばあいのように、数人が一緒になって強盗をしたばあいを**任意的共犯**という。この任意的共犯が普通「共犯」といわれるもので、本章の「共犯」規定は、この任意的共犯に関するものである。本章は、共犯として処罰されるばあいとして、数人の者が一緒になって被害者に暴行を加えて金品を奪い取るばあいのように、数人の者が相互に協力して犯罪を実行する共同正犯（六〇条）、他人にデパートから時計を盗んでこいとそそのかすばあいのように、自分は犯罪を実行しないで人に犯罪をするようにそそのかす教唆犯（六一条）、他人が強盗するときにピストルを貸してやるばあいのように、他人の犯罪を援助する従犯（六二条・六三条）の三種をみとめている。なお、共犯の処罰は、未遂の処罰とことなり、刑法のそれぞれの条文に処罰する旨が規定されていることを必要としないが、拘留または科料だけにあたる軽い罪の教唆犯および従犯は特別の規定がなければ処罰されない。

第六〇条【共同正犯】二人以上共同して犯罪を実行したる者は皆正犯とす
第六一条【教唆犯】①人を教唆して犯罪を実行せしめたる者は正犯に準ず
②教唆者を教唆したる者亦同じ
第六二条【従犯】①正犯を幇助したる者は従犯とす
②従犯を教唆したる者は従犯に準ず
第六三条【従犯の刑】従犯の刑は正犯の刑に照して減軽す
第六四条【拘留・科料の罪と教唆・従犯】拘留又は科料のみに処す可き罪の教唆者及び従犯は特別の規定あるに非ざれば之を罰せず
第六五条【共犯と一定の身分ある者】①犯人の身分に因り構成す可き犯罪行為に加功したるときは其身分なき者と雖も仍ほ共犯とす
②身分に因り特に刑の軽重あるときは其身分なき者には通常の刑を科す

共同正犯　共同正犯が成立するためには、二人以上の者が共同して犯罪の実行行為を行なおうとする意思（共同実行の意思）で、共同して犯罪を実行したこと（共同実行の事実）が必要である（六〇条）。

▼妻と子が暗黙のうちに協力し、夫を殺す（共同実行の意思をみとめる）

〔1〕

A子の夫Bが些細なことでA子およびA子の連れ子Cに暴行に及んだので、これを取りしずめようともみあっているうちに、Bが仰向けに倒れ、A子はBの上に馬乗りのような状態になった。そのとき、A子は、たまたま手拭に目がふれたので、この手拭を取ってBの首に巻きつけたが、Bの抵抗にあって手拭から手がはなれたので、馬乗りの状態のまま自分の身体でBを押えつけた。母親A子の挙動をみたC子は、母親A子の意を察してBの首に巻きつけてあった手拭を片手でにぎりしめ力を加えたので、Bは死亡した。

▼BがCを殴って金品を強取するのをみて、Aも加勢（承継的共同正犯）

AとBは、酒を飲んで夜おそく電車通りを相前後して歩いていたところ、Bが通りかかったCから金品を強取

〔2〕

する目的でCの顔面を殴打し「金を出せ」と要求した。これを知ったAはともに金品を強取しようと思い、ただちにBに協力し、意思を連絡したうえ、まずCから所持金七〇〇円を奪い、ついでBがCの左腕をおさえAがCのはめていた腕時計を外してこれを強奪した。なお、CはBに殴打されたことにより右眼部に治療一週間を要する打撲傷をうけた。

共同実行の意思は、相互に意思を連絡していることが必要であるが、かならずしも言葉に出して明示的に協力を約束しあうことは必要でなく、その場における他の行為者の動作などから相互にその意思を察知し暗黙のうちに協力しあう意思で足りる。そこで、右にあげた事例〔1〕のばあい、母親と娘との間には父親に対する暴行についての共同実行の意思がみとめられる（札幌高判昭二九・一二・二五裁判特報一追七七〇）。また、共同実行の意思は、実行行為をするまえにあらかじめ共謀したものでも、犯行の現場でとっさにできあがったものでもよく、さらに、実行行為の一部が終わった後に生じたものでもよい。Aがすでに実行行為の一部分を終了した後に、Bが共同意思の意思を生じその実行に参加したばあいを**承継的共同正犯**という。この承継的共同正犯においては、共同正犯の成立する範囲、すなわち、後から参加したBは、どの範囲でAとの共同正犯がみとめられるかについては、共同正犯がみとめられるのは、Bが参加した後の共同実行についてだけであるとする見解とBが参加するまえにAのなした行為を含めて、その犯罪全体についてであるとする見解があり、この点に関する高裁判例もその結論が一致していないが、判例の主流は後説を採用しているものといえよう。右にあげた事例〔2〕について、札幌高裁は、Aがその参加前にBの行なった殴打の結果生じた傷害について認識がなかったとしても、Aは強盗罪ではなく強盗傷人罪の共同正犯であると解すべきであるとしている（札幌高判昭二八・六・三〇高刑集六・七・八五九）。

▼AとBが使った素焼コンロから発火、出張所の分室が全焼（失火罪の共同正犯）

AとBは、土木出張所の分室において素焼こんろを床板の上で長時間使用して煮炊をしていたが、こんろ内の炭火による過熱のために下部床板が燻焦し、発火の危険があるのに、使用後、火を消すとかその他の処置をとらずに帰宅したため、こんろの炭火から床板が過熱して発火し同分室の建物が焼けた。

なお、過失犯に共同実行の意思がありうるかという点から、**過失犯の共同正犯**については肯定説と否定説とが対立している。判例もかつては過失犯の共同正犯の成立を否定していたが、最近ではこれを肯定するに至っている（最判昭二八・一・二三刑集七・一・三〇）。この立場からすれば、右にあげた事例のばあい失火罪の共同正犯がみとめられよう（名古屋高判昭三一・一〇・二二裁判特報三・二一・一〇〇七）。もっとも、過失犯のばあい、共同正犯をみとめるかどうかで結論がことなるばあいはごくまれである。右の事例でも、共同正犯ではなく、A、Bの過失が競合した同時犯と解しても結論は同じである。

次に、共同実行の事実とは、二人以上の者が共同して実行行為を行なうことであるが、かならずしも各行為者が実行行為を全部にわたって一緒に行なう必要はなく、各行為者がそれぞれ実行行為の一部を分担すればば足りる。たとえば、窃盗を共謀したAとBとが二人してCの倉庫からカラーテレビをかつぎ出したばあいが窃盗罪の共同正犯であることはもちろんであるが、たとえば、AとBとが辻強盗を共謀し、Aが通りがかったCにピストルを突きつけておどし、反抗を抑圧されたCが両手をあげて立っているところをBがそのポケットから現金入りの財布を奪い取ったばあいには、Aは強盗罪の実行行為のうち「脅迫」をしただけで「奪取」をしておらず、Bは「奪取」しただけで「暴行・脅迫」をしていないが、AとBとが共同して強盗罪の実行行為をしたことになり、強盗罪の共同正犯となる。

さて、数人の者の行為について共同実行の意思と事実とがみとめられて共同正犯が成立すると、共同正犯者は、その共同行為によって発生した結果の全体について正犯としての責任を負うことになる。たとえば、AとBとがCを殺すことを共謀して同時にCをねらってピストルを発砲したところ、Aの弾丸ははずれたがBの弾丸があたってCが死亡したというばあいでも、A・Bとも殺人既遂罪で処罰される。

▼見張りでも強盗の共同正犯

〔1〕

A・B・C・Dは強盗を共謀し、某日午後九時半頃、Eさん方へおもむき、Aは屋外で見張りをし、B ら三名はEさん方へ押し入り、Eさんに日本刀を突きつけ「金を出せ」と脅迫して、その反抗を抑圧したうえ、現金六万円、洋服生地などを強奪した。

▼**犯行当時自宅で就寝中の共謀者も強盗の共同正犯（共謀共同正犯）**

〔2〕

Aは、Bほか四名の者と犯行の前々日にC被服会社から衣料品を強取することを共謀し、その大体の手はずを打ち合わせたが、犯行当日、Bほか四名の者が計画どおりC会社に侵入して強盗を実行していた時間には、自宅で就寝中であった。

ところで、わが国の判例は、二人以上の者が一定の犯罪を犯すことを共謀し、これにもとづいて共謀者の一部がその犯罪の実行行為をしたときには、実行行為を分担しなかった者をも含めて共謀者全員に共同正犯が成立するとしている。この見解は**共謀共同正犯説**といわれるものであるが、判例がこの見解をとっている実質的な理由は、多数の者が参加する計画的・組織的な犯罪においては、その犯罪を計画し主導権を握っている大物は、直接の犯行には加わらないで背後にひかえており、犯罪の実行を担当するのはおおむね小物だという例が多いが、こうした背後の大物に対しても正犯としての責任を追及する必要があるというところにあろう。この共謀共同正犯説に対しては大多数の学説が反対であるが、判例の態度は確立したものであるので、実際の裁判においては共謀による共同正犯がみとめられることになる。日航機「よど」号乗っ取り事件で、その乗っ取り計画に参加しただけで、乗っ取り行為には直接参加しなかった赤軍派議長が共同正犯で起訴されたのも、共謀共同正犯をみとめる裁判実務を前提としたものである。判例の立場からは、右にあげた事例〔1〕において見張をしているA、事例〔2〕において、実行行為に自宅で寝ているA、いずれも共同正犯ということになる。なお、AとBとが窃盗を共謀し、Aは屋外で見張りをしていたところ、屋内に入ったBが家人に見つかって強盗に居直ったばあい、判例の立場からはAは窃盗罪の共同正犯としての罪責を負うことになろう。

また、数人の者に共謀が成立するためには、共謀者全員が一ヵ所に集まって謀議をこらすといったことは必要ではなく、たとえば、A・B・Cが共謀し、Cがさらに D・Eと共謀し、Eがその共謀による犯罪を実行したばあい、たとえ、A・BとD・Eとが直接謀議をしたことがなくても、Eによって実現された犯罪について、ABCDE全員が共同正犯としての責任をとわれることになる（大判昭七・一〇・一一刑集一一・一四五二参照）。

▼窃盗の共謀をしても途中で身をひくと無罪

A・B・Cは、Dさん方から財物を盗むことを共謀し、一緒にDさん方に向かって出発したが、途中でAは自分が執行猶予中の身であることを思い出して、犯行を思いとどまり、その旨をB・Cに告げて単身、引き返したが、B・Cは二人だけで予定の窃盗を働いた。

右の事例のように、犯罪を共謀した者のうちの一人が、その実行着手前に、他の共謀者に共謀関係からの離脱の意思を表明し、他の共謀者がこれを了承し、残りの者だけで犯罪を実行したばあいには、共謀共同正犯をみとめる判例の立場から、この離脱者には他の共謀者が実行した犯罪について共同正犯としての責任を負わせることはできないとされている（東京高判昭二五・九・一四高刑集三・三・四〇七参照）。

教唆犯　教唆犯が成立するためには、人を教唆することとそれにもとづいて犯罪を実行させることが必要である（六一条一項）。教唆犯は自分で実行行為をしない点で共同正犯とことなり、他人の犯罪の実行を単に援助するものではなく、これを誘発するものである点で従犯と区別される。

▼殺し屋もそれを雇った社長も無期懲役

〔1〕

Aは、CMプロ「三芸社」社長Bさんを殺して、会社の実権をとろうと企て、Cに一一七万円を渡し、Bさんを殺してくれとたのんだ。これを引き受けたCは、Dから包丁を受けとり、Bさんを刺し殺した。

▼借金をたのまれ「なにか金になるものをもってこい」と断わると、相手が盗みを働く（教唆とならない）

〔2〕

Aは、金を借りに来たBに「なにか金になるものをもってこい」といって金を貸すことを断わった。Bはこれを聞いて、「だれもお前に金を貸す者はないから、なにか金になるものを盗んで売れ」という意味に解して、翌日、C宅から株券二枚および松丸太尺一六本を盗み出した。

教唆とは、人に特定の犯罪を実行する決意を生じさせることをいう。教唆の方法はどんなものでもよい。甘言を用いること、哀願すること、誘惑すること、右にあげた事例〔1〕のように報酬を提供してたのむこと、圧力を加えること、なんでもよい。たとえば、殺し屋を雇って人を殺させることも殺人の教唆である。しかし、教唆は特定の犯罪を実行する決意を生じさせることが必要であるから、ただ漠然と「泥棒でもしろ」とか「盗んでこい」といっただけではまだ教唆とはならない。そうかといって、犯行の日時・場所・方法・目的物などを細部にわたって指定する必要はない。右にあげた事例〔2〕について、判例は、漫然たる勧誘にすぎないからAは教唆とはならないとしている（大判大一三・三・三一刑集三・二五六）。一四歳未満であるが、すでにものごとの良しあしの判断ができる少年（たとえば、一三歳の少年）をそそのかして犯罪を行なわせたばあい、それが教唆犯であるかどうかについては見解が分かれている。判例は、教唆犯にならず、正犯（後に述べる間接正犯）と解しているようである（仙台高判昭二七・九・二七判決特報二二・一七八）。しかし、幼児や高度の精神病者を利用するばあいとことなり、教唆犯とみるべきであろう。

なお、たとえば、AがBのポケットになにも入っていないことを知りながら、CにBのポケットから財布をすり取ることをそそのかしたばあいとか（**未遂の教唆という**）、警察官が犯罪に着手したらただちに逮捕の目的で、人に犯罪を教唆し実行をはじめたところで逮捕するといったばあい（**アジャン・プロヴォカトゥール**という）に、教唆犯が成立するかどうかについても、肯定・否定の両説がある。麻薬取締法違反や売春防止法違反において、捜査官憲またはその手先が買手をよそおって犯人を「わな」にかけて検挙する、いわゆる**おとり捜査**は、かならずしもその犯罪を未遂にとどめる意思でなされるものではないので、未遂の教唆の問題とはかならずしも一致しないが、最高裁は、おとり捜査で誘発されたものであっても犯罪の成立は妨げないとした判例の傍論で、犯行を誘発した者が教唆犯または従犯としての責任を負うばあいもあると述べている（最決昭二八・三・五刑集七・三・四八二）。

次に、教唆犯が成立するためには、「犯罪を実行させたこと」、すなわち、教唆された者がそれによって犯罪の実行を決意し、かつ、これを実行したことが必要である。そこで、教唆された者がその犯罪をする決意をしなかったり、または決意はしたがなんらかの事情から犯罪の実行に着手しなかったときは、教唆犯は成立せず、教唆した者は処罰されない（共犯の従属性）。もっとも、このばあいは教唆の未遂として処罰すべきであるとする反対説（共犯独立性説）があるが、この説はすくなくとも六一条の「犯罪を実行せしめたる」という規定と矛盾する。なお、教唆された者が犯罪を実行したが、それが未遂に終わったときは、未遂が処罰される犯罪については、未遂罪の教唆犯が成立する。たとえば、Aの教唆にもとづいてBが殺人を実行したがそれが未遂に終わったときは、Aは殺人未遂罪の教唆犯となる。

▼指定された家でなく、隣家の衣類を盗む（目的物がちがっても窃盗の教唆犯）

〔1〕 AはBにCさん方に侵入して金銭を盗んでこいとそそのかしたところ、Bは、まちがってCさんの隣家のDさん方に侵入して衣類を窃取した。

▼暴行を教唆しても傷害致死罪になるばあいがある

〔2〕 Aは、Bが子分Cを斬りつけたのに憤激し、子分D・Eに、Bを追いかけて殴れと命じた。D・Eは命令にしたがってBを追い、松丸太の割木や竹棒でBの頭部その他を乱打したため、Bは脳挫傷により死亡した。

▼殺意をもつ者に某を殺せというのは従犯

〔3〕 Aは、Bがすでに Cを殺害する決意を固めていることを知らずに、Bに向かって、「Cのような奴は生かしておく必要はない。殺してしまえ」とすすめた。これを聞いたBは、Aまでがああいうのだからますます Cは生かしておけないと殺意を強め、同夜、Cを殺害した。

教唆者が教唆したところと教唆された者が実行したところにくいちがいが生じたばあいは、事実の錯誤に関する一般理論によって解決される（四七頁以下参照）。判例は、法定的符合説を採用しているので、右にあげた事例〔1〕においてAには窃盗教唆犯が成立することになる。また、たとえば、AがBに強盗を教唆したところBが窃盗を実行したばあい、あるいは逆に、窃盗を教唆したところ強盗を実行したばあいは、いずれも窃盗罪の教唆犯となる。なお、右にあげた事例〔2〕において、判例は、暴行を教唆したAに傷害致死罪の教唆の罪責をみとめている（大判昭六・一〇・二二刑集一〇・

四七〇）。右にあげた事例〔3〕は、教唆の意思で幇助の結果が生じたばあいであるが、このばあいには、軽い従犯が成立する。

教唆犯は、「正犯に準」じて処罰される（六一条一項）。すなわち、正犯に適用されるのと同じ法定刑の範囲内で処罰される。そこで具体的には、それぞれの情状によって、正犯に言い渡された刑よりも重い刑が教唆犯に言い渡されることもある。

「教唆者を教唆した者」（**間接教唆**といわれる）も、教唆犯と同じように処罰される（六一条二項）。間接教唆には、AがBに「CにDを殺させろ」と命じ、これに応じてBがCにDの殺害を命じて、CがDを殺害したようなばあいと、AがBに「Dを殺せ」と命じたところ、Bは自分で実行しないで、Cにたのんで Dを殺させたようなばあいとが含まれる。ここで問題となるのは、再間接教唆あるいは連鎖的教唆といわれるばあいで、AからB、BからC、CからDというように教唆が順次行なわれ、最後に教唆されたDが犯罪を実行したばあいに、Dが正犯、Cが教唆犯、Bが間接教唆であることはあきらかであるが、Aも処罰できるかどうかについては見解が分かれているが、判例はAにも六一条二項の適用があり処罰できると解している（大判大一一・三・一刑集一・九九）。

▼情を知らないホステスを利用して情夫を殺す（**バーのマダムは殺人罪の間接正犯**）

バーのマダムA子は、手を切った昔の情夫Bが店にやってきてはいやがらせをするので、Bを殺してしまおうと思い、ハイボール入りのグラスに少量の青酸カリを混入し、情を知らないホステスC子に「Bさんのところに運んで頂戴」といって、右グラスをC子に手渡した。C子は、右グラスを運んでBのテーブルに置いた。これを飲んだBは、その場で青酸中毒により死亡した。

他人を利用する点で教唆犯と外形的ににており、教唆犯との区別が問題になるものとして、間接正犯というものがある。たとえば、A子が自分の恋人を奪ったB子に復しゅうしようとして、ものごとの良しあしがまったくわからず自分の行為を制御する能力のない性的異常者である白痴の男CをそそのかしてB子を強姦させたばあい、実際に強姦したのはCで、AはCをそそのかしたものであるので、Cが強姦罪の正犯、A子が強姦罪の教唆犯のようにみえる。しかし、教唆は他人に犯罪を実行する決意を生じさせることで、犯罪を実行するかしないかは教唆された者の意思にかかっていなければならないが、右のばあい、Cは行動制御力のまったくない性的異常者で、いわばA子の道具として機械的に動いたものといえよう。こうしたばあいには、A子はCを道具として利用して犯罪を実行したもので、A子は強姦罪の正犯である。このように、他人を道具として利用することによって犯罪を実現するばあいを**間接正犯**という。情を知らない者を利用するばあいも間接正犯となりうる。右にあげた事例は、その一例で、バーのマダムA子は殺人罪の間接正犯となる。なお、判例は、一四歳未満の子供をそそのかして盗みをさせたようなばあいを一般に窃盗罪の間接正犯と解しているようであるが、ものごとの良しあしのわからない五、六歳ぐらいの幼児をそそのかして他人の物を取ってこさせたばあいは窃盗罪の間接正犯となるが、すでにものごとの良しあしを判断できる一二、三歳の少年のばあいは、むしろ教唆犯が成立するものと解すべきであろう。

従犯　従犯とは、人殺しを決意した者にピストルを貸してやるとか、泥棒に入ることを計画している者に被害者の家の構造を教えてやるとかいったように、自分では犯罪の実行をしないで、他人が犯罪を実行するのを助けてその実現を容易にしてやることである。このように、実行行為にあたらない行為で正犯が犯罪を実行するのを助けてその実現を容易にしてやる行為を法律上「幇助(ほうじょ)」という（六二条）。

▼**殺人の助言は幇助罪**

〔**1**〕

BとCがA宅でDを殺害する計画をし、成功謝礼金について、Bは「五万円出す」といい、Cは「五万円は安い一〇万円出せ」といったが、Bは「九万円で辛抱しろ」と折衝した。傍でこれを聞いていたAは「そのくらいでやってやれ、礼金は引受けた」と助言し、結局、CはBから九万円をもらう約束でDを殺害した。

▼**激励が幇助になるとした例**

〔**2**〕

Aは、BからC殺害の決意を聞き、Bに「男というものはやるときにはやらねばならぬ。もしCを殺害したら、自分が差入はしてやる」と激励した。そこで、Bは、ますますC殺害の決意を強固にし、翌日、日本刀でBに斬りつけ重傷を負わせたが、殺害するには至らなかった。

〔3〕

▼**ストリッパーのわいせつ演技を見逃す**（不作為の幇助）

劇場責任者Aは、ストリッパーBが自分の劇場で公然わいせつの演技をしているのを目撃したが、ただ微温的な警告をあたえただけで、そのまま、その公演を継続させた。

見て見ぬふりをすると幇助になることがある

幇助の方法は、どんなことでもよい。たとえば、犯行に使う日本刀を貸してやるとか、贈賄のための金銭を贈与するとか、賭博をするための部屋を提供するとかいった物質的な方法だけでなく、忠告・助言・激励といった精神的方法でもよく、また作為であると不作為であるとをとわない。右にあげた事例〔**1**〕～〔**3**〕は、いずれも判例においてAの行為が幇助にあたるとされたものである。なお、激励などのばあいは、同じ言葉でも教唆になったり幇助になったりする。たとえば、右にあげた事例〔**2**〕は、Bがすでに殺人の決意をしていた者でありその決意を強めるためになされたものであるので幇助であるが、もしBがまだ殺人を決意しておらず、AがBに殺人の決意を生じさせるために同じ言葉を述べたとすれば、これは教唆となろう。

▼**知人の賭博に加わらせる**（片面的従犯）

Aは、知合いのBが某理髪店の二階で賭場を開き、Cらを集めて賭博し寺銭をとっていることを知り、Bには告げないで、Bの賭博開帳を助ける意思で、D・Eを理髪店の二階で開かれている賭博に行くことをすすめ、そこで賭博に加わらせた。

正犯が幇助されていることに気づかなくても従犯は成立しうるとするのが通説・判例（大判大一四・一・二二刑集三・九二一）である（**片面的従犯という**）。なお、幇助は、たとえば、これから強盗に行こうとしている者に日本刀を貸すといったように、正犯が実行行為をするまえでもよいし、また、たとえば、親分が旅館の離座敷で賭博を開帳しているときに、その旅館の塀の外の路上で踏込みを警戒して見張りをしているといったように、実行行為が行なわれているときでもよい。しかし、実行行為が終わってしまった後では幇助はありえない。窃盗犯人が盗んできた品物を盗品と知りながら窃盗犯人のために自動車で運搬してやるばあいを、事後従犯と呼ぶことがあるが、これは賍物運搬罪（二五六条二項）という独立の犯罪で、共犯の一種としての従犯とは関係がないことに注意する必要がある。

従犯が成立するためには、幇助行為のほかに、幇助された正犯が犯罪を実行することが必要であることは、教唆犯のばあいと同様である（**共犯の従属性**）。ところで、従犯が考えていたところと正犯が実行したところがくいちがっても教唆犯のばあいと同じように考えればよい。たとえば、Aは、BがC宅に押し入って強盗するのだと思ってピストルを貸したところ、BはC宅のとなりのD宅に押し入って強盗を働いたばあいも、Aは強盗の従犯として処罰される。なお、Aは、BがC・Dに傷害を加えるかもしれないと思いながら匕首を貸したところ、BがこれでC・Dを刺し殺してしまったばあい、判例は、Aを傷害致死罪の従犯として処断すべきであるとしている（最判昭二五・一〇・一〇刑集四・一〇・一九六五）。

従犯は、他人の犯罪の実行を助けるだけであるので、その刑は「正犯の刑に照して減軽」される（六三条）。すなわち、正犯に適用される規定の法定刑に法律上の減軽（六八条）をした刑の範囲内で処罰される。たとえば、強盗罪の例でいうと正犯は五年以上一五年以下の懲役によって処断されるが、従犯は二年六月以上七年六月以下の懲役で処断される。正犯に言い渡された刑を減軽するわけでないから、具体的には、従犯に対して正犯に言い渡された刑よりも重い刑を言い渡すことも可能である。

▼ブルーフィルムを借りた者がさらに第三者に貸して映写（最初に貸した者は間接従犯）

Aは、Bから頼まれ、Bまたはその得意先の者が多数の者に観覧させるのであろうということを知りながら、ブルーフィルムをBに貸した。Bがさらに得意先のCにこれを貸し、Cが、十数名の者の面前で右フィルムを映写して観覧させた。

「従犯を教唆した者」とは、まだ幇助の意思のない者をそそのかして幇助の決意をさせて幇助行為を行なわせる者で、たとえば、Bが賭博をしているとき見張りをしてやれとCをそそのかし、CにBが賭博中、その発覚を防ぐため見張りをさせたAが、これにあたる。従犯に準じて処罰される（六二条二項）。

なお、教唆犯の従犯、従犯の幇助（間接従犯）については規定がないので処罰すべきかどうかが争われているが、判例はこれらを従犯として処罰すべきであるとしている。右にあげた事例において、判例は、AをCの犯行を間接に幇助したものとして処罰を免れないとしている（最決昭四四・七・一七刑集二三・八・一〇六一）。

共犯と身分　公務員が職務に関して業者から金品を受け取ると収賄罪（一九七条）で処罰されるが、会社員が取引先の下請業者から金品を受け取っても収賄罪にはならない。これは、収賄罪が公務員が職務に関して賄賂を取ったときに成立するものであるので、公務員でない者はこの罪を犯すことができないからである。このように、一定の一身的地位（身分）を有する者しか犯しえない犯罪を**真正身分犯**という。また、他人を殺すと普通殺人罪（一九九条）が成立するが、自分の親を殺すと尊属殺人罪（二〇〇条）という重い犯罪が成立する。このように、身分がなくても犯罪にはなるが、一定身分があると刑の加重された犯罪が成立するばあい、こうした犯罪を**不真正身分犯**という。

▼公務員でなくても収賄罪になるばあいがある

> Aは、某市の市長Bに個人的に頼まれ、市役所建築課の係員C・Dと一緒に、市立公会堂の建築工事の現場監督事務に従事していたものであるが、A・C・Dは共謀して工事を請負った建設業者Eに、金をくれれば大目にみてやるともちかけ、Eから現金一五万円を受け取り三人で分配した。

六五条一項は、身分のない者でも、身分のある者が行なう犯罪に関係したときには、その身分犯についての共犯が成立するものとしている。たとえば、公務員の妻Aが夫の職務と関係ある業者から品物を贈られたので夫にかくしてこれを受け取ったばあいには、Aは公務員でないから収賄罪にならないが、Aが公務員である夫をそそのかして業者から賄賂を受け取らせたばあいには、Aは収賄罪の教唆犯、Aが夫から頼まれて夫がすでに約束していた賄賂を業者のところから受け取ってきて夫に渡したばあいには、収賄罪の従犯が成立する。なお、六五条一項の「共犯」に共同正犯をも含むかどうかについては争いはあるが、判例は、共同正犯をも含むと解している。そこで、右にあげた事例において、公務員でないAも収賄罪の共同正犯ということになる（大判昭七・五・一一刑集一一・六一四参照）。

▼**殺し屋に父親を殺させる（頼んだ息子は尊属殺人罪）**

Aは、父親Bを殺害して遺産を取得しようと思い、殺し屋Cに礼金五〇万円で殺害をたのんだ。Cは、B殺害を請負い、自動車事故にみせかけてBを殺害した。

次に、たとえば、AとBとが共同してAの父Cを殺害したばあいには、六五条二項によって、Aは尊属殺人罪の刑で、Bは普通殺人罪の刑で処断される。また、BがAをそそのかしてAの父Cを殺させたときも、Aは尊属殺人罪の正犯の刑で、Bは普通殺人罪の教唆の刑で処断される。なお、身分のある者が身分のない者の実行行為を教唆または幇助したばあいについては、見解が分かれているが、判例は、このばあいにも六五条二項の適用をみとめている。すなわち、右にあげた事例について、判例は、Cは普通殺人罪の正犯であるが、教唆したAは尊属殺人罪の刑で処断されるとしている（大判大一二・三・二五刑集二・二五四）。これに対して、学説では、このばあいは、六五条二項の適用はなく、Aは、普通殺人罪の教唆犯と解すべきであるとする見解も有力である。

第12章 酌量減軽

第六六条【裁判官の裁量による減軽】 犯罪の情状憫諒す可きものは酌量して其刑を減軽することを得
第六七条【法律上の加減と裁判官の裁量による減軽】 法律に依り刑を加重又は減軽する場合と雖も仍ほ酌量減軽を為すことを得

▼父殺しの娘に最低刑

A子は一四歳のとき、父親に姦淫された。父親は親類の家などに逃げるA子を連れもどし、ついには妻と別居し、はた目には夫婦とも見える生活を続けていた。A子は家計をたすけるために近くの印刷工場に働きに出たが、人なみの結婚にあこがれ四年後、その勤め先の同僚と結婚の約束ができた。犯行の一〇日まえそのことを父親に話したところ「行くなら行ってみろ。一生苦しめてやる」とA子をおどしつづけた。ある夜、A子は酔ってわめく父親をみて自由をうるために股引の紐で絞殺した。

犯罪の情状が同情に値するものであって、その犯罪に規定されている法定刑または法律上の減軽をしたばあいの最小限の刑でも、その犯人にこれを科することが重すぎるときには、裁判官は、その事情を考慮して、その刑を減軽することができる（六六条）。このように、刑を減軽することが、もっぱら裁判官の判断にゆだねられているばあいを**酌量減軽**（しゃくりょう）（裁判上の減軽）といい、あらかじめ法律で減軽すべきものまたは減軽しうるものと定められている法律上の減軽と区別される。酌量減軽は、法定刑または法律上の減軽をしたばあいの最小限の刑でも重すぎると裁判官が判断したときに、その最小限よりも軽い刑をもって処断することをみとめたものであるから、法定刑の範囲内で同じ刑を言い渡しうるばあいには酌量減軽を行なうべきではない（最判昭四〇・一一・二刑集一九・八・七九七）。酌量して減軽される程度は法律上の減軽のばあいと同じである（七一条）。酌量減軽は、併合罪加重（四七条）、再犯加重（五七条、五九条）といった法律上の加重事由があって刑が加重されるばあい、または、心神耗弱減軽、未遂減軽など法律上の減軽事由があって刑が減軽されるばあいでも、酌量減軽ができるとされている（六七条）。そこで、法律上の減軽は、その原因となる事情がいくつあっても一回しかできないものであり、また酌量減軽はその性質上一回だけのものであるから、同一犯人について刑を減軽できるのは、最大限二回ということになる。なお、右にあげた事例などはまさに犯罪の情状がとくに同情に値するものであろう。東京高裁は、A子が犯行当時心神耗弱であったとみとめ、まず、尊属殺の法定刑の最低限である無期懲役を法律上の減軽をして、七年以上の有期懲役とし、さらに、それを酌量減軽して、三年六月以上七年六月以下の懲役とし、その最低限である懲役三年六月を言い渡した。

業務上過失致死傷事件の標準的量刑一覧表

過失の程度／傷害の程度	過失が軽いとき	過失が中位のとき	過失が重いとき
1週間～2週間	起訴猶予～15,000円	20,000円～30,000円	40,000円～50,000円
3週間～1カ月	20,000円～30,000円	30,000円～40,000円	50,000円～禁錮6月
2カ月～3カ月	30,000円～40,000円	40,000円～50,000円	禁錮3月～1年
6カ月～10カ月	30,000円～50,000円	50,000円～禁錮6月	禁錮10月～1年6月
1年～後遺症	40,000円～50,000円	禁錮6月～10月	禁錮1年6月～2年
死亡	50,000円～禁錮6月	禁錮10月～2年	禁錮2年～4年

（注） 1. この表は，従来の裁判例等を参考にしておよその傾向を掲げたものである。具体的な事件ではいろいろの要素が有機的にからみ合うので，必ずしもこの表のとおりになるとは限らない。また，禁錮に代わり懲役のときもある。
2. 加藤一郎＝木宮高彦『新自動車事故の法律相談』642頁より。

第13章 加減例

第六八条【法律上の減軽の方法】 法律に依り刑を減軽す可き一個又は数個の原由あるときは左の例に依る

一　死刑を減軽す可きときは無期又は一〇年以上の懲役若くは禁錮とす

二　無期の懲役又は禁錮を減軽す可きときは七年以上の有期の懲役又は禁錮とす

三　有期の懲役又は禁錮を減軽す可きときは其刑期の二分の一を減ず

四　罰金を減軽す可きときは其金額の二分の一を減ず

五　拘留を減軽す可きときは其長期の二分の一を減ず

六　科料を減軽す可きときは其多額の二分の一を減ず

第六九条【数個の刑名があるばあいの刑の選択】 法律に依り刑を減軽す可き場合に於て各本条に二個以上の刑名あるときは先づ適用す可き刑を定め其刑を減軽す

第七〇条【端数の切捨て】 ①懲役、禁錮又は拘留を減軽するに因り一日に満たざる時間を剰すときは之を除棄す

②罰金又は科料を減軽するに因り一銭に満たざる金額を剰すとき亦同じ

第七一条【酌量減軽の方法】 酌量減軽を為す可きとき亦第六八条及び前条の例に依る

第七二条【加減の順序】 同時に刑を加重減軽す可きときは左の順序に依る

一　再犯加重

二　法律上の減軽

三　併合罪の加重

四　酌量減軽

刑法の各則の条文には、それぞれの犯罪に応じた刑罰が規定されている。たとえば、強盗罪（二三六条）には「五年以上の有期懲役」と規定されている。こうした刑を**法定刑**といい、この範囲内で具体的に言い渡さ

れる刑（宣告刑という）がきめられるのが原則である。ところが、刑法は、一定の事由があるときには、刑を加重したり、減軽したりすることをみとめている。そこで、刑を加重する事由、減軽する事由があるときには、法定刑を修正することが必要となる。この修正された刑を**処断刑**といい、このばあいには、この処断刑の範囲内で宣告刑がきめられることになる。ところで、刑の加重事由は、併合罪と累犯だけで、その加重の方法もそれぞれについて規定されている（四七条・五七条・五九条）。これに反して、刑の減軽事由には、かならず減軽しなければならないものと減軽してもしなくてもよいものとがあり、前者にあたるものとしては、心神耗弱（三九条二項）、従犯（六三条）などがあり、後者にあたるものとしては、過剰防衛（三六条二項）、過剰避難（三七条一項但書）、法律の不知（三八条三項但書）、自首・首服（四二条）、未遂（四三条）などがあるが、そのそれぞれのばあいについて、減軽の方法、程度について規定されていない。そこで、減軽について、その程度と方法とが、六八条から七一条までに規定されている。

なお、同一の犯人について同時にいくつもの加重事由や減軽事由があるときがあるので、その順序を定めた規定が七二条である。この同時に刑を加重・減軽すべきばあいの一例として、たとえば、Aは前に犯した強姦罪で二年の懲役を服役し、出所して一年もたたないうちに、また強姦罪を犯したが、その犯行時、Aが心神耗弱の状態にあったことが認定されたばあいを考えてみよう。心神耗弱は法律上の減軽事由、再犯は法律上の加重事由である。そこで、七二条によって、まず再犯加重をするわけであるが、強姦罪の法定刑は二年以上一五年以下の懲役であり（一七七条・一二条一項）、再犯加重は、その罪につき定めた懲役の長期の二倍以下とするものであるので、強姦罪の法定刑の長期を二倍すると、三〇年以下の懲役となるが、有期刑を加重するばあいは二〇年をこえることができないから（一四条）、二年以上二〇年以下の懲役となる。次いで、心神耗弱による刑の減軽を行なうわけであるが、法律上の刑の減軽で、有期の懲役を減軽するばあいはその刑期の二分の一を減ずるものであるので、一年以上一〇年以下の懲役が、このばあいの処断刑となる。

第2編　罪

どんな行為が犯罪となり，それに対してどんな種類（死刑・懲役・禁錮・罰金など）のどの程度（期間・金額）の刑罰が科せられるかを，放火・殺人・傷害・窃盗・強盗・詐欺など典型的な犯罪について規定したのが本編である。

第1章　削　除

七三条ないし七六条　削除

本章の規定は、「皇室に対する罪」として、天皇や皇族に対して危害を加えたり、加えようとした行為や、天皇・皇族の尊厳を害するような行為(不敬の行為)をとくに重く処罰するものであったが、憲法の規定する「法の下の平等」(憲法一四条)の原則に反するという理由で昭和二二年に削除された。これらの行為は、現在では、殺人罪・傷害罪・暴行罪・名誉毀損罪などによって処罰される。

本章が削除される前に不敬罪として扱われたものを大正一〇年から昭和三年にかけて調べた興味ある統計があるので、参考のためにあげると左表のとおりである。

不敬事件起訴及び起訴猶予件数及び人員表

年度	起訴 件数	起訴 人員	起訴猶予 件数	起訴猶予 人員	計 件数	計 人員
大正一〇年	3	6	2	3	5	9
〃一一年	4	4	5	5	9	9
〃一二年	8	9	10	10	18	19
〃一三年	16	16	16	16	32	32
〃一四年	4	4	20	22	24	26
大正一五年 昭和元年	8	9	19	19	27	28
昭和二年	2	4	13	14	15	18
〃三年	10	11	24	25	34	36
計	55	63	109	114	164	177

(注)　1.　池田克「最近における不敬罪の統計的考察」法律時報2巻4号による。
2.　大正13年起訴猶予中少年審判所へ移送したもの1件1人を含む。
3.　昭和3年中における天理教不敬事件による起訴180, 猶予287名を除く。

第2章 内乱に関する罪

第七七条【内乱】①政府を顚覆し又は邦土を僭窃し其他朝憲を紊乱することを目的として暴動を為したる者は内乱の罪と為し左の区別に従て処断す
一　首魁は死刑又は無期禁錮に処す
二　謀議に参与し又は群衆の指揮を為したる者は無期又は三年以上の禁錮に処し其他諸般の職務に従事したる者は一年以上一〇年以下の禁錮に処す
三　附和随行し其他単に暴動に干与したる者は三年以下の禁錮に処す
②前項の未遂罪は之を罰す。但前項第三号に記載したる者は此限に在らず
第七八条【内乱の予備・陰謀】内乱の予備又は陰謀を為したる者は一年以上一〇年以下の禁錮に処す
第七九条【内乱の援助】兵器、金穀を資給し又は其他の行為を以て前二条の罪を帮助したる者は七年以下の禁錮に処す
第八〇条【自首】前二条の罪を犯すと雖も未だ暴動に至らざる前自首したる者は其刑を免除す

内乱とは、国の基本的な政治組織を破壊しようとすることで、要するに、革命を行なうことである。そこで、革命が成功すれば新しい秩序ができあがり、行為者は新しい国家の指導者となる。革命が失敗すれば行為者は極刑に処せられる。すなわち、内乱罪は革命が失敗したばあいにのみ問題とされる犯罪である。

▼総理大臣を暗殺、内乱罪は適用せず（五・一五事件）

昭和七年五月一五日、古賀・中村・三上ら海軍中尉をふくむ六名の海軍将校・陸軍士官学校生徒一一名、愛郷塾長橘孝三郎の一統および血盟団の残党は、非常手段によって支配階級に一撃を加え、その反省覚醒をうながすとともに国家革新の機運を醸成しようとする目的で、数組にわかれて首相官邸を襲って犬養総理大臣を暗殺し、牧野内大臣邸、警視庁、政友会本部、三井・三菱両銀行、東京都下の変電所数ヵ所を襲撃した。

内乱罪は、わが国の基本的な政治組織を破壊する目

的で、多数の人間が一緒になって暴動をすることによって成立する。多数の人間が暴動をおこしても、基本的な政治組織を破壊する目的がないときには内乱罪とはならず騒擾罪（一〇六条）が成立するにすぎない。この基本的な政治組織を破壊する目的を、法律は朝憲を紊乱する目的とむずかしい言葉で表現し、その例示として、「政府の顚覆」「邦土の僭窃」をあげている。政府を顚覆するというのは、行政組織の中核としての内閣制度そのものを破壊することであって、個々の内閣をたおすことではない。首相を暗殺すれば、その内閣はたおれるが、それだけでは別の内閣ができるわけで、内閣制度そのものはかわったり、なくなったりするものではないから、ただ特定の内閣をたおす目的で首相を暗殺しても内乱罪にはならない。たとえば「何々内閣打倒」というスローガンのもとに行なわれていた大衆運動が暴動化したばあいは、騒擾罪になることはあっても内乱罪にはならない。犬養首相を暗殺した五・一五事件、多くの政府要人を殺害した二・二六事件が内乱罪にならなかったのも、基本的な政治組織の破壊を直接に目的としたものでなかったからである。邦土を僭窃するとは、たとえば、北海道で反乱軍が蜂起し、その地方を手中に入れて独立を宣言するといったばあいのように、わが国の領土の一部または全部からわが国の主権を排除して別の主権をうち立てることである。なお、わが国の基本的な政治組織の破壊の中に、天皇の憲法上の地位の変革、国会制度の否定、司法制度の廃止などがある。もっとも、たとえば、天皇制の廃止を叫けんでも、一向にさしつかえないのは、そうした目的による暴動がないからで、言論の範囲にとどまるかぎりは、内乱罪になることがないからである。

「暴動」とは、多数の人間が一緒になって暴行・脅迫を行なって、それが一地方の平和安全を害する程度のものをいう。この暴動には、殺人・傷害・放火などの行為も含まれるから、内乱罪が成立すると、殺人罪・傷害罪・放火罪は、それに吸収されて、別にそれぞれの犯罪は成立せず、内乱罪の一罪である。

内乱罪は、多数の人が参加することを必要とする集団的犯罪である（必要的共犯）。そして、内乱罪に参加した者は、その参加の態様に応じて処罰がちがっている（七七条）。

「首魁(しゅかい)」とは暴動の主謀者で、革命軍を想定すれば司令官にあたる者である。「謀議に参与した者」とは、主謀者の相談役として暴動の計画に加わった者で、革命軍の参謀に相当する。「群集の指揮をした者」とは、暴動の現場で実際に群集を指揮した者で、革命軍の中隊長・小隊長がこれにあたる。「その他諸般の事務に従事した者」とは、たとえば、暴動集団の会計を担当する者、弾薬・食糧の輸送を指揮する者、負傷者を看護する者などで、革命軍の輸送・経理・医務などを担当する将校・下士官がこれに相当する。「附加随行しその他単に暴動に干与した者」とは、暴動集団の群集の仲間に入って一緒にさわいでいる者で、革命軍の兵士がこれにあたる。

内乱罪は重大な犯罪であるので、その予備・陰謀罪が処罰され（七八条）、さらに、内乱、その予備・陰謀の幇助が独立の犯罪として処罰される（七九条）。

なお、内乱の予備・陰謀または幇助をした者が、暴動にならないまえに自首したときには、その刑が免除される（八〇条）。これは、内乱の発生をできるだけ未然に防ごうとする政策的な意図にもとづくものである。

反乱を起こした将校ら陸軍刑法で死刑の判決

（二・二六事件）

昭和一一年二月二六日午前五時ごろ、東京衛戍の歩兵第一、第三連隊を主体とする一五〇〇名余りの兵力が、かねて昭和維新断行を企図していた村中孝次、磯部浅一、安藤輝三ら二〇数名の陸軍青年将校によって率いられ蹶起した。蹶起部隊は、総理大臣官邸、陸軍省、警視庁等を占拠した。その際、斎藤実内大臣、高橋是清蔵相、渡辺錠太郎教育総監等が斬殺された。これがいわゆる二・二六事件である。

この事件で、現役将校一九名、下士官七五名、兵二〇名、在郷将校一名、常人（民間人）八名計一二三名が起訴され（内務省警保局『昭和一一年中に於ける社会運動の状況』）、同年三月四日東京陸軍軍法会議が特設された。代々木練兵場の、刑務所の近くに、バラックが建てられ、そこで予審・公判がなされた。裁判は「一審制、上告なし、弁護人なし、非公開」で進められ、同年七月五日判決が下された。陸軍刑法二五条等により、死刑一七名を含む五二名が有罪とされた。

第3章 外患に関する罪

第八一条【外患誘致】 外国に通謀して日本国に対し武力を行使するに至らしめたる者は死刑に処す

第八二条【外患援助】 日本国に対し外国より武力の行使ありたるとき之に与して其軍務に服し其他之に軍事上の利益を与へたる者は死刑又は無期若くは二年以上の懲役に処す

第八三条ないし第八六条【通謀利敵罪】 削除

第八七条【外患の未遂】 第八一条及び第八二条の未遂罪は之を罰す

第八八条【予備・陰謀】 第八一条及び第八二条に記載したる罪の予備又は陰謀を為したる者は一年以上一〇年以下の懲役に処す

第八九条【戦時同盟国に対する行為】 削除

外国の政府としめしあわせて、わが国に対して武力を行使させた者は、死刑に処せられる（八一条）。外国政府としめしあわす方法は、外国政府と直接連絡しても、仲介者を介して間接に連絡してもよい。また、犯人が積極的に外国政府に働きかけて外国政府の働きかけに応じてその意思を通じたものであるか、外国政府の働きかけに応じてその意思を通じたものであるかはとわない。武力の行使は国際法上の戦争である必要はなく、外国の地上部隊がわが国に侵入するとか、わが国に砲撃や爆撃を加えることなど、いずれも武力の行使にあたる。なお、外患誘致罪が成立するためには、その武力の行使は、犯人と外国政府との通謀にもとづく外国の軍隊による武力の行使であることが必要である。この罪の法定刑は死刑だけで、このような条文はほかにない。このように法定刑が死刑だけであるのは、日本人がこの罪を犯すことは、祖国を裏切る売国奴的な行為で許しがたいものであると考えられたからであろう。

次に、八二条の外患援助罪は、わが国に対して外国から武力の行使があったときに、外国にくみして、その軍務に服したり、その他その外国に軍事上の利益をあたえる罪で、日本人が犯したときには、八一条の外患誘致罪と同じく、祖国を裏切る売国奴的行為ではあるが、外国としめしあわせてわが国に武力を行使させる罪よりは、犯情の軽いものである。外患誘致罪ととなり、本罪の法定刑には、死刑のほかに懲役刑が選択刑として規定されているが、これはこの点が考慮されたものである。

「軍務に服する」とは、軍事力の構成に加わることであるが、かならずしも戦闘員として参加する必要はなく、非戦闘員として参加しても、これにあたる。「其他之に軍事上の利益を与える」とは、たとえば、武器・弾薬・食糧を提供するとか、物資の輸送を援助するとか、外国の部隊をかくまうとか、わが国の防衛施設を破壊するとか、わが国の防衛の状況を通報するとか、外国の軍事行動に役立つ有形・無形の行為がこれにあたる。なお、外国軍隊がわが国の領土を占領しているときに、占領地域のわが国民が、外国軍隊から強制されて、やむをえず軍務に服したり軍事上の利益を与えたばあいには、具体的事情のもとで、その行為者に他の行為が期待できなかったときには、責任が阻却され犯罪は成立しない（五四頁参照）。

外患誘致罪、外患援助罪は重大な犯罪であるので、その未遂だけでなく、その予備・陰謀も処罰される（八七条・八八条）。外患誘致罪の「予備」とは、わが国に対して武力を行使させるために外国政府と通謀するまえに、たとえば、連絡用の無線電信機を買い入れるなど、その準備行為をすることであり、外患援助罪の予備とは、たとえば、わが国に侵入してきた外国の軍隊に、食糧を提供しようとして、食糧を買い集めることなどのような準備行為をすることである。外患誘致罪・外患援助罪の「陰謀」とは、二人以上の者がその相談をすることである。

第4章 国交に関する罪

第九〇条および第九一条【外国元首・使節に対する暴行・脅迫・侮辱】削除

第九二条【外国国章の損壊等】外国に対し侮辱を加ふる目的を以て其国の国旗其他の国章を損壊、除去又は汚穢したる者は二年以下の懲役又は二〇〇円以下の罰金に処す。但外国政府の請求を待て其罪を論ず

第九三条【私戦の予備・陰謀】外国に対し私に戦闘を為す目的を以て其予備又は陰謀を為したる者は三月以上五年以下の禁錮に処す。但自首したる者は其刑を免除す

第九四条【中立命令違反】外国交戦の際局外中立に関する命令に違背したる者は三年以下の禁錮又は一〇〇〇円以下の罰金に処す

外国国章損壊罪は、外国に侮辱を加える目的で、その国章をこわしたり、取り除いたり、よごしたりする罪である。「国章」とは、国を象徴する記章で、国旗がその典型的なものであるが、陸海軍の軍旗、大公使館の徽章などがこれにあたる。国旗その他の国章は、その国の権威をあらわすものとして、たとえば、大公使館や軍司令部などにかかげられている公用のものにかぎるとする説と民間団体がその主催する会場にかかげたり、祝祭日に個人が自宅にかかげるものも含まれるとする説とがあるが、この罪の国交に関する罪としての性質からみて前説が妥当といえようか。また、この罪の対象となる外国の国章の「外国」は、わが国が承認した国家にかぎるか、わが国がまだ承認していない外国も含まれるかについても見解が分かれているが、本罪の外国の意味を承認の有無にかからしめる理由はないとおもう。昭和三三年に長崎市内の某デパートで開催された中国展の会場につり下げられていた中華人民共和国の国旗をある右翼の男が引き降したという事

件があったが、この事件について裁判所は本罪を適用しないで、犯人を軽犯罪法一条三一号・三三号で処罰した。この事件においては、中華人民共和国の通商代表部が中国展の会場にかかげた国旗が公用でかかげられたものといえるかどうかも問題とされたが、その中心的論点は、中華人民共和国をわが国が承認していないので、同国が本罪にいう「外国」にあたらないと考えたからであろう。

▼ベニヤ板製の看板で国章を遮蔽（**外国国章除去罪で八ヵ月の懲役**）

AとBは、共謀のうえ、中華民国に侮辱を加える目的で、中華民国駐大阪総領事館邸の一階正面出入口の中央にかかげられていた青天白日の同国国章を刻んだ横額の前面に、これとほぼ同形の白地に黒く「台湾共和国大阪総領事館」と大書したベニヤ板製の看板をかかげて、右中華民国の国章のある横額を外部からまったく遮蔽した。

本罪の行為は、外国に対して侮辱を加える目的で、その国章を損壊・除去・汚穢（おわい）することである。「損壊」とは、たとえば、国旗を引きさいたり、破ったり、燃やしたりすることであり、「除去」とは、たとえば、国旗をそのかかげられている旗竿から降ろすことのほか、国章の上を布その他のものでおおって見えなくすることなどもこれにあたり（最決四〇・四・一六刑集一九・三・一四三）、「汚穢」とは、たとえば、ペンキや墨汁を塗りつけるとか泥靴で踏んでよごすことである。なお、本罪は、その外国の政府からわが国の政府に対して処罰してほしいという請求がなければ、処罰されない。

私戦予備・陰謀罪は、外国に対して私的に戦闘をする目的で、その予備または陰謀をする罪である。この罪を犯した者が自首したときには、その刑が免除される。これは、私戦が行なわれるということはわが国にとって重大なことであるので、それをできるだけ未然に防ごうという政策的考慮に出た規定である。

局外中立命令違反罪は、外国どおしが戦争をしているときに、わが国が中立国として、わが国民にどちらの外国にもくみしてはならないという趣旨の命令を発したばあいに、その命令に違反する罪である。この罪を構成する行為の具体的内容は、そのときに発せられている局外中立命令によって定まる。したがって、九四条は、いわゆる白地刑法（空白刑法）の一例である。

第5章 公務の執行を妨害する罪

第九五条【公務執行妨害・職務強要】①公務員の職務を執行するに当り之に対して暴行又は脅迫を加へたる者は三年以下の懲役又は禁錮に処す
②公務員をして或処分を為さしめ若くは為さざらしむる為め又は其職を辞せしむる為め暴行又は脅迫を加へたる者亦同じ
第九六条【封印破棄】公務員の施したる封印又は差押の標示を損壊し又は其他の方法を以て封印又は標示を無効たらしめたる者は二年以下の懲役又は三〇〇円以下の罰金に処す
第九六条の二【強制執行の不正免脱】強制執行を免るる目的を以て財産を隠匿、損壊若くは仮装譲渡し又は仮装の債務を負担したる者は二年以下の懲役又は一〇〇〇円以下の罰金に処す
第九六条の三【競売入札妨害・談合行為】①偽計若くは威力を用ひ公の競売又は入札の公正を害すべき行為を為したる者は二年以下の懲役又は五〇〇〇円以下の罰金に処す
②公正なる価格を害し又は不正の利益を得る目的を以て談合したる者亦同じ

たとえば、スリの現行犯人が刑事に逮捕されそうになったので、これをなぐりつけて逃げたり、執行官が債務者の財産を差し押えようとしているときに、これをおどしてその差押を妨害したりすると、公務の円滑な運営が妨げられることになる。そこで、公務が公正かつ円滑に行なわれるように、それを妨害するような行為を処罰しようとするのが、本章の規定である。公務の執行を妨害する罪は、一般に公務員が公務を行なおうとしているときにその公務を妨害する罪（狭義の公務執行妨害罪）、公務員にある処分を強要したり、その辞職を強要したりする罪（職務強要罪）のほか、特殊なものとして、封印破棄罪、強制執行免脱罪、競売入札妨害罪、不正談合罪がある。

狭義の公務執行妨害罪は、公務員が職務を執行する

にあたって、これに暴行を加えたり、脅迫を加えたりする犯罪である（九五条一項）。なお、たとえば、Ａがひったくりの現行犯として警察官に追跡され逮捕されそうになったときに、これをみたＡの友人ＢがＡをにがしてやるために警察官を突きとばして転倒させたといったばあいのように、当の職務の執行をうけている者でない第三者がやっても公務執行妨害罪は成立する。

▼田町電車区入浴事件——鉄道公安職員が国鉄職員の裸写真をとる（これに抗議・暴行した職員は無罪）

Ａらは、午後四時ごろ、国鉄田町駅電車区構内職員浴場付近で、入浴は午後四時三〇分以後とする旨申し渡されていたが、これに反対していた職員数十名とともに、同駅助役Ｂらの説得を聞き入れず、浴場に入ろうとし、これを阻止しようとしたＢらと押し合いになり、その際、浴場入口のガラス一枚がこわれた。この状況を目撃した私服の鉄道公安職員Ｃはあらかじめかくしもっていたカメラで、証拠保全のため、写真をとりはじめた。そこで、Ａらは、Ｃに釈明ないし撮影中止をもとめたが、Ｃはこれを無視して、腰に手拭を巻きつけただけという裸体の職員の写真をとりつづけたので、Ａらは「私服がカメラをもっている。取ってしまえ」と怒鳴りながら、Ｃの腕やカメラのひもを引っ張った。

公務の執行を妨害することが処罰されるのは、それが公務の適正な運営をさまたげるからである。だとすれば、違法な職務の執行まで刑法で保護する理由はない。たとえば、警察官が、なんの理由もないのに、ただあやしい奴だといって、逮捕状もないのにいきなり人をつかまえようとしたようなときは、これは違法な逮捕行為であるから、これに対して暴行・脅迫を加えても公務執行妨害罪が成立しないこともちろんである。右にあげた田町電車区入浴事件について、東京高裁は鉄道公安職員Ｃの撮影行為は違法であるからＡらには公務執行妨害罪は成立しないとして無罪と言い渡した（東京高判昭四三・一・二六　高刑集二一・一・二三）。すなわち、公務執行妨害罪が成立するためには、職務執行行為が適法であることが必要である。そこで、どのようなばあいに、職務行為が適法といえるかが問題となる。この職務行為が違法であるといえる要件として、一般に次のようなことが必要であるとされている。

▼現行犯人を連行しようとする税関職員に暴行しても公務執行妨害罪は不成立

AはBらと共謀して、神戸港内第四突堤先端O、Q保税上屋付近で神戸税関職員Cらが関税法違反現行犯人Dを逮捕するための身柄連行を妨害しようと企て、Dと同行中の税関職員Cらの一団に流れ込み、手や袖をつかんで引っ張ったり、身体に組みついたり、首をしめつけて後へ引き倒したりした。

第一に、その行為が公務員の一般的職務権限に属するものであることが必要である。たとえば、警察官は人を逮捕する一般的職務権限はあるが、民事事件に介入して個人の財産を差し押えるような権限はないから、警察官が私人の民事上の紛争に介入して個人の財産を差し押えようとしているときに、この警察官に暴行・脅迫を加えても公務執行妨害罪は成立しないこともちろんである。右にあげた事例も同様で、税関職員には関税法上、現行犯人を強制的に連行する職務権限がみとめられていないから、税関職員CらのDを強制的に連行する行為は公務の執行にあたらないから、Cらに暴行を加えても公務執行妨害罪にはならない（大阪高判昭三四・五・四高刑集一二・三・二五二）。

第二に、その公務員がその行為をすることができる具体的な職務権限をもっていることが必要である。たとえば、執行官は、強制執行をする一般的な職務権限をもっているが、実際に適法な強制執行ができるのは、自分に委任された事件についてだけである。いくら執行官だからといって、勝手に自分に委任されてもいない事件について差押をしたばあいには、その差押行為は違法であるから、これを妨害しても公務執行妨害罪にはならない。

▼**逮捕状を持たない巡査に暴行（違法逮捕で暴行者は無罪）**

〔1〕

巡査Bは、Dに対し発せられた逮捕状を保管していたものであるが、警察署に宿直中、Dが立ち廻った旨の電話連絡が喫茶店Cからあったので、ただちにDを逮捕するため同店に向かって出発したが、その際、あわてて逮捕状を携行するのを忘れていた。同店に到着したBは、Dに対し、自分は刑事であることと逮捕状が出ている旨を告げ、Dを逮捕しようとしたところ、たまたま同店に居合せたAが「刑事なら警察手帳をみせろ。逮捕状が出ているなら逮捕状をみせろ」と怒鳴ったので、「君には用はない。警察手帳はこれだ」といって手帳をAに示し、Dを引き立て逮捕しようとした際、AがBの洋服の袖などを引っ張り、DがBの手をふりきると同時に、AがBを同店前の道路上に押し出した。

▼検査章を携帯しない税務署員に暴行、調査を妨害（公務執行妨害罪）

〔2〕

収税官吏Bは、所得税の調査のため某消費組合の二階事務室で専務理事Aに面会し帳簿書類の提出を要求したところ、Aが「見せる必要はない。帰れ、帰れ」といいながら、Bの肩に手をかけて押し、さらに、手を振り上げて「帰らんと殴るぞ」と怒鳴ったので、驚いたBは検査をあきらめて立ち去った。なお、Bは、当日、所得税法施行規則によって帳簿書類その他の物件を検査するときに携帯していなければならない検査章を携帯していなかった。

第三に、その行為が公務員の職務行為の有効要件である法律上の重要な条件・方式をふんでいることが必要である。たとえば、逮捕状によって被疑者を逮捕するときには、逮捕状を被疑者に示さなければならない（刑訴二〇一条一項）、逮捕状をもっていないため、これを示すことができないばあいでも急速を要するときには逮捕することができるが、このばあいには、被疑者に被疑事実の要旨と逮捕状が出ている旨を告げなければならない（刑訴二〇一条二項・七三条三項）。したがって、所持している逮捕状を示さないで逮捕に着手したり、被疑事実の要旨と逮捕状が出ている旨を告げないで緊急逮捕に着手することは、違法であるから、これを妨害しても公務執行妨害罪は成立しない（東京高判昭三四・四・二一高刑集一二・五・四七三参照）。もっとも、法律上の方式を欠いても、それが些細なことであるときには、その職務行為は適法であるといえる。右にあげた事例〔2〕におけるAの職務行為はこうした意味において適法であるといえよう（最判昭二七・三・二八刑集六・三・五四六）。そこで、具体的なばあいに、どの程度の条件・方式の違反なら職務行為を適法とみてよいかは微妙な問題となるが、一般的にいって、国家の権力意思を強制するような職務行為については厳格に、強制的意味をもたない職務行為についてはある程度ゆるやかに解し、また、同じく国家の権力意思を強制するばあいでも、逮捕・勾引・勾留など人の生命・身体に対する侵害を含む職務行為のときは、強制執行・滞納処分などのように財産権に対する侵害を内容とする職務行為よりも、一層厳格に解する必要があろう。

さて、職務行為が適法かどうかをきめる標準については、その公務員が適法だと信じたかどうかによって決定すべきであるとする主観説、一般人の見解を標準とし、一般人の見解において適法な職務執行とみとめられるかどうかによって決定すべきであるとする折衷説、裁判所が法令を解釈して客観的に決定すべきであるとする客観説とが対立しており、判例も分かれているが、最近の高裁判例をみると折衷説が有力であるようにおもわれる。主観説は、その公務員が適法であると信じたならば適法であるとするもので、これでは適法性を要件としないことと同じであるし、折衷説は、まずなにを「一般人の見解」とするかがあきらかでないし、さらに、一般人の見解からみて適法な職務執行とみとめられるばあいでも、それが違法であることを明確に知っている者がこれに反抗する行為を公務執行妨害罪とすることになり、いずれも妥当でない。これに対して、客観説は、職務行為が適法かどうかはその行為自体の性質に関するものである点からみても、また、職務行為の保護とそれが侵害する個人の利益の保護との調和という点からみても、妥当であろう。

ところで、公務執行妨害罪の成立には、職務行為が適法であることが必要であるとすると、行為者が公務員の適法な職務行為を違法だと誤信して公務員に暴行・脅迫を加えたばあいにはどうなるであろうか。このばあいについて、判例は、法律の錯誤であるから公務執行妨害罪の故意を阻却しないと解しているようである（大判昭六・一〇・二八評論二一諸法七〇）。学説には、このばあいを事実の錯誤と解し故意の阻却をみとめる見解と事実の錯誤と解すべきばあいと法律の錯誤と解すべきばあいとがあるとする見解がある。後者の見解は、たとえば、警察官が逮捕状を示して逮捕しようとしたとき、自分は無実だから逮捕は違法であると信じてこれに反抗したばあいは法律の錯誤にあたるが、警察官が逮捕状を示しているのに気づかず逮捕状を示していないから違法だと誤信してこれに反抗したときは事実の錯誤にあたるとしている。

▼待機中でも「職務を執行するに当り」にあたる

Aは、某日一二時三〇分ごろ国鉄中央線初鹿野駅で同駅小荷物係駅手Bを同駅ホームに連れ出し、同四〇分ごろ同人を怒号しながら殴打したが、他の駅員に仲裁されたので、Bを同駅から約八〇メートルはなれた場所に引き出したうえ殴打して全治一週間の傷を負わせたが、その間、一二時五七分と五八分に上下の旅客列車が発着した。

公務執行妨害罪は、職務を執行するに「当り」なされることが必要であるが、この「当り」とは、現に職務を執行している最中にかぎらず、まさに職務の執行を開始しようとする態勢にあるばあいも含まれる。しかし、それ以前、たとえば、税務署員が差押にくるということを知り、その前日に、係官が税務署から出てくるところを近くで待伏せて、これに暴行を加えたとしても公務執行妨害罪にはならない。なお、職務の性質によっては、待機していることが必要なものがあるが、こうした職務においては待機していること自体が職務の執行にあたる。右にあげた事例において、小荷物係Bは、いつくるかも知れない小荷物託送者に応接して小荷物を授受するためにたえず職場に待機していなければならないから、Aは、Bが職務を執行するに当り暴行を加えたものであって公務執行妨害罪が成立する（最判昭二四・四・二六刑集三・五・六三七）。また、巡査がパトロール中に他人と雑談していたとしても、とくに休憩したというような状況のないかぎり、職務の執行中にあたるといえよう（東京高判昭三〇・八・一八高刑集八・八・九七九）。さらに、交番に勤務中の巡査が机に向かって坐っているのも待機中であるから、かりに居眠りしていたとしても「職務を執行するに当り」といえるから、これを殴れば公務執行妨害罪となろう。

なお「職務を執行する」に当りとあるので、執行行為だけを意味するようにみえるが、そうではなく、ひろく公務員が職務上なすべき事務の取扱を意味するものであると解するのが通説・判例（大判明四二・一一・一九刑録一五・一六四一）である。

▼押収された密造タバコを路上に投げ捨てる（間接暴行）

〔１〕

Aは、専売局事務官Bらが、Aの娘婿Cに対する煙草専売法違反で臨検捜索押収許可状により、C方からCの不在中に密造煙草を捜索押収してトラックに積み込んでいるのをみて、ひどく憤慨し、トラックに乗り込みBらに対し詰め寄った。Bらがその許可状を示してそのいきさつを説明したが聞き入れず、持っていた洋傘でBらに突きかかるような気勢を示し「この煙草は絶対に渡さぬ」といって、刻んだ煙草約一三貫と私製巻煙草約二九〇本余を路上に投げ捨てた。

▼差し押えられたアンプルを壊す（間接暴行で有罪）

〔2〕

Aは、アパート第三号室の自宅で巡査Bが自分の妻Cを覚せい剤取締法違反で逮捕する際、その証拠としてCがふとんの下に隠していた覚せい剤二cc入アンプル注射液三〇本を差し押えたことに憤慨し、巡査Bが右アンプルを整理のために部屋の出入口においていたのをやにわに右足で踏みつけ、そのうち二一本を壊した。

本罪の行為は、暴行・脅迫であるが、この暴行・脅迫は、公務員に向けられたものであることを必要とするが、直接、公務員の身体に対して加えられたものでなくてもよい。右にあげた事例〔1〕〔2〕について、判例はいずれも、本罪の暴行にあたるとしている（最判昭二六・三・二〇刑集五・五・七九四、最決昭三四・八・二七刑集一三・一〇・二七六九）。なお、公務員ではなく第三者に対して加えられた暴行・脅迫が本罪の暴行・脅迫にあたるとされたものとして、執行官Aが強制執行をなすにあたって同道した人夫BがAの命令にしたがってC方の家財道具を屋外に搬出中に、これに対して暴行・脅迫を加えた事例がある（最判昭四一・三・二四刑集二〇・三・一二九）。

暴行・脅迫は積極的なものでなければならないから、たとえば、警察官に逮捕されそうになった者がその手を振りはなして逃走するとか、検挙に向かった警察官に対して単にスクラムを組み労働歌を高唱して気勢をあげただけでは、公務執行妨害罪にはあたらない。

なお、公務執行妨害罪の暴行・脅迫はそれによって職務の執行が妨げられる程度のものであることが必要であるが、それによって現実に職務の執行が妨害されなくても、公務執行妨害罪は既遂となる。

▼税務署長らに強制徴収しないよう脅迫（職務強要罪）

A、Bらは、某日、兵庫県竜野町の町役場楼上に民主納税同盟員と称する者一〇〇名ばかりを集め、再審査申請中の者に対しては強制徴収をしないこと等九項目の決議文を作ったうえ、竜野税務署から署長、直税課長、庶務課長を呼びよせ、右決議事項の即時承認をもとめ、前後八時間にわたって、食事もとらせず用便にも監視をつけ、果物の食いかけを投げつけ、回答をさけて沈黙している署長らに対して、「地蔵さんのように黙っていないで回答せよ。」「共産党と討死する心算か。我々の要求を承認しなければ我々は二日でも三日でも頑張る」等と大声でわめき、危害を加えるような威力を示して脅迫したので、遂に署長らはやむなく確認書一通を差し入れた。

職務強要罪は、公務員にある処分をさせるため、もしくは、させないため、または辞職させるために、暴行を加えたり、脅迫したりする罪である（九五条二項）。「処分」とは、公務員が職務上なしうるすべての行為をさす。判例は、それが公務員の職務権限内のものでなくても、その公務員の職務に関係ある処分であればよいとしているが（最判昭二八・一・二二刑集七・一・八）、職務権限外の処分についてまで本罪の成立をみとめることは妥当でなかろう。本罪は、税務署員をおどして不当に安い所得税額を認定させたり、市役所の土地収用係に暴行・脅迫を加えて土地の強制収用の実行をやめさせたりするように、不当な処分をさせたり、正当な処分をさせないためになされることが多いが、正当な処分をさせるために、暴行・脅迫が加えられたばあいにも職務強要罪は成立する（最判昭二五・三・二八刑集四・三・四二五参照）。

封印破棄罪とは、公務員がほどこした封印または差押の標示をこわしたり、またはその他の方法で、封印や差押の標示を役に立たなくする罪である（九六条）。「封印」とは、たとえば、郵便行のうなどのように、その物を勝手に処分することを禁止するために、その物の外側にほどこされた封緘その他のものをいう。封印は公務員の印鑑が押してあるのが通例であるが、かならずしもそうしたばあいにかぎられない。たとえば、執行官が差押のために積み重ねた米俵に縄張りをして、その縄に差押物件、年月日、執行官氏名、所属裁判所名を記名した紙片を巻きつけたときは、封印をほどこしたことになる（大判大六・二・六刑録二三・三五）。そこで、こうした紙片を引きちぎっても本罪が成立する。「差押」とは、公務員がその職務にもとづいて保管すべき物を自分の占有に移すための強制処分をいい、「差押の標示」とは、差押によって取得した占有をあきらかにするために、とくにほどこされた標示であって、封印以外のものをいう。なお、本罪の対象となる封印、差押の標示が適法になされたものであることを要することもちろんである。

〔1〕

▼差し押えられたパチンコ店をバーに改装（封印破棄罪）

Aは、二階建の建物の階下の部分でパチンコ遊戯場を経営していたもので、右建物が仮処分決定にもとづいて執行官の占有に移され、その二階の板塀に「本件建物の占有は本職に移ったから、何人もこれを処分してはならない」という公示書が貼りつけられ、現場を変更しないことを条件としてその使用が許されたので、引きつづき右建物を使用した。ところが、パチンコ遊戯店の経営がおもわしくなくなったので、Aは、右差押の事実を知りながら、ほしいままにパチンコ遊戯場の内部をスタンド・バーに大改装した。

▼**畳二帖を敷いても差押の標示を無効にしたとはいえない**（無罪）

〔2〕

Aは、仮処分の執行として、一応、執行官の保管に移されたうえ、現状不変更を条件として従来どおり使用を許す旨の公示書が貼付された室を使用中に、室内の畳敷用板間にあらたに畳二帖を敷いて室内の状況を若干変更した。

本罪の行為は、損壊またはその他の方法で封印・標示を無効ならしめることである。「損壊」とは物質的にこわすことで、たとえば、破りすてたり、はがしたり、他に移したりすることがこれにあたる。「無効たらしめる」とは、物質的にこわすことなしに、その事実上の効力をよわめたり、失わしめたりすることである。たとえば、封印された密造濁酒入りの桶の底に穴をあけて、中から濁酒を流出させた行為、劇場経営を禁止する旨の公示札の上に映画のポスターをかけてみえないようにして、その建物を使用して映画興行を行なった行為などがこれにあたる。右にあげた事例〔1〕において、Aの行為は建物の現状を変更する程度に店舗を改装したものであるから、公示札をいじらなかったとしても、差押の標示を有名無実のものとして、これを無効にしたものといえる（最判昭三六・一〇・六刑集一五・九・一五六七）。これに反して、事例〔2〕のばあいは、この程度の変更であれば、まだ差押の標示を無効にしたとはいえないであろう（大阪高判昭二七・一一・一八高刑集五・一一・一九九一）。

▼**強制執行を免れるため、家財道具を仮装譲渡**（強制執行免脱罪）

〔1〕

Aは営業不振のため、債権者Bより商品に対する強制執行を免れようとして、司法書士Cと共謀の上、Dに対する五〇万円の架空債務をつくり、その代物弁済として、A所有の家財道具類一〇七点をDに移転した旨の虚偽の即決和解申立書を作成し、簡易裁判所に提出し、和解を成立させた。

▼**借金取立で訴えられた後、不動産の名義を変更しとして強制執行免脱罪は不成立**（債務なしとして強制執行免脱罪は不成立）

Aは、義弟とともに被告として、貸金百余万円の連帯保証債務について、Bより履行請求の訴を提起された。

〔2〕その訴状の送達をうけたAは、強制執行の行なわれるときのことを考え自己所有の土地・建物を長女Cに仮装譲渡し、これを登記した。なお、連帯保証債務は、Aの妻が勝手に実印を使ってなしたものであったため、民事訴訟においてAに債務のないことが確定した。

強制執行免脱罪は、強制執行を免れる目的で、財産をかくしたり、こわしたり、もしくは、他人に譲り渡したようによそおったり、債務を負担しているようによそおう罪である（九六条の二）。たとえば、右にあげた事例〔1〕のようなことがなされると、債権者は強制執行してみてもほとんど意味がないことになってしまうが、これでは、国の強制執行の機能を失わせることになるし、他方、債権者もかなわない。そこで、本罪は強制執行をまぬがれようとする行為を処罰することとしたものである。そこで、本罪は、「強制執行を免れる目的」でなされたときにだけ成立する。強制執行を免れる目的があればよいといっても、たとえば、事業をはじめた者が将来もし事業に失敗でもしたときには強制執行をうけるかも知れないから、そのときのことを考えて、あらかじめ財産の一部を子供に仮装譲渡しておいたといったばあいまで本罪の成立をみとめることは妥当でなかろう。すなわち、本罪は、強制執行をうけるおそれのある客観的な状態が発生しているときに、その強制執行を免れる目的でなされたばあいにのみ成立すると解すべきであろう。そして、そうしたものであれば、強制執行が現実に行なわれたことも、強制執行を免れたことも必要としない。なお、右にあげた事例〔2〕について、判例は強制執行免脱罪の成立を否定している（最判昭三五・六・二四刑集一四・八・一一〇三）。

競売入札妨害罪は、偽計または威力を用いて、公の競売や入札の公正を害するような行為をすることによって成立する（九六条の三の一項）。「偽計」とは計略を使うことで、たとえば、官庁の関係者を買収して参考資料を手に入れるとか、競売品は欠陥があるといったことをいいふらすことなどがこれにあたり、「威力」とは、人の自由意思を制圧するような力をいい、暴行・脅迫によることはもちろん、自分の地位や権勢を利用することなどがこれにあたる。こうした手段で、公の競売、入札に不当な影響を及ぼすような行為があれば本罪は成立し、それによって現実に競売・入札の公正が害されたことは必要でない。なお、本罪の競売・入札は、「公の」すなわち、国または公共団体の実施するものにかぎられる。

不正談合罪は、公正な価格を害しまたは不正の利益をうる目的で談合することによって成立する（九六条の三第二項）。競売や入札の際に競売人や入札者どうしがあらかじめ価格を協定することがあるが、これを談合という。たとえば、官庁の庁舎の建設工事の請負契約についての入札において、落札を希望する業者たちがお互に競争して不当に安い価格で入札すると共倒れになるおそれもある。そこで、この共倒れを防ぐために、業者たちが入札前に協定して何円以下の価格では入札しないということを協定することがある。こうした談合は、「公正な価格」を害するものでないかぎり、業者の自衛手段として許されるものといえよう。しかし、さらにすすんで、「公正な価格を害しまたは不正の利益をうる目的」で談合したときにはこれを処罰するとするのが本条の規定である。たとえば、業者たちが落札をあきらめた業者には落札予定者からいわゆるお祝儀以上の多額の談合金が支払われることを約束して、特定の業者を落札者にするため他の業者はいくら以下の価格では入札しないという協定をしたときには、不正談合罪が成立するものといえよう。なお、不正談合罪は、公正な価格を害し、または不正の利益をうる目的で談合することによって成立し、それ以上、協定にしたがって行動したことは必要でない。

第6章　逃走の罪

第九七条【単純逃走】 既決、未決の囚人逃走したるときは一年以下の懲役に処す
第九八条【加重逃走】 既決、未決の囚人又は勾引状の執行を受けたる者拘禁場又は械具を損壊し若くは暴行、脅迫を為し又は二人以上通謀して逃走したるときは三月以上五年以下の懲役に処す
第九九条【拘禁されている者の奪取】 法令に因り拘禁せられたる者を奪取したる者は三月以上五年以下の懲役に処す
第一〇〇条【逃走援助】 ①法令に因り拘禁せられたる者を逃走せしむる目的を以て器具を給与し其他逃走を容易ならしむ可き行為を為したる者は三年以下の懲役に処す
②前項の目的を以て暴行又は脅迫を為したる者は三月以上五年以下の懲役に処す
第一〇一条【逃走させる罪】 法令に因り拘禁せられたる者を看守又は護送する者被拘禁者を逃走せしめたるときは一年以上一〇年以下の懲役に処す
第一〇二条【未遂】 本章の未遂罪は之を罰す

▼未決の囚人が集団脱走（加重逃走罪）

〔1〕
Aら三人は、強盗殺人などの罪で八王子拘置支所の五階の未決監雑居房に収容されていたが、午後一〇時四〇分ごろ、共謀して房内のタタミのワク木をはずし、これをテコにして鉄板格子をねじ切って、そこからベランダに脱出し、シーツをさいてより合わせ、ところどころ結び目をつけたナワを結び、それをつたって逃走した。

▼戸外の畑で作業中の無期懲役囚が脱走

〔2〕
千葉刑務所裏の畑で、他の服役者七人と農作業をしていた強盗致死罪の無期懲役囚Aがいきなり刑務官の頭をなぐって逃げた。

逃走罪は、拘禁されている者がみずから逃走する罪と第三者が拘禁されている者を逃がす罪とがある。
逃走する罪は、拘禁されている者が、たとえば、刑務所の監房の鉄格子をやすりで切り取ったり、手錠や

捕縄のような身体を拘束する器具（戒具）をこわしたり、看守に暴行・脅迫を加えたり、あるいは二人以上でしめしあわせたりして逃走する罪（加重逃走罪、九八条）とそうした特別な手段によらずに、たとえば、看守のすきをみて逃げるといったように、単純な方法で逃走する罪（単純逃走罪、九七条）とがある。ところで、単純逃走は、「既決、未決の囚人」でなければ処罰されないが、加重逃走は、そのほか「勾引状の執行をうけた者」も処罰される。既決の囚人とは、確定判決によって自由刑の執行としてまたは死刑の執行のため拘禁されている者をいう。なお、罰金が完納できないために労役場に留置されている者（一八条）も含まれる。未決の囚人とは、被疑者（起訴まえ）または被告人（起訴後）として勾留状によって拘禁されている者をいう。「囚人」は現に監獄（代用監獄である警察署の留置場を含む）に入れられている者であるから、たとえば、勾留状の執行をうけて監獄に連行される途中にある者は、まだ囚人とはいえない。そこで、この者が単純逃走しても処罰されない。しかし、いったん監獄に拘禁された以上は、一つの刑務所から他の刑務所に移監するために護送中の者も、右にあげた事例〔2〕のように、農耕などの作業に従事するため監獄の構外に出ている者も囚人であることもちろんである。「勾引状の執行をうけた者」は加重逃走のばあいにのみ処罰されるものであるが、これには勾引状の執行をうけた者のほか、逮捕状によって逮捕された者、勾留状または収監状の執行をうけて監獄に収容される以前の者が含まれるとされている。しかし、現行犯として逮捕された者および緊急逮捕されて逮捕状が発せられるまえの者は含まれない。

▼手錠をはずして逃走したときは、単純逃走罪

手錠および捕縄されて列車で護送されている囚人Aは、網干駅付近を列車が通過中、看守のすきをうかがって、手錠および捕縄をはずし手錠を車外に投棄したうえ、列車から飛び降りて逃走した。なお、手錠等には格別の物理的な損壊もみとめられなかった。

加重逃走罪において、拘禁場（監獄・留置場）または戒具（手錠・捕縄など）の「損壊」は、物質的にこわすこと、たとえば、監獄の鉄格子を金のこ（かね）で切り取ったり、留置場の板壁に穴をあけたり、監房の錠をこわしたり、手錠をこわしたりすることであるから、刑務所の監房の扉を合鍵を使って開いて逃走したり、右にあげた事例のように手錠をはずして逃走したときは、加重逃走ではなく、単純逃走である（広島高判昭三一・一二・二五高刑集九・一二・一三三六）。

▼追跡されている間は逃走罪は未遂

Aは窃盗容疑でつかまり、飯塚簡易裁判所で公判継続中であった。たまたま、公判のため看視巡査Bに連れられ、同裁判所に出頭したが、公判終了後に便所に行った際、Bのスキをみて、裁判所の構内から逃げ出したが、ただちに同巡査に追跡され、途中、一、二度見失ったけれども、間もなく約六〇〇メートルはなれた家屋内で逮捕された。

「逃走」とは、拘禁から脱することであるから、看守者の実力的支配を脱したときに既遂となる。そこで、囚人が監獄から逃げるばあい、収容されている監房から脱出したが、まだ監獄の構内にあるときはまだ未遂である（一〇二条）。追跡をうけずに監獄の外壁を脱すれば既遂となり、その後追跡をうけても既遂である。外壁を脱するまえから追跡されているときは外壁を脱しても追跡をうけている間は未遂であって、完全に看守者の追跡を断ち姿をくらましたときに既遂となる。

したがって、右にあげた事例は未遂である（福岡高判昭二九・一・一二高刑集七・一・一）。

逃走させる罪は、「法令により拘禁された者」を奪取する罪、逃走を援助する罪、看守・護送する者が逃走させる罪とがある。「法令により拘禁された者」には、「既決、未決の囚人、勾引状の執行をうけた者」ばかりでなく、ひろくわが国の法令にもとづいて拘禁された者を含む。たとえば、現行犯として逮捕された者、緊急逮捕されて逮捕状が発せられるまえの者、逃亡犯罪人引渡法によってわが国の官憲に拘禁された者などである。少年院・少年鑑別所に収容されている少年については説が分かれており、これをも含まれるとする判例（福岡高宮崎支判昭三〇・六・二四裁判特報二・一二・六二八）もあるが、少年院・少年鑑別所への収容は拘禁ではないから、含まれないとする反対説もある。

奪取罪は、法令により拘禁された者を奪取することによって成立する（九九条）。「奪取」とは、看守者の実力的支配から解放して自分かまたは第三者の支配内に移すことをいう。そこで、単に手錠をはずしてやって拘禁されている者を解放し逃走させるのは、逃走援助であって奪取ではない。なお、拘禁されている者の同意があってもなくても本罪は成立する。たとえば、政府のやることはなまぬるいとして、リンチを加えるために、拘禁されている者を奪い取るばあいでも、奪取罪が成立する。

逃走援助罪は、法令によって拘禁された者を逃走させる目的で、器具をあたえるなど逃走をたやすくする行為をするか、暴行・脅迫をすることによって成立する（一〇〇条）。本罪は目的犯であるから、拘禁された者を逃走させる目的でなされることを必要とするが、拘禁された者が逃走に着手したこと、いわんや、逃走をとげたことを必要としない。「器具を供与し」とは、たとえば、鉄格子を切り取るための小さな金のこを書籍の表紙にかくし込んで差し入れるようなことであり、「その他逃走を容易ならしめるような行為」とは、たとえば、逃走の方法、逃亡の道筋などを教えたり、手錠をはずしてやったりするようなことである。本罪の未遂は、たとえば、前にあげた例で金のこが途中の検査で発見され拘禁されている者の手に渡らなかったばあいのように、逃走を容易ならしめるような行為自体が未遂に終わったときにみとめられる。

看守者逃走援助罪は、看守または護送する者が拘禁されている者を逃走させることによって成立する（一〇一条）。主罪の本体は、法令によって拘禁された者を看守または護送する者であるが（身分犯）、かならずしも公務員である必要はない。この身分は行為の当時に存すれば足り、拘禁されている者の逃走が任務解除であっても本罪は成立する。なお、たとえば、看守または護送する者が拘禁されている者が逃走するのを知りながら、わざとこれを放置し逃走防止の手を打たなかったという不作為によっても本罪は成立する。なお、拘禁されている者が逃走したという事実の発生がなければ、本罪は未遂である。

第7章 犯人蔵匿および証憑湮滅の罪

第一〇三条【犯人をかくまうこと】 罰金以上の刑に該る罪を犯したる者又は拘禁中逃走したる者を蔵匿し又は隠避せしめたる者は二年以下の懲役又は二〇〇円以下の罰金に処す

第一〇四条【証拠湮滅】 他人の刑事被告事件に関する証憑を湮滅し又は偽造、変造し若くは偽造、変造の証憑を使用したる者は二年以下の懲役又は二〇〇円以下の罰金に処す

第一〇五条【親族間の犯罪】 前二条の罪は犯人又は逃走者の親族にして犯人又は逃走者の利益の為めに犯したるときは其刑を免除することを得

第一〇五ノ二【証人の威迫】 自己若くは他人の刑事被告事件の捜査若くは審判に必要なる知識を有すと認めらるる者又は其親族に対し当該事件に関し故なく面会を強請し又は強談威迫の行為を為したる者は一年以下の懲役又は二〇〇円以下の罰金に処す

凶器準備集合罪などの容疑で逮捕状が出ている日大全共闘議長Aをかくまったということで B という女性が懲役六月、執行猶予二年の判決を言い渡されたが、これは犯人蔵匿罪に問われたものである。もっとも、どんな犯人でもかくまったら処罰されるというわけのものでもない。**犯人蔵匿罪**(ぞうとく)は、罰金以上の刑にあたる罪を犯した者または拘禁中逃走した者をかくまったり、またはその他の方法で官憲による発見・逮捕を妨げる行為をすることによって成立する(一〇三条)。「罰金以上の刑にあたる罪」とは、法定刑として罰金またはそれより重い刑が規定されている罪のことをいう。たとえば、公務執行妨害罪は「三年以下の懲役又は禁錮」と規定されているから罰金より重い刑にあたる罪であるし、過失致死罪は「一〇〇〇円以下の罰金」と規定され罰金刑であるから「罰金以上」の刑にあたる罪である。そこで、これらの罪の犯人をかくまえば本罪が

成立する。これに反して、侮辱罪の犯人とか他人の家の板塀にビラを貼った犯人（軽犯罪法一条三三号違反）のように、法定刑として拘留か科料しか規定されていない罪の犯人をかくまっても本罪は成立しない。

次に、罰金以上の刑にあたる罪を「犯した者」であるから、真実、そうした罪を犯した者であることが必要であるとする見解が学説では有力であが、判例は、真犯人でなくても嫌疑者として起訴されたり、捜査されている者であればよいとしている（最判昭二四・八・九刑集三・九・一四四〇）。そこで、そうした者をかくまったところ、あとでその者が不起訴となったり、無罪となったとしても本罪は成立するということになる。「拘禁中逃走した者」とは、法令による拘禁を破って逃走した者で、みずから逃走した者のほか、奪取されて拘禁を脱した者も含まれる。逃走者のばあいは、たとえば現行犯人として逮捕された者が看守の隙をみて逃げたばあいのように、逃走じたいが逃走罪にならないときでも、また、拘禁の理由となった犯罪が後に不起訴になったり、無罪となったときでも、本罪は成立する。

▼身代り自首は犯人隠避罪

某一流商社員Bは、無免許で自動車を運転中、あやまって横断歩道を歩行中のC子さんをはねとばして重傷を負わせたが、そのまま逃げた。目撃者の通報で自分の車が警察から手配されていることを知ったBは、翌日、兄Aに事情を打ち明けて「身代りに出頭してくれないか」とたのんだ。Aは、「せっかく一流会社につとめているのに……」とこれを承知して、身代りとして警察に自首した。

本罪の行為は、「蔵匿」と「隠避（いんぴ）」である。いずれもむずかしい言葉であるが、「蔵匿」とは、捜査官憲に発見・逮捕されるのを妨げるような場所（かくれが）を提供してかくまうことであり、「隠避」とは、蔵匿以外の方法で、捜査官憲の発見・逮捕を妨げる行為で、たとえば、逃走をすすめたり、犯人に留守居の状況や官憲の捜査の形勢などをさぐって知らせたり、警察にうその逃走経過を通報したり、みずから身代りとなったり、他人を身代りに立てたりすることなどがこれにあたる。

▼恐喝容疑で手配中の組長をかくまう

Ａは、恐喝の被疑者として逮捕状が発付され逃走中のＳ組組長Ｂを自分の若衆部屋にしていた高崎市内の家にひそかに泊らせてかくまった。当時、ＡはＢがどんな罪を犯したのかよく知らなかったが、すくなくともＢが罰金以上の刑にあたる罪を犯した嫌疑で、警察から追われていたという事情は知っていた。

なお、本罪が成立するためには、行為者がかくまう相手方が罰金以上の刑にあたる罪を犯した者または拘禁中逃走した者であることを知ってかくまうことが必要である。もっとも、相手の犯した罪が罰金以上の刑にあたる罪だということを確定的に知っていなくても、「罰金以上の刑にあたる罪であるかも知れないが、そうであってもかまわない、かくまってやろう」と思って（未必の故意）、かくまえば足りることもちろんである。そして、それ以上に、その者の犯した罪が窃盗罪であるか強盗罪であるかを知る必要もなければ、その者の名前を知らなくてもよい。

犯人や逃走者が自分で逃げかくれしたりすることは処罰されないが、他人にたのんでかくまってもらうと、犯人蔵匿罪の教唆犯となるとするのが判例である（最決昭三五・七・一八刑集一四・九・一一八九）。

▼選挙違反で逮捕された仲間の関係書類を隠す（もっぱら仲間のためにすると証憑湮滅罪）

Ａ・Ｂ・Ｃ・Ｄは、共謀のうえ、区会議員候補者Ｅから、同人のための投票の取りまとめ等の選挙運動をなす費用および報酬として現金一三万円の供与をうけていたところ、Ｃ・Ｄが公職選挙法違反容疑で警察に逮捕された。その後、ＡとＢは、Ｃがその事件の証拠である選挙関係の会計帳簿・出金伝票・領収書等を風呂敷に包んでＦに預けていたことを知り、両名共謀し、Ｃ・Ｄを助ける目的で、Ｆに命じてその風呂敷包をＧ会社に持ってこさせ、これを同社の木型置場にあった上胴木型内にかくした。

たとえば、殺人に使われた凶器が川の中に捨てられたり、横領事件の証拠となる帳簿に改ざんが加えられたりすると、犯罪の捜査や裁判に支障をきたすおそれがある。そこで、このように刑事事件を立証するための証拠をかくしたり、使いものにならなくする行為を処罰する必要がある。もっとも、証憑湮滅罪（しょうひょういんめつざい）はこうした行為をすべて処罰しようとするものではなく、「他人の刑事被告事件に関する証憑」にかぎって処罰するものとしている（一〇四条）。犯人が処罰を免れようとして、自分自身の犯罪の証拠をかくしたり、証拠を自分に有利なように偽造したりしても、捜査や裁判が害されるおそれがあることにはかわりはないが、法律は、処罰を免れたいと思う人間の自然の心情をくんで、このばあいは処罰しないことにして、「他人の」刑事被告事件に関する証拠にかぎっている。ここで問題となるのは、右にあげた事例のように、自分が共犯である刑事被告事件についての証拠をかくしたばあいであるが、判例は、もっぱら他の共犯者のためにする意思でしたときには他人の事件に関する証拠をかくしたものとして本罪の成立をみとめ、もっぱら自分のためにしたときおよび自分および他の共犯者のためにしたときは本罪にあたらないとしている（大判大八・三・三一刑録二五・四〇三）。次に、他人の「刑事被告事件」は、現行刑事訴訟法上の用語である起訴後の被告事件にかぎらず、将来刑事被告事件となりうる事件、すなわち、捜査中の被疑事件、捜査開始前の事件も含むものと解すべきである（大判昭一〇・九・二八刑集一四・九九七）。

「証憑」とは証拠のことで、犯人はだれであるか、犯罪になるかならないかということをきめるのに直接必要な証拠だけでなく、犯行の動機、犯人がその犯罪を犯すに至った動機、犯行のやりかた、犯人にどの程度の刑を科したらよいかなどに関する証拠も含まれ、それは物的証拠であると、証人・参考人のような人的証拠であるとをとわない。

▼捜査段階で参考人を隠しても証憑湮滅罪になる

〔1〕

Aは Bらと共謀して会社社長を狙撃し未遂に終わったが、Bの子分でAも知っているCがその事件につき必要な知識をもっているものとして警察に調べられるだろうことを察知し、Bらのためにその情を知らないDを使って、Eの自宅に約五日間宿泊させた。

▼弁護人の捜査機関に対する偽造証拠の使用は証憑湮滅罪

〔2〕

Bは、保険金をだましとる目的で籐籠に包んだガラスびん入石油六升を蒲団にそそいでこれに火をつけ自宅に放火したという嫌疑で起訴されたが、その裁判の進行中、そのガラスびんの所在が不明であるのに乗じ、放火でなく失火であると主張し、家族の者と共謀してあらたに類似の籐籠包のガラスびんに石油六升を入れたものを自宅焼跡裏手の山の上の物置小屋に置いたうえ、「放火材料とされている籐籠に包んだガラスびんの石油六升は全然使用せず、現に焼跡裏手の山の上の物置小屋に置いである」と供述した。Bの弁護人Aは、その事情を知りながら、これを弁護の資料に使ってBのために有利な判決をえようとして、主任検事に申し出て現場についてその取調をさせた。

本罪の行為は、湮滅、偽造、変造、偽造・変造の証拠の使用である。湮滅とは、たとえば、証拠書類を焼きすてたり、こわしたりするように、証拠を物質的に滅失させることばかりでなく、たとえば、血のついた凶器を洗ったり、凶器についた指紋をぬぐいとったり、犯行場所にある物件を故意に動かしたりするように、証拠の価値を減少させること、犯行に用いた凶器をかくすことも含まれる。さらに、証人・参考人をかくしたり、逃がしたりすること、宣誓しない証人・参考人に虚偽の陳述をさせることも「証憑の湮滅」にあたる。「偽造」とは、にせの証拠を作ることであり、「変造」とは、本物の証拠に加工して、その証拠としての価値や証明力をかえることであり、偽造・変造の証拠の「使用」とはそうした証拠を真正の証拠として裁判所や捜査機関に提出することで、みずからすすんで提出すると求められて提出するとをとわない。

なお、犯人が他人をそそのかして自分の刑事被告事件についての証拠を湮滅させたばあいには、証憑湮滅罪の教唆犯が成立するとするのが判例である（最決昭四〇・九・一六刑集一九・六・六七九）。

犯人蔵匿罪・証憑湮滅罪は、親族が犯したときには、その刑が免除されうる。たとえば、喧嘩で人に重傷を負わせ警察から追われている息子に、父親が逃走資金をあたえて遠方に逃がしたばあい、刑務所を脱走してきた夫を妻がかくまったばあい、選挙違反で検挙された兄のために弟が証拠物件を焼き捨てたばあいなど、こうした行為は、父子・夫妻・兄弟の情といった人情の自然から出たものであって同情に値するものである。そこで、刑法は、犯人や逃走者の親族が、犯人や逃走者の利益のために犯人蔵匿罪・証憑湮滅罪を犯したときには、その刑を免除することができるとしている（一〇五条）。なお、「親族」はもちろん民法上の親族であるから、内縁の妻とか二号とかは含まれない。

▼**証人威迫の一例**

Aは B方の硝子を破壊した容疑で検挙され、器物損壊罪の刑事被告人として起訴された。ところが、Aは、その事件の証人であったCとDに対し、Aの友人だと詐称し、「君が警察でやったといったためにAは逮捕され、会社をクビになった。Aはそんなことをしない。警察で一応調べは認め、出てから証人を暗がりで仕返ししてもよいではないかと言われた」等といって、暗にAの犯行ではない旨証言すべく強要し、然らざるときは、いかなる危害も加えかねない態度を示した。

街の暴力沙汰を民衆の協力でその犯人を検挙することがよくあるが、こうした犯人やその仲間が、警察に協力した人のところへ仕返しにくる例がしばしばある。これを「お礼参り」というが、このお礼参りで、暴行・傷害・脅迫・器物損壊などの被害をうけることが多いが、そこまでは達しない程度のお礼参りもある。こうしたお礼参りが横行すると、被害者は後難をおそれて泣寝入りしたり、目撃者などはかかわりあいになるのをきらって捜査や裁判に協力しなくなる。そこで、このお礼参りを防いで、証人や参考人などの安全を保障して、その協力をえて捜査や裁判が適正に行なわれるようにしようとするものが、**証人威迫罪**である。証人威迫罪は、自分もしくは他人の刑事被告事件の捜査や審理・裁判に必要な知識をもっているとみとめられる者またはその親族に対し、その事件に関して、正当な理由もないのに、面会を強く要求し、または強硬に談判したり、もしくは威力を示したりして圧迫を加えたりすることによって成立する（一〇五条の二）。「刑事被告事件」の意味は証憑湮滅罪のばあいと同じ意味であるが（一一八頁参照）、本罪のばあいは、自分の事件についても処罰されることに注意すべきである。「必要な知識を有すると認められた者」には、証人だけでなく、鑑定人・通訳、捜査段階における参考人も含まれる。「面会を強請」するとは、相手方に面会の意思がないことがあきらかであるのに、無理に面会を求めることであり、「強談」とは、言葉で自分の要求に応ずるようせまることであり、「威迫」とは、言語・動作によって威力を示して相手方に不安・困惑の念を生ぜしめることである。いずれも正当な理由なく行なわれたことが必要である。なお、その事件の裁判が確定した後に、本罪のような行為があったとしても、本罪は成立しない。というのは、本罪は捜査や裁判が適正に行なわれるために、「当該事件に関し」てなされたものを処罰するものであるからである。

第8章 騒擾の罪

第一〇六条【騒乱】多衆聚合して暴行又は脅迫を為したる者は騒擾の罪と為し左の区別に従て処断す
一　首魁は一年以上一〇年以下の懲役又は禁錮に処す
二　他人を指揮し又は他人に率先して勢を助けたる者は六月以上七年以下の懲役又は禁錮に処す
三　附和随行したる者は五〇円以下の罰金に処す

第一〇七条【多衆不解散】暴行又は脅迫を為す為め多衆聚合し当該公務員より解散の命令を受くること三回以上に及ぶも仍ほ解散せざるときは首魁は三年以下の懲役又は禁錮に処し其他の者は五〇円以下の罰金に処す

▼メーデー事件で騒擾罪を一部認める

昭和二七年五月一日に神宮外苑で開催された第二三回メーデー中央大会に参加したデモ隊の一部が解散地の日比谷公園から使用禁止になっていた皇居前広場に向かい、日比谷交差点で警察隊と衝突、さらにGHQ前で投石した後、馬場先門を通って二重橋に至り、そこで二時半ごろ警察隊と衝突し、次いで、祝田橋から皇居前広場に入った他のデモ隊と合流し、三時半ごろ再び警察隊と衝突し、二名の死亡者をはじめ、デモ隊一五〇〇余名、警察隊八〇〇余名が重軽傷を負うという流血の混乱状態が惹起された。この事件に関連して一二六二名が逮捕され、二六一名が起訴された。

騒擾罪（そうじょう）は、多数の人々が集合して暴行・脅迫をすることを内容とする犯罪でいわゆる集団的犯罪の一種であって、わが国の基本的な政治組織を破壊する目的をもっていない点で内乱罪と区別される。このように、騒擾罪は多数の人々が集合することをその要素としているが、国民大衆の集会・集団行動の自由、労働者の団体行動の自由は憲法が保障しているところであるので、騒擾罪はこれら憲法上の権利と緊張関係に立つものである。もともと騒擾事件というものは不安定な社会情勢のもとで発生するものであるので、騒擾罪の規定は、現象的にみると政治の不備・欠陥に対する大衆の集団的抗議行動を刑罰によって抑圧する道具として利用される危険がまったくないとはいえない。そこで、騒擾罪の適用にあたっては、こうした危険をもつものであることを認識して十分に慎重でなければならない。

騒擾罪は「多衆聚合して暴行又は脅迫を為したる」と規定されているだけであるが（一〇六条）、「多衆」とは一地方における公共の平和・安全を害するに足りる程度の暴行・脅迫をするのに適当な人数であること、「暴行」「脅迫」は、集合した多数の人々の合同力にもとづいて行なわれ、それが一地方の公共の平和・安全を害する程度のものであることを要すると解されている。これは集団行動の自由との関連からできるだけ本条の適用の拡大を防ぐ意図から出たものであるといえよう。そこで、多数の人々が一ヵ所に集まってもてんでんばらばらに暴行・脅迫をしただけでは騒擾罪にはならず、その暴行・脅迫が集団そのものの暴行・脅迫といえるものでなければならない。そういえるためには、集合した多数の人々のひとりひとりが自分は集団に参加し集団として行なう暴行・脅迫に加わっているのだという意識をもっていることが必要である。これがいわゆる「共同意思」である。次に、騒擾罪が成立するには、その暴行・脅迫が一地方の平和・安全を害するに足りる程度に達したことが必要である。常識的な表現でいうと、その付近にいる一般の人々が不安感をいだくであろう程度に達したことが必要である。もちろん、一地方の平和・安全を現実に害したことは必要でない。

なお、集団としての暴行・脅迫が行なわれれば、そこに集合した多数の人々のすべてが現実に暴行・脅迫を行なったことは必要でない。騒擾罪が成立するばあい、その暴動の際になされた公務執行妨害・殺人・住居侵入・建造物損壊・恐喝などについて、判例は、いずれも本罪のほかに、それぞれの罪が成立し観念的競合（五四条一項前段）として処罰されるとしている。

さて、騒擾罪は、前述したように、多数人の参加を必要とする集団的犯罪（必要的共犯）であるので、その参加の態様に応じて処罰がことなる（一〇六条）。すなわち、首魁は一年以上一〇年以下の懲役・禁錮である。「首魁」とは騒擾行為の主謀者で、かならずしも群集と一緒にいってこれを統率する必要はなく、暴動を計画し、その方針を指示したばあいでもよい。首魁は一人にかぎらず数人いるばあいもあるし、また、首魁がいなくても騒擾罪は成立する。他人を指揮した者、他人に率先して勢を助けた者は六月以上七年以下の懲役・禁錮である。「他人を指揮した者」とは、多数の人々が集団としての暴行・脅迫をする際に、その一部または全部の指揮をとった者をいい、「他人に率先して勢を助けた者」とは、群集に先んじて暴行・脅迫をしたり、声援をあげたり、アジ演説したりして、騒擾の勢をつけるような行為をした者をいう。附和随行した者は五〇円（一万円）以下の罰金である。「附和随行した者」とは、首魁・指揮者・率先助勢者以外の者で、多数の人々が集合して集団としての暴行・脅迫をしている事実を知りつつこれに参加した者をいう。群集心理にかられて暴行に加わった、いわゆるやじうまで、みずから暴行・脅迫をしたかどうかをとわない。そこで、附和随行者がみずから暴行・脅迫をしたばあいでも、単独犯における暴行・脅迫罪（二〇八条・二二二条）よりも軽い刑で処罰されるのは、群集心理にもとづく行為であることが考慮されたからであろう。なお、附和随行者でも、集団としての暴行・脅迫に同意を示し、それに加わる意思をもっていることが必要であるから、たとえば、デモ行進中に、その集団の一部の者が共同の意思で暴行・脅迫をはじめ、それが一地方の平和・安全を害するに足りる程度に達したばあいに、そのデモ行進に参加していた者が、その事態を目撃しながらただデモ隊から離脱しなかっただけで、集団として行なわれている暴行・脅迫に加わっているのだという意識をもっていなかったときには、その者には騒擾罪の附和随行者としての罪責を問うことはできないであろう。

不解散罪は、騒擾罪の前段階の行為をとらえて別罪として規定したもので、暴行または脅迫をするために多数の者が集合しているときに、解散を命ずる職権を有する公務員から三回解散の命令をうけたのに解散しなかったときに成立し、その主謀者は三年以下の懲役・禁錮、その他の者は五〇円（一万円）以下の罰金に処せられる（一〇七条）。この罪が発展して騒擾罪が成立すれば、この罪は騒擾罪に吸収される。

　さて、刑法が解散命令が三回あるまで犯罪の成立をみとめなかったのは、解散命令の趣旨を多数の者に徹底させるためと、解散の考慮をうながすためであるから、一回の解散命令と次回の解散命令との間には、相当の時間的間隔がおかれることが必要である。たとえば、「解散、解散、解散」と立て続けに連呼したようなばあいには、解散命令は一回しかなかったものとみるべきである。

　なお、本罪が成立するためには、多数の者が暴行・脅迫をする目的で集まったことが必要であるが、はじめは合法の目的で集まったが、途中から、暴行・脅迫をする目的をもつようになったときは、そのときから本罪が成立しうるものと解されている。

戦後の有名騒擾事件　下にあげた四つの事件は、いずれも戦後の有名な騒擾事件で、世に四大騒擾事件といわれるものである。いずれも、第一審ないし結審まで一〇年以上の長年月にわたっており、「長い裁判」ということで別の意味からも問題とされたものである。

　なお、新聞などでよく〝騒乱罪〟といわれることがあるが、騒擾罪と同じ意味である。

戦後4大騒擾事件

事件名	発生年月日	場合	事件の概要	起訴数	判決年月日	判決結果
平事件	昭24・6・30	福島県平市署	共産党の掲示板撤去に抗議，党員や労組員ら約300人が平市署に押しかけ占拠	153	最判昭35・12・8	有罪 103人 {指揮 1人 率先助勢 20 付和随行 82
メーデー事件	昭27・5・1	皇居前広場	メーデー中央大会終了後，数千人の群衆が皇居前広場で警官隊と衝突	261	東京地判昭45・1・28（第1審）	有罪 81人 {指揮 7人 率先助勢 68 付和随行 6 無罪 121人
吹田事件	昭27・6・25	国鉄吹田駅	朝鮮動乱2周年記念のデモ隊約800人が吹田操車場などで警官隊と衝突	111	大阪高判昭43・7・25（第2審）	有罪 46人（ただし，威力業務妨害。騒擾罪はみとめず）
大須事件	昭27・7・7	名古屋大須球場（現在名古屋スポーツセンター）	大須球場でのソ連・中国帰りの国会議員の歓迎報告大会後千数百人のデモ隊と警官隊が衝突	150	名古屋地判昭44・11・11（第1審）	有罪 100人 {騒擾 83人 放火未遂等17 無罪 16人

第9章 放火および失火の罪

第一〇八条【住宅などへの放火】 火を放て現に人の住居に使用し又は人の現在する建造物、汽車、電車、艦船若くは鉱坑を焼燬したる者は死刑又は無期若くは五年以上の懲役に処す

第一〇九条【住宅でない家などへの放火】 ①火を放て現に人の住居に使用せず又は人の現在せざる建造物、艦船若くは鉱坑を焼燬したる者は二年以上の有期懲役に処す

②前項の物自己の所有に係るときは六月以上七年以下の懲役に処す。但公共の危険を生ぜざるときは之を罰せず

第一一〇条【建造物でない物への放火】 ①火を放て前二条に記載したる以外の物を焼燬し因て公共の危険を生ぜしめたる者は一年以上一〇年以下の懲役に処す

②前項の物自己の所有に係るときは一年以下の懲役又は一〇〇円以下の罰金に処す

第一一一条【延焼】 ①第一〇九条第二項又は前条第二項の罪を犯し因て第一〇八条又は第一〇九条第一項に記載したる物に延焼したるときは三月以上一〇年以下の懲役に処す

②前条第二項の罪を犯し因て前条第一項に記載したる物に延焼したるときは三年以下の懲役に処す

第一一二条【未遂】 第一〇八条及び第一〇九条第一項の未遂罪は之を罰す

第一一三条【予備】 第一〇八条又は第一〇九条第一項の罪を犯す目的を以て其予備を為したる者は二年以下の懲役に処す。但情状に因り其刑を免除することを得

第一一四条【消火の妨害】 火災の際鎮火用の物を隠匿又は損壊し若くは其他の方法を以て鎮火を妨害したる者は一年以上一〇年以下の懲役に処す

第一一五条【自己所有物の特例】 第一〇九条第一項及び第一一〇条第一項に記載したる物自己の所有に係ると雖も差押を受け、物権を負担し又は賃貸し若くは保険に付したるものを焼燬したるときは他人の物を焼燬したる者の例に同じ

放火罪・失火罪は、火災というものが、その性質上、単に個人の財産を侵害するだけでなく、多くの人々の生命・身体・財産に対して不測の損害をあたえる危険を包含するものであるところから、個人の財産を侵害する罪と区別されて、不特定または多数の者の生命・身体・財産の安全をおびやかす犯罪（いわゆる公共危険罪）とされている。もっとも、放火罪・失火罪は、火力によって建造物その他の財産をもやしてしまうものであるので、個人に財産的損害をあたえるものである。刑法は、この点を全然無視するものではなく、自分の物を焼いたばあいには公共の危険が生じたといえる状態にならなければ処罰しないし（一〇九条二項・一一〇条二項・一一六条二項）、その刑も他人の物を焼いたばあいに比べて軽くなっている。しかし、放火罪・失火罪は、なんといっても公共危険罪というところに重点がある。そこで、一つの放火行為で数軒の家屋を焼いたばあいでも、公共の危険は一回しか発生していないから、一個の放火罪が成立するだけである。また、一個の放火行為によって、たとえば、他人の住んでいる家屋と他人の物置小屋とを焼いたばあいのように、処罰規定のちがう数個の物件を焼いたときには、そのもっとも重い罪（一〇八条の罪）が成立する。同じ意味において、他人の住宅を焼く目的で、それに隣接している物置小屋に放火したときには、そのときに現住建造物に対する放火の着手があったものとされ、その物置小屋が焼けただけで、住宅に延焼しなくても現住建造物放火（一〇八条）の未遂罪が成立し、非現住建造物放火の既遂は、それに吸収される。なお、火をつけられた物件の所有者・占有者などの承諾があっても放火罪はその違法性が阻却されるというものではなく、ただ、たとえば、現に人の住居に使用し、または人の現在する建造物などに放火するばあいに（一〇八条）、その住居者または現在者が承諾していたときは、現に人の住居に使用せず、または人の現在しない建造物などに放火したばあい（一〇九条）と同一に論じ、また、目的物の所有者が放火を承諾したときは、自己の所有物に対して放火するばあい（一〇九条二項・一一〇条二項）と同一に論ぜられる。

▼**養父殺害の際の出火を放置、自宅全焼（不作為による放**

火）

〔1〕

Aは、養父Bと闘争のすえこれを殺害してしまい、その死体の始末について思案中、たまたまBが闘争の際投げつけた焼木尻の火が、自分の住宅の内庭に積んであった藁に飛散して燃え上がったのをみとめ、むしろこの際、住宅とともに死体および証拠物件となる物を焼いて罪跡を隠滅しようと思い、その当時容易に火を消しとめることができたにもかかわらず、ことさらにこれを放置して右住宅を焼き、さらに隣家の物置一棟を類焼させた。

▼残業中、失火したのに消さないで立ち去る（不作為による放火）

〔2〕

Aは、中部電力株式会社中津川営業所に勤務していたが、某日、未整理帳簿類の整理のため営業所の事務室で残業していた。午後一一時頃になって宿直員Bと酒を飲んでから、ひとり事務室内の自席で、木机の下に多量の木炭をついだ火鉢を置いて股火鉢をしながら事務をとっていたが、気分が悪くなったので、一時別の部屋でうたたねをした。ところが、午前三時四五分頃、炭火の過熱から傍にあった原簿を入れたダンボールに引火し、さらに机に燃え移った。ふと眼をさましたAは、事務室にもどってこれを発見したが、このときすぐ消火に努めれば容易に火を消すことができたのに、思いがけない出火を目撃した驚きと自分の失策が発覚することをおそれて、とっさに自分のショルダーバッグを肩にかけて営業所を立ち去った。そのため、火は燃えひろがり、営業所の建物一棟とこれに隣接する住宅六棟が全焼した。

放火罪は、火を放って物を焼燬することによって成立する。「火を放つ」とは、物の燃焼をひきおこす行為をいう。たとえば、建物にガソリンやベンジンをかけマッチで点火するといったように、直接目的物に点火することはもちろん、たとえば、住宅の板壁の外側に炭俵を積んでこれに点火して火が住宅に燃え移るようにしたばあいのように、目的物に間接に火をつけることでもよい。そして、このばあいには、火が目的物に燃え移ることが物理的にあきらかなときは、放火用材料に点火したときに、目的物に「火を放つ」行為があったものとして、放火罪の実行の着手がみとめられる。なお、自分の故意行為によらずに火事が発生したばあいに、これを消し止めなければならない法律上の義務のある者が容易にこれを消し止めうる状態にあったのに、わざと消火の手段をとらなかったばあいには、不作為による放火があったものといえる。右にあげた事例〔1〕において、Aはその家屋に住んでいる者として、事例〔2〕において、Aは自分の過失行為によって火を出した者として、これを消し止めなければならない法律上の義務があり、しかも容易に消し止めうる状態にあったのに、消火の手段をとらなかったものであるから不作為による放火がみとめられる（大判七・一二・一八刑録二四・一五五八、最判昭三三・九・九刑集一二・一三・二八八二）。

〔1〕

▼天井一尺四方を焼けば放火既遂（独立燃焼説）

Aは、B方二階四畳半の部屋を借りて妻子とともに居住していたが、その立退きを要求され引越しの金策に苦しんだ結果、自分の家財に火災保険のかけてあったことを思い出し、Bの家に放火して自分の家財を焼いて保険金を手に入れようと決意し、妻子の留守中に、右四畳半の南側に設けてあった吊棚式押入の内側の破れてたれ下がっていた壁紙にマッチで火をつけたため、火は天井に燃え移り天井板約一尺四方を焼いた。

〔2〕

▼柱・鴨居を三ミリの深度にこがせば放火既遂（独立燃焼説）

Aは、家族寮第一三寮に居住し珠算塾を経営していたが、塾の経営に行きづまり、金策に苦慮していたところ、たまたま全国珠算教育連盟共済組合の保険に加入しており、住居が火災で全焼したばあいには五〇万円の災害給付をうけられることを思い出し、自分の居住する第一三寮に放火してこれを全焼させて災害給付金を入手しようと決意し、ラッカー用シンナー液一びんを買い、畳などに注ぎ火をつけた。ところが、まもなく同寮に居住するBらが発見消火したため、居室の引戸に接する柱の部分を約一ミリメートルの深度に、右引戸の敷居南縁のうち、柱から約二五センチメートル西方に至るまでの部分を約三ミリメートルの深度に、同鴨居南縁のうち、柱から約三四センチメートル西方に至るまでの部分を約三ミリメートルの深度に、それぞれ炭化させたにとどまった。

放火罪が既遂に達するためには、単に火をつけただけでは足りず、それによって目的物が「焼燬（しょうき）」したことが必要である。ところが、焼燬がなにを意味するかについては、火が媒介物である燃料をはなれて目的物に燃え移り、独立して燃焼をつづける状態に達すれば焼燬になるとする説（**独立燃焼説**）、火力によって目的物の重要な部分が焼失し、その効用がなくなってはじめて焼燬になるとする説（**効用喪失説**）、中間的な見解として、物の重要な部分が燃焼しはじめたときに焼燬があるとする説（いわゆる**燃え上がり説**）とがある。たとえば、屋根裏にわらを突込んで火をつけたところ、わらは燃えつくし、火が屋根の裏板に移り、これが燃えはじめたときに、独立燃焼説によると放火罪は既遂ということになるが、効用喪失説では屋根がすっかり焼けおちて建物の重要な機能が失われなければ焼燬とはいえないから、それ以前の段階では放火罪は未遂ということになり、燃え上がり説によると、火が屋根からぬけて燃え上がったときに放火罪は既遂となるということになる。このように、独立燃焼説によると、きわめて早い時期に放火罪は既遂に達することになるが、わが判例は大審院以来一貫して独立燃焼説を採用している。

▼人の宿泊している劇場の便所を焼く意思でこれに放火しても現住建造物放火罪

Aは、某劇場の楽屋に宿泊していた座長、座員等をおどろかしてやろうと考え、同劇場建物の東側に接着して作られてあった同劇場の便所の南側羽目板に紙屑入りの炭俵をおしつけて、ライターでこれに点火したが、劇場側の者に発見され消しとめられたので、その羽目板の一部を焼いただけにとどまった。

放火罪は、放火の目的物のちがいによって三種にわかれる。第一は、火を放って、現に人の住居に使用し、または人の現在する建造物・汽車・電車・艦船・鉱坑を焼燬する罪（**現住建造物等放火罪**）で、刑が重く、死刑、無期懲役、五年以上の懲役である（一〇八条）。「現に人の住居に使用する」とは、放火の当時に、犯人以外の者が日常生活をいとなむ場所として使用しているという意味で、犯人が自分一人で住んでいるばあいは入らないから、犯人が自分一人で住んでいる家屋に放火したときは、一〇九条の放火罪にあたり本罪にはあたらない。もっとも、たとえば、犯人がその家族と一緒に住んでいる家屋に放火したときは、人の住居に使用する建造物に放火したものとして本罪にあたる。なお、建造物の一部が住居に使用されていれば、その建造物全体が住居に使用する建造物になるのであって、その建造物の主たる目的がなんであるかはとわない。たとえば、宿直室は人の住居に使用する場所であるから、宿直室のある学校の校舎や官庁の庁舎は、その全体が人の住居に使用する建造物になるから、このような校舎や庁舎の宿直室以外の部分、たとえば校舎の理科室に放火してその部分だけを焼いても、現住建造物等放火罪が成立する。「人の現在する」とは、放火の当時、犯人以外の者がその内部にいたことを意味し、そこにいた者が現在する権利を有していたかどうかをとわないから、たとえば、浮浪者が入り込んでいた空屋も人の現在する建造物である。本罪の客体は、「人の住居に使用し又は人の現在する」ものであるから、住居に使用されていれば人の現在することを要しないし、また人が現在していれば住居に使用されていることは必要でない。父母を殺害した後、その犯跡をかくそうとして、死体の横たわっている家屋に放火したばあいについて、判例は、犯人以外に住居に使用している者もいないし、現在する者もいないから、一〇九条の放火罪にあたるとしている（大判大六・四・一三刑録二三・三一二）。

「建造物」とは、家屋その他これに類似する建築物で、土地に定着し、壁または柱材があって、その上に屋根があり、その内部に人が出入できるものをいうとされている（大判大三・六・二〇刑録二〇・一三〇〇）。そうしたものであれば、大小、材料の種類をとわないから、掘立小屋でも物置小屋でも建造物であるが、テント小屋のように土地に定着していないもの、犬小屋のようにその内部に人が出入できないものは建造物ではない。

なお、建造物に取りつけてある建具類については、それをこわさなければ取りはずすことができないものでなければ建造物の一部とはいえないとされている（最判昭二五・一二・一四刑集四・一二・二五四八）。すなわち、取りはずしが自由な畳・雨戸・障子などは建造物の一部ではないが、柱とか天井、壁などは建造物の一部である。そこで、たとえば、人の住宅を焼くつもりで、その雨戸に火をつけたが、雨戸が焼けただけで消火されたときには、まだ建造物を「焼燬」したことにならないから、一〇八条の放火罪の未遂である。「鉱坑」とは、鉱物・石炭などを採るための地下施設をいう。汽車・電車・艦船については、往来妨害罪の項を参照。

第二は、火を放って現に人が住居に使用しておらず、かつ人が現在していない建造物・艦船・鉱坑を焼燬する罪（非現住建造物等放火罪）である（一〇九条）。たとえば、犯人がひとりで住んでいる家屋・空屋・物置小屋・倉庫などがこれにあたる。この罪は、非現住建造物等だけを焼く意思でなされることが必要で、たとえば、誰も中にいない物置小屋だけを焼く意思で放火したときに本罪が成立し、もし、犯人が物置小屋に火をつけても、火が物置小屋に隣接する住宅にもえうつってもかまわないという気持であったときには、現住建造物等放火罪の未必の故意があったわけであるから、物置小屋だけが焼けたにとどまったときでも、現住建造物等放火罪（一〇八条）の未遂ということになる。

なお、本罪は、その目的物が犯人の所有に属するときは、公共の危険が発生しないかぎり処罰されないし、そのばあいも、他人の所有物のばあいと比べて刑が減軽されている（一〇九条二項）。もっとも、犯人自身の所有に属するものであっても、差押をうけていたり、他人がそのものに対して抵当権・質権・先取特権などを有していたり、他人にそのものを賃貸していたり、保険を付していたりしているときには、その物は「他人の物」と同視される（一一五条）。たとえば、自分の所有する物置小屋でも人に賃貸しているときには、これに放火すれば、公共の危険が発生しなくても、一〇九条一項の罪で処罰される。

▼山腹の自己所有の炭焼小屋に放火したが公共の危険が発生しなかったので無罪

Aは、山腹にある自己所有の炭焼小屋に火をつけてこれを焼燬したのであるが、その炭焼小屋の所在した場所は、ふもとに並存する人家から雑木林などをへだてて、直線距離でも三〇〇メートル以上の山腹にあり、小屋の北側に炭かまどを設け、前面は平坦に土盛をし、周辺の雑木はすべて切り払われ、切株からはすでに若芽が萌え出ており、引火延焼の危険のある物はなにもなかったし、その上、前夜来の雨は小降りながらも放火当時なお降りつづいており、Aも付近一帯が自己所有の山林であるところから付近に延焼することのないように監視しながら右炭焼小屋を焼いたもので、付近の部落民の中にも延焼の危険を感じたという者はみとめることができなかった。

本罪の目的物である非現住建造物等が犯人の所有に属するときは、公共の危険が発生しないかぎり処罰されないということは前述したが、こうした犯罪を**具体的公共危険罪**といい、これに対して、公共の危険が具体的に発生することを必要としない犯罪（一〇八条・一〇九条一項）を**抽象的公共危険罪**という。「公共の危険」とは、不特定または多数の人の生命・身体・財産に対する危険をいうが、危険とは、実害が発生する蓋然性をさすものであるが、それはかならずしも物理的可能性がある必要はなく、たまたま当時の条件からみて、物理的には危険がないばあいでも、一般の人々の印象からみて、危険を感ずるような状態になったとすれば、公共の危険が発生したものといいえよう。右にあげた事例について、判例は、「このような状態から見れば、他に延焼する危険は毛頭なかったものと認め得べく、ましてや附近の部落民の中にも延焼の危険を感じたという者も全く認めることは出来ないから」、公共の危険があったとはみとめられないとしている（広島高岡支判昭三〇・一一・一五裁判特報二・二二・一一七三）。

第三は、火を放って、一〇八条・一〇九条に記載された以外の物を焼燬し、よって公共の危険を生ぜしめたことにより成立する罪（建造物等以外放火罪）で、その刑は、一〇八条、一〇九条の放火罪と比べて軽い（一一〇条）。たとえば、人の現在しない汽車・電車のほか、自動車・ボート、建造物に含まれない門・塀、取りはずしの自由な畳・建具などに放火したばあいがこれにあたる。これらの物が犯人の所有に属するときは、他人の所有に属するばあいよりも、刑が軽くなっている（一一〇条二項）。なお、本罪は、一〇八条・一〇九条の目的物以外の物件だけを焼く意思でなされることが必要であることもちろんで、たとえば、建造物に含まれない門に火をつけたばあい、火がこれに隣接する住宅にもえうつってもかまわないという気持であったときには、現住建造物放火罪（一〇八条）の未必の故意があったことになり、門が焼けただけでも、現住建造物放火罪の未遂ということになる。

犯人自身の所有に属する非現住建造物等（一〇九条二項）、または犯人自身の所有に属する現住建造物等および非現住建造物等以外の物（一一〇条二項）に放火し、それによって現住建造物等（一〇八条に記載された物）または他人所有の非現住建造物等（一〇九条一項に記載された物）に延焼させたときは、三月以上一〇年以下の懲役（一一一条一項）、犯人自身の所有に属する現住建造物等および非現住建造物等以外の物（一一〇条二項）に放火し、それによって他人所有の現住建造物および非現住建造物等以外の物に延焼させたときは、三年以下の懲役（一一一条二項）に処せられる（延焼罪）。延焼罪は、結果的加重犯であるから、延焼の結果について認識・認容がなかったことが必要である。もし延焼の結果についてすくなくとも認容があったときには、延焼した目的物のいかんによって、一〇八条、一〇九条一項、または一一〇条一項の罪が成立する。一〇八条・一〇九条一項の放火罪は重大な犯罪であるので、未遂罪が処罰されるほか（一一二条）、その予備も処罰される（一一三条）。もっとも、予備罪は情状によってその刑が免除されることがある。

▼**消火ホースをカミソリで切る**（鎮火妨害罪）

酒によっていたAとBは、午前四時一五分ごろ、火災で消火作業中の消防車に接続されたゴム内張りホースを面白半分に、持っていたカミソリで、約二センチほど切って漏水させ送水圧力を低下させ鎮火の妨害をした。

いたずらも度が過ぎると刑罰につながる

火災の際に、消火栓をこわしたり、消火器をかくしたり、消火ホースを切断したり、その他、消防車がくる通路にバリケードをつくるなどして、鎮火を妨害する行為が処罰される（一一四条）。

第一一六条【失火】①火を失して第一〇八条に記載したる物又は他人の所有に係る第一〇九条に記載したる物を焼燬したる者は一〇〇〇円以下の罰金に処す
②火を失して自己の所有に係る第一〇九条に記載したる物又は第一一〇条に記載したる物を焼燬し因て公共の危険を生ぜしめたる者亦同じ
第一一七条【激発物破裂】①火薬、汽罐其他激発す可き物を破裂せしめて第一〇八条に記載したる物又は他人の所有に係る第一〇九条に記載したる物を損壊したる者は放火の例に同じ。自己の所有に係る第一〇九条に記載したる物又は第一一〇条に記載したる物を損壊し因て公共の危険を生ぜしめたる者亦同じ
②前項の行為過失に出でたるときは失火の例に同じ
第一一七条の二【業務上過失・重過失】第一一六条又は前条第一項の行為が業務上必要なる注意を怠りたるに因るとき又は重大なる過失に出でたるときは三年以下の禁錮又は三〇〇〇円以下の罰金に

処す

第一一八条【瓦斯の漏出】 ①瓦斯、電気又は蒸汽を漏出若くは流出せしめ又は之を遮断し因て人の生命、身体又は財産に危険を生ぜしめたる者は三年以下の懲役又は一〇〇円以下の罰金に処す

②瓦斯、電気又は蒸汽を漏出若くは流出せしめ又は之を遮断し因て人を死傷に致したる者は傷害の罪に比較し重きに従て処断す

▼ホテル火事で三一人が焼死（踊り手の失火）

〔1〕

Aは舞踊団「セブンスター」の踊り手として磐梯熱海の磐光ホテルで金粉ショーに仲間とともに出演していたが、夜九時ごろ一階大広間裏の楽屋で、ショーに使う長さ約一メートルのタイマツの両端にベンジンをひたした布を巻きつけ、うっかり石油ストーブの近くにおいた。そのため、石油ストーブからベンジンに引火して、幕に燃え移り、大火となり同ホテルの宿泊客三一人が死に、三二人が重軽傷を負った。

▼風呂釜の煙突から出た火の粉で隣家を焼いて失火罪

〔2〕

Aは、自分の家屋に近接する隣家Bの屋根が杉皮葺であることを知っており、数日前にもBの妻Cから風呂釜の煙突から火の粉が出ているとの注意をうけていたのに、風呂釜は流行の赤巴釜であり煙突には傘もあり、高さも高いので大丈夫だと思って、別に気にもせずに、たきつけに紙、割箸、魚の空箱などを用いて右風呂釜で風呂をたいたところ、その煙突から出た火の粉がB方の便所付近の屋根に落ち、Bの家を焼燬した。

火災は多くの人々に不測の損害をおよぼすおそれが大きいものであるので、故意に火をつけるばあいだけでなく、過失で火を出したばあいも処罰される（**失火罪**）。一一六条は、失火によって焼いてしまった物件の種類によって、公共の危険の発生を必要としないものと必要とするものとを区別している。すなわち、一〇八条に記載されている建造物等や他人所有の一〇九条に記載された建造物等を焼いてしまったときには、公共の危険が発生しなくても失火罪が成立するが、犯人自身の所有に属する一〇九条に記載された建造物等や一一〇条に記載された物件を焼いてしまったときは、公共の危険が発生したばあいにかぎり失火罪が成立する。「火を失する」とは過失によって火を出すことである。たとえば、右事例〔1〕〔2〕のようなばあいとか、たばこの吸いがらを火のついたまま紙屑かごに捨てるとか、こんろの炭火の始末を怠ることから火を出すことである。

〔1〕

▼夜警がアイロンのつけっぱなしを見すごし、京都駅全焼（業務上失火罪）

京都駅の階上で食堂を経営していた都ホテルの従業員Bらは、某日、従業員更衣室で電気アイロンを使った後、コードをコンセントから外すことを忘れて通電状態にしたまま帰宅した。同ホテルの夜警員Aは、同日の午後九時三〇分から翌朝六時三〇分まで各室を見廻わり、更衣室にも行ったが、ただ同室の電灯を消し戸締りをしただけで、不注意にも右アイロンが通電状態のまま放置されてあったのを見すごし、そのコードをコンセントから外さなかったため、右アイロンの過熱から火災となり、同ホテルを含み京都駅が全焼した。

〔2〕

▼自動車運転中、路上に流れたガソリンが発火、付近の住宅等を全焼（業務上失火罪）

Aは、コンクリートで舗装された国道三号線を鹿児島市に向かって毎時約三五キロの速度で自動車を運転していたところ、自動車の左後車輪取付ドラムのクリップナット六個全部がボルトから外れて左後車輪が車体から離れ、左後車輪のすぐ後にあったガソリン給油管が壊れてガソリンタンクのガソリンが地上にもれ、自動車が左後車輪のドラムで路面を摩擦しながら約一二メートル走ったため、ガソリンが燃え出し、付近のBの住宅とCの工場に燃え移り全焼させた。なお、この事故は、自動車整備工場で整備を終わり、試運転も終わった翌日であった。

失火罪は、通常のばあいは一〇〇〇円（五万円）以下の罰金であるが（一一六条）、業務上必要な注意を怠ったことによって火を出したり（業務上失火罪）、重大な過失によって火を出したり（重過失失火罪）したときは、刑が加重され、三年以下の禁錮または三〇〇〇円（一五万円）以下の罰金と、自由刑が科せられる可能性がある（一一七条の二）。

業務上失火罪の業務とは、職務上つねに火気の安全に配慮すべき社会生活上の地位を意味するから、本罪の主体としての業務者は、火気の使用を直接の内容とする業務に従事する者（ボイラーマン、調理師、公衆浴場の釜たき）、引火性のきわめて高い危険物を取り扱うことを仕事の内容とする者（ガソリンスタンドの従業員、石油類販売業者など）、公衆のため火災防止の責任がある者（ホテル・劇場の経営者、従業員など）、出火の発見防止を主たる職務とする者（夜警など）最判昭三三・七・二五刑集一二・一二・二七四六）、などにかぎられる。なお、右にあげた事例〔2〕について、判例は、自動車の運転には当然に引火性のきわめて高いガソリンの保管使用をともなうから、Aの自動車運転は、本罪にいう業務にあたるとしている（福岡高宮崎支判昭四一・三・一五下級刑集八・三・三七二）。

▼飲酒し朦朧状態で次々と火をつける（飲酒時の習癖を自覚していたとして重過失失火罪）

Aは、昭和三二年一月から六月にかけて、いずれも酒を飲んで帰る途中、一四回にわたって、他人の軒下においてあった古俵や木枠・へいなどに貼ってあったポスターにマッチで点火して焼いた。なお、Aは飲酒すると衝動的にマッチを弄び火をつける癖があり、しかもその習癖を自覚していた。

「重大な過失」とは、不注意のはなはだしいことで、たとえば、真夏晴天の日に、給油場内のガソリン缶から一尺五寸ないし二尺のところで、ライターに点火したため、火がガソリンに引火し、そのために大火事をひきおこしたばあいのように、ほんのわずか注意すれば火災の発生を防止することができたのにこれをしなかったときに、重過失失火罪が成立する。

なお、火薬、ボイラーなど急激に破裂する物の破裂は、火災ではないが、火災のばあいと同じように、多くの人々の生命・身体・財産に不測の損害をあたえる危険があるので、これらの物を破裂させたばあいを放火罪に準じて処罰することとしている。この激発物の破裂が故意によるばあいは放火のばあいと同じように取り扱われ、過失によるばあいは失火のばあいと同じように取り扱われる（一一七条）。

ガス・電気・蒸汽は、人の生命・身体・財産に危険を及ぼす性質があり、たとえば、ガスがもれ、それに火がつくと爆発・火災が起こるし、漏電で火災が起きるというように、火力と密接な関係があるので、本章に、ガス・電気・蒸汽の漏出・流出・遮断によって人の生命・身体・財産に危険を生じさせる行為およびそれにもとづいて人を死傷に至したばあいを処罰する規定を置いている（一一八条）。

第10章 溢水および水利に関する罪

第一一九条【住宅などを水びたしにすること】溢水せしめて現に人の住居に使用し又は人の現在する建造物、汽車、電車若くは鉱坑を浸害したる者は死刑又は無期若くは三年以上の懲役に処す

第一二〇条【住宅でないものを水びたしにすること】①溢水せしめて前条に記載したる以外の物を浸害し因て公共の危険を生ぜしめたる者は一年以上一〇年以下の懲役に処す
②浸害したる物自己の所有に係るときは差押を受け、物権を負担し又は賃貸し若くは保険に付したる場合に限り前項の例に依る

第一二一条【水防妨害】水害の際防水用の物を隠匿又は損壊し若くは其他の方法を以て水防を妨害したる者は一年以上一〇年以下の懲役に処す

第一二二条【過失で水びたしにすること】過失に因り溢水せしめて第一一九条に記載したる物を浸害したる者又は第一二〇条に記載したる物を浸害し因て公共の危険を生ぜしめたる者は三〇〇円以下の罰金に処す

第一二三条【水利妨害】堤防を決潰し、水閘を破壊し其他水利の妨害と為る可き行為又は溢水せしむ可き行為を為したる者は二年以下の懲役若くは禁錮又は二〇〇円以下の罰金に処す

本章の罪は、溢水罪と水利妨害罪とに大別される。溢水罪は、放火・失火罪と同じ性質のもので、ただ、放火・失火罪が火力による危険を内容とするものであるのに対して、溢水罪は水の自然力による危険を内容とする公共危険罪である。そこで、放火・失火罪で述べたところがほぼ溢水罪にあてはまる。

溢水浸害罪は、溢水させて物を浸害することによって成立する。「溢水させる」とは、水の自然力を解放してはんらんさせることで、たとえば、堤防をこわして川の水をはんらんさせたり、貯水池の水門を開いてその水をはんらんさせたりすることである。「浸害」とは、

水力によって物の利用価値を失わせるか、またはいちじるしく減少させることであるが、一時的に使用できない状態にすることでもよい。たとえば、水をはんらんさせて住宅を床上まで水びたしにすれば、「浸害」にあたり、家屋を流水させてしまったり永久に使えなくしてしまう必要はない。しかし、家屋のばあい、水が床下に流れ込んだ程度では、その家屋の利用価値をいちじるしく減少させたとはいえないから、まだ「浸害」したとはいえないであろう。溢水浸害罪は、その目的物が現に人の住居に使用しまたは人の現在する建造物・汽車・電車・鉱坑であるばあい（一一九条）とそれ以外の物件であるばあい（一二〇条）とに分かれるが、後者（建造物等以外浸害罪）は、前者（現住建造物等浸害罪）と比べて刑が軽いばかりでなく、公共の危険が発生しなければ成立しないし（具体的公共危険罪）、また、目的物が行為者自身の所有に属するときは、その物が差押をうけているとか、質権・抵当権その他の物権を負担しているとか、賃貸しているとか、保険をかけてあるとかいったばあいにかぎって、成立する（一二〇条二項）。そこで、たとえば、小さな池の水を人の倉庫に流し込んで水びたしにしたばあいのように公共の危険が生じない程度で人の物を水びたしにしたときは、一二〇条の溢水浸害罪は成立しない。

水防妨害罪は、水害の際に防水用の物をかくしたり、こわしたり、その他の方法で水防を妨害することによって成立する（一二一条）。鎮火妨害罪とその構造が同じである。「水害の際」とは、現に水害が発生しているばあいのほか、まさに水害が発生しようとしているばあいも含まれる。たとえば、長雨で川の水が増し、いまにも堤防が決潰しそうなときも「水害の際」に含まれるから、このようなときに護岸用の砂袋の袋を切りさいて使用できなくするような行為をすれば本罪にあたるものといえよう。「防水用の物」とは、水防に必要なものであれば、砂袋・土俵・材木・舟などなんでもよく、また、それが、公有物であると私有物であると、自己の所有に属するものであると他人の所有に属するものであるとをとわない。なお、本罪は、水防を妨害する行為が行なわれれば成立し、それによって、現実に水防が妨害されたことを必要としない。

堤防を決潰したり水門を破壊したり、その他、水がはんらんする危険を生ぜしめるような行為をすると、溢水の結果が生じなくても、それだけで処罰される（一二三条後段）。

▼満潮時に水門が開き、ゼロメートル地帯水びたし（都と設計者は過失浸害罪か）

午前四時一五分頃、江戸川区の都建設局江東治水事務所の新川西水門の自動開閉装置が故障し、突然、降りていた水門が上がった。そのため折からの満潮と異常潮位が重なって、水位が二・九五メートルにも達していた水が堤防からあふれ、ゼロメートル地帯の九三戸が床上まで浸水した。同水門は、都が注文し、日立造船が設計・製作したもので、高潮対策として、満潮時水位が一・五五メートルを越すと自動的に閉じるべきはずのものが、設計のミスで外水が二・五メートル以上になったら開くしかけになっていた。

過失浸害罪は、失火罪と構造を同じくするもので、過失によって水をはんらんさせて、現に人の住居に使用し、または人の現在する建造物・汽車・電車・鉱坑を浸害したばあい（一二二条前段）、またはそれ以外の物件を浸害して公共の危険を生ぜしめたばあい（同後段）に成立する。なお、過失浸害罪は例がすくなくないが、右にあげた、新川西水門の浸水事故については、本罪の容疑で関係者が取り調べられている。

水利妨害罪は、堤防を決潰したり、水門を破壊したり、その他の方法で水の利用を妨害するおそれのある行為をすることによって成立する（一二三条前段）。この罪は、水に関する犯罪ではあるが、溢水罪とことなり、水利権を保護しようとする罪である。そこで、本罪で保護される水利は、他人の権利としてみとめられるものでなければならない。もっとも、その権利、すなわち、水利権は契約にもとづくものでも慣習にもとづくものでもよい。ところで、本罪は、日照り続きのときなどに水の奪い合いから農村でおこることが多い犯罪である。なお、かんばつの際に、上流地の部落民が慣行に反して多量の水を汲み上げて下流のかんがい用水を減水させたので、下流地の部落民がその稲の生育の阻害を免れるために、上流地の部落民の設置した送水管の一部を取り外してその揚送水を阻止した行為について、正当防衛がみとめられた事例がある（大判昭一〇・九・一一刑集一四・九一六）。

第 11 章

往来を妨害する罪

第一二四条【通行の妨害】 ①陸路、水路又は橋梁を損壊又は壅塞して往来の妨害を生ぜしめたる者は二年以下の懲役又は二〇〇円以下の罰金に処す
②前項の罪を犯し因て人を死傷に致したる者は傷害の罪に比較し重きに従て処断す

第一二五条【交通の危険】 ①鉄道又は其標識を損壊し又は其他の方法を以て汽車又は電車の往来の危険を生ぜしめたる者は二年以上の有期懲役に処す
②燈台又は浮標を損壊し又は其他の方法を以て艦船の往来の危険を生ぜしめたる者亦同じ

第一二六条【汽車の顚覆】 ①人の現在する汽車又は電車を顚覆又は破壊したる者は無期又は三年以上の懲役に処す
②人の現在する艦船を覆没又は破壊したる者亦同じ
③前二項の罪を犯し因て人を死に致したる者は死刑又は無期懲役に処す

第一二七条【交通の危険による重い結果の発生】 第一二五条の罪を犯し因て汽車又は電車の顚覆若くは破壊又は艦船の覆没若くは破壊を致したる者亦前条の例に同じ

第一二八条【未遂】 第一二四条第一項、第一二五条及び第一二六条第一項、第二項の未遂罪は之を罰す

第一二九条【過失による交通の危険】 ①過失に因り汽車、電車又は艦船の往来の危険を生ぜしめ又は汽車、電車の顚覆若くは破壊又は艦船の覆没若くは破壊を致したる者は五〇〇円以下の罰金に処す
②其業務に従事する者前項の罪を犯したるときは三年以下の禁錮又は一〇〇〇円以下の罰金に処す

道路上に立看板などを間隔を置いて放置したばあい（往来妨害罪にはあたらない）

Aは、酔っぱらっていたずら半分に、幅員一一・九メートルのコンクリート舗装道路上に、付近にあった立看板三本、洗濯用たらい一個、足場板二枚を、道路の西側、中央部に点々と放置した。しかしその付近を通過す

る自動車などが、わずかな注意を払えば、それ程の困難をともなわず、多少の時間をかければ、これらの障害物を回避し、あるいは乗りこえまたは取り除いて往来することができる状態であった。

往来妨害罪は、陸路・水路または橋梁をこわすかふさぐかして往来を妨害することによって成立する（一二四条一項）。「陸路」とは、人や車の通行に使われている道路、「水路」とは、船や筏などの通行する河川・運河・港口などをさし、「橋梁」には河川に架けられている橋のほか、陸橋・桟橋も含まれる。もっとも、汽車・電車だけの通行のために架けられた橋は、一二五条の「鉄道」にあたり、ここにいう「橋梁」には含まれていない。なお、ここにいう陸路・水路・橋梁は、それが公有のものであっても私有のものであってもよいが、一般公衆が利用しているものにかぎられ、個人が私用にだけ使っているものは含まれない。これは、本罪が公共危険罪であるところからくる限定である。

「損壊」とは、物理的にこわすことで、たとえば道路を掘りかえしたりすることがこれにあたり、「壅塞（ようそく）」とは、障害物などで遮断することである。「往来の妨害を生ぜしめ」るとは、通行ができないかまたは困難になるような状態を作り出すことである。そこで「損壊」または「壅塞」しても、この程度に達しないときは本罪は成立しない。右にあげた事例のばあいは、まだ往来の妨害を生ぜしめたことにはならないものといえよう（名古屋高判昭三五・四・二五高刑集一三・四・二七九）。しかし、通行が困難になるような状態を作り出せば、それで本罪は既遂となり、実際に通行が不可能となったことを必要としない。なお、本罪の行為は、「損壊」か「壅塞」のいずれかの方法にかぎられているので、それ以外の方法で、たとえば、ハイキング・コースの道路標識をぬき取ってしまったり、うその「通行禁止」の立札を立てて、通行を妨げても本罪は成立しない。もっとも、これらの行為は、軽犯罪法（一条三三号）、道路交通法（七六条）にふれることになろう。

往来妨害の結果、人を死傷させたときには、結果的加重犯として往来妨害致死傷罪が成立する（一二四条二項）。たとえば、通行を妨害するつもりで橋の一部をこわしておいたところ、通りかかった自動車がそこから河に転落し、自動車に乗っていた人が死んでしまったようなばあいがこれにあたる。もっとも、行為者が人が死ぬだろうということを予見認容していたときには、本罪は成立せず、往来妨害罪(一項)と殺人罪との観念的競合になる。

▼業務命令に違反した人民電車の運行は往来危険罪にあたる

〔1〕

国鉄労組横浜支部東神奈川車掌区分会に所属するAらは、同盟罷業中、当局の乗務禁止の業務命令に違反して、六輌編成の電車を東神奈川駅の収容線から引き出し、電車の側面に「人民電車」と白墨で書き、前後部に「人民電車」と書いたポスターを貼って、右電車を東神奈川駅と赤羽駅との間を往復運転した。そのため、国鉄新橋管理部は、品川駅・上野駅等で他の電車の運転整理を実施し、数本の山手線電車の運行を停止させざるをえなかった。

▼無人電車を暴走転覆させて五人を死亡させたばあいに死刑(三鷹事件)

〔2〕

Aは三鷹駅構内で電車の入出庫を妨害しようと企て、入庫中の無人電車に発進操作をして無人でこれを暴走させたところ、予期に反して、三鷹駅下り一番線上にばく進し同駅南改札口前の下り一番線車止めに衝突・脱線破壊し、付近にいたBら五名を死亡させた。

往来危険罪は、鉄道またはその標識を損壊しまたはその他の方法で汽車・電車の往来の危険を生ぜしめること、または、燈台・浮標を損壊しまたはその他の方法で艦船の往来の危険を生ぜしめることによって成立する(一二五条)。「汽車」にガソリンカー、ディーゼルカー、「電車」にケーブルカー、モノレールも含まれる。ロープウェーは、軌道の上を走るものでないから電車に含まれないと解すべきであろう。艦船とは軍艦および船舶のことである。本罪の行為は、汽車・電車・艦船の往来の危険を生ぜしめることであるが、その方法は、鉄道・標識・燈台・浮標をこわすことのほか、どんな方法でもよい。たとえば、レールの上に木材や石をおいたり、自動車を踏切の上におき放しにしたり、車輌・船体そのものに工作したり(たとえば、ブレーキをこわすこと)、転轍器を動かしたり、無人電車を暴走させたりすることでもよい。なお、右にあげた事例〔1〕のように、業務命令に違反した成規のダイヤをみだすような電車の運行も本罪にあたる(最判昭三六・一二・一刑集一五・一一・一八〇七)。「往来の危険を生ぜしめ」るとは、汽車・電車・艦船の衝突、顛覆、脱線、沈没、破壊など、その通行に危険な結果の発生するおそれのある状態を生じさせることをいう。本罪を犯して、汽車・電車・艦船の顛覆、沈没、破壊の結果が生じたときは、結果的加重犯として、一二六条の罪と同一の法定刑で処断される。ところで、汽車・電車・艦船の顛覆、沈没、破壊の結果が生じたばあいに、一二六条一項・二項の例によることは疑問がないが、さらに、その結果、人を死に致したばあいについては問題がある。無人電車を暴走させたところ脱線顛覆し、付近にいた人が死亡した、いわゆる三鷹事件について、最高裁は、一二六条三項の例によるべきものと解しているが（最判昭三〇・六・二二刑集九・八・一一八九）、このばあい三項を適用すべきでないとする反対説もある。

▼書物を利用したダイナマイト爆発装置を新幹線「ひかり号」にしかける――汽車等顛覆・破壊罪の未遂（新幹線爆破未遂事件）

少年Aは、酒井建設の工事現場からダイナマイト約一四五本と雷管約八〇本を盗んで、河出書房新社発行のカラー版日本文学全集「源氏物語下巻」の中央部を安全カミソリでくり抜いてダイナマイト三本を入れ爆破装置を作った。Aは世間を驚かせてやりたいという気持でこれを東京駅午後〇時三〇分発予定の「ひかり号」の七号車後方の座席に置いて、そのまま出てきたが、豊橋駅付近で車掌がこれを発見し、ケースから取り出したが、装置が働かず、ダイナマイトは爆発しなかった。

汽車等顛覆・破壊罪は、人が現に乗っている汽車・電車を顛覆または破壊すること、または、人が現に乗っている艦船を顛覆・沈没・破壊することによって成立する（一二六条一項・二項）。「人」とは、犯人以外のすべての者をさし、乗客として乗っている者のほか、運転・修理のために乗っている者も含まれ、人数の多少をとわない。また、犯罪の実行を開始するときに、犯人以外の者が乗っていれば足り、結果が発生したときには、だれも乗っていなくてもよいとするのが通説・判例（大判大一二・三・一五刑集二・二一〇）である。たとえば、人が乗っている電車に爆弾をしかけたが、運転手や乗客がそれに気づいて爆発するまえに全員が飛び降りてしまったばあいでも本罪の既遂である。本罪の行為は、顛覆・沈没・破壊である。「破壊」については説が分かれているが、汽車・電車・艦船の交通機関としての用法の全部または一部を失わせる程度の損壊であることを要するとするのが通説・判例（大判明四四・一一・一〇刑録一七・一八六八）である。そこで、たとえば、電車に石を投げて窓ガラス一枚をこわした程度では、ここにいう破壊にはあたらないから、器物損壊罪になることはあっても、本罪にはならない。なお、人が乗っている汽車・電車・艦船を顚覆、沈没、破壊して、その結果、人を死亡させたときは、死刑または無期懲役に処せられる（一二六条三項）。汽車・電車・艦船に乗っていた人を死亡させたばあいだけでなく、それ以外の歩行者でも、汽車・電車・艦船の顚覆、破壊などによって死亡したばあいには汽車等顚覆・破壊致死罪が成立する（最判昭三〇・六・二二刑集九・八・一一八九参照）。

過失往来危険罪は、過失により、汽車・電車・艦船の往来の危険を生ぜしめ、または汽車・電車・艦船を顚覆、沈没、破壊を招くことによって成立し（一二九条一項）、それを汽車・電車・艦船の交通往来に関する業務に従事する者が犯したときには、業務上過失往来危険罪として刑が加重される（二項）。「其業務に従事する者」とは、汽車・電車・艦船の交通往来に直接従事する者のほか、間接に従事する者も含まれる。たとえば、機関手・電車運転手・乗務車掌・船長・船員ばかりでなく、駅長・転轍手・信号係・保線助手も、これにあたる。そこで、たとえば、転轍手が転轍器を切りかえるのを忘れたのに、切りかえずみと思いこんで、よしと合図をしたために列車事故をおこしたばあいは、業務上過失往来危険罪が成立する。本罪の結果として、人を死傷に致したときは、過失致死傷の罪（二〇九条・二一〇条・二一一条）との観念的競合となる。

第12章 住居を侵す罪

第一三〇条【住居侵入・不退去】 故なく人の住居又は人の看守する邸宅、建造物若くは艦船に侵入し又は要求を受けて其場所より退去せざる者は三年以下の懲役又は五〇円以下の罰金に処す

第一三一条【皇居等への侵入罪】 削除

第一三二条【未遂】 第一三〇条の未遂罪は之を罰す

住居は、われわれが私生活をいとなむ場所である。こうした住居に、他人がむやみやたらに侵入してきたら、われわれの平穏な私生活がみだされる。そこで、人の住居に勝手に侵入したり、帰ってくれと要求されても住居から出て行かない行為を処罰して、個人の住居の平穏を保護しようとするのが、本章の規定する住居を侵す罪である。住居を侵す罪には、正当な理由がないのに、人の住居または人の看守する邸宅・建造物・艦船に侵入する住居侵入罪と退去の要求をうけてもこれらの場所から退去しない不退去罪とがあり、いずれもその未遂が処罰されることになっている（一三〇条・一三二条）。

「住居」とは、人が日常生活をいとなむために占居している場所をいう。一時的にでも日常生活をいとなむために使用している場所であればよいから、たとえば、ホテル・旅館の一室でも旅客が滞在しているときには、その客の住居である。そこで、ホテルの部屋に押し入れば住居侵入罪が成立する。住居は、日常生活をいとなむためにある程度の設備をそなえたものであることを要するから、特別の設備のない野外の土管の中とか神社の床下などは、そこに乞食や浮浪者が住みついていても、住居とはいえない。しかし、通常の日常生活にたえる程度の設備があれば、バラックでも、また本来は日常生活をいとなむための場所でない土蔵・ガレージでも、住居となりうる。なお、住居といえるため

には、かならずしも居住者がそこにいる必要はないから、旅行中で一時不在の場所、夏だけ滞在する別荘も住居である。また、住居は、かならずしも適法に占居されたものである必要はなく、不適法な住居でもいったんそれが事実として成立した以上は、その住居の平穏は保護さるべきである。そこで、家主が、家屋賃貸借契約解除後も立ちのかず引き続き居住している借家人を追い出すために、借家人の意思に反して、その借家に侵入する行為は、住居侵入罪を構成する（大判昭三・二・一四新聞二八六六・一一）。

▼家出中の息子が強盗の目的で実父の家へ侵入（住居侵入罪成立）

Aは、昭和二三年二月九日ごろ、それまで同居していた実父B方を家出したものであるが、同月一四日、上野駅の地下道で知り合ったC・D・Eと強盗をやろうということになり、Aは、自分の実父Bの家であることをC・D・Eに告げずに、C・D・EをB方に案内し、午後一一時三〇分ごろ、A・C・D・Eはマスクで覆面して、強盗の目的でB方裏勝手口から屋内に侵入した。

「人」の住居とは、犯人以外の者の住居ということである。犯人が他の者と共同生活をいとなんでいる住居は、「人」の住居ではないが、共同生活をいとなんでいないときは、親族の住居でも「人」の住居である。なお、ある住居において共同生活をいとなんでいた者でも、そこから離脱したばあいには、その住居は「人」の住居ということになる。右にあげた事例においいて、Aは家出によって実父Bの住居における共同生活から離脱したものであるから、Aにとって実父の家でも、それは「人」の住居にほかならないから、AがBの家に強盗の目的で侵入した行為は住居侵入罪にあたる（最判昭二三・一一・二五刑集二・一二・一六四九）。

次に、本罪の客体としての邸宅・建造物・艦船は、「人の看守する」ものであることを要する。「人の看守する」とは、他人が事実上、管理・支配していることをいうが、その態様はいろいろで、たとえば、自分がその場にいて直接管理しているばあいはもちろん、番人・守衛を置いて監視させるとか、鍵をかけておくとか、釘づけにしておくとかいったことでも、「看守する」ものといえる。「邸宅」とは、人が現に住居に使用していない、住居の用に供せられる目的で作られた建物およびそれをかこむ付属地をいう。俗に、邸宅というと、立派なお屋敷を意味するように聞こえるが、ここにいう邸宅は、そんな意味ではなく、バラック小屋でもよい。それをかこむ付属地といえるためには、塀をめぐらすとか石垣・柵でかこむとかして、通常の歩行ではこえることができない設備でかこまれている土地であることが必要である。「建造物」とは、「住居」「邸宅」以外の建造物およびそれをかこむ付属地をいう（建造物の意義については、放火の項〔一三〇頁〕参照）。たとえば、官庁の庁舎・学校・工場・倉庫などがこれにあたる。「艦船」とは軍艦および船舶をさし、その大小はとわない。

▼電気工事等の集金で奥の間に立ち入る（住居侵入罪）

〔1〕

Aは、電気工事等の設計料の支払をうけるため、B方を訪ね、Bに面会を求めたところ、同家のお手伝いのCから主人は不在ですといわれたので、帰宅まで待つといって玄関の間で待っていたが、奥の間にBの夫人Dがいるのを知り「奥様を呼んで来い」「奥様出ろ」と怒鳴ったがDが出てこなかったので、出てこなければ連れてくるといって、制止されたにもかかわらず、奥の五帖間に立ち入った。

▼夫の不在中、その妻と姦通の目的で承諾をえてその居室に入る

〔2〕

Aは、Bが夜勤のため不在であることを知りながら、Bの妻Cの承諾を得てその居室に入り、Cと肉体関係を結んだ。

▼夫が出稼ぎ不在中、留守宅でその妻と情事

〔3〕

AとB子は工員として同じ工場に勤めていたが、忘年会に出席して、そのあとAはオートバイにB子を乗せB子宅へ送っていった。たまたまB子の夫は出稼ぎ中で、B子は六歳の長男と二人暮しであったので、八畳間にあがって世間話をしたが、その翌々日Aは再びB子宅を訪れ、B子と同意の上肉体関係を結んだ。その後、約二五回にわたり、夫の留守中にB子宅で情事を重ねた。なお、いずれのばあいもAがあらかじめB子に「今晩行く」といい、B子が軽くうなずくようにして承諾の意思を表示していたものであった。

▼皇居の発煙男に実刑（住居侵入罪を適用）

〔4〕

Aは、昭和四四年一月二日、発煙筒を燃焼発煙させる目的で、黄色および白色の発煙筒二本を携帯して皇居正門を通って、一般参賀の会場である皇居新宮殿の東庭内に立ち入り、黄色発煙筒一本に点火し、これを燃焼発煙させた。

行為は「故なく侵入する」ことである。「故なく」とは正当な理由なくということであり、「侵入」とは、住居などの平穏を害するような仕方で立ち入ることである。こうした立ち入りであれば、こっそり忍び込もうと、鍵をこわして押し入ろうとをとわない。居住者・看守者の承諾をえて立ち入るばあいには住居侵入罪が成立しないとされているが、これは、承認をえて、あるいは承諾が推定されるようなばあいに平穏に立ち入っても、それは「侵入」とはいえないからである。なお、承諾があっても、その承諾の範囲外の場所に立ち入るばあい、たとえば、応接間に承諾をえて立ち入った者が、承諾をえずに寝室にまで入り込んだばあいには、住居侵入罪になる（大判昭五・八・五刑集九・五四一参照）。

さて、立ち入りが住居などの平穏を害する仕方のものであるかどうかは、その立ち入り行為の主観面と客観面の両者を考慮して判断しなければならない。右にあげた事例〔2〕〔3〕のように、夫の不在中に、その妻と姦通する目的で、妻の承諾をえて住居に立ち入ったばあいについて、大審院（大判昭一四・一二・二二刑集一八・五六五）は、住居権者である夫の意思に反することを理由に、妻の承諾があっても住居侵入罪が成立するとしている。しかし、住居侵入罪は、事実上の住居の平穏を保護するものであるから、夫の不在中に、住居者である妻の承諾をえて、おだやかにその住居に立ち入る行為は、たとえ姦通の目的であったとしても、右のような住居の平穏を害するものではなく、したがって、住居侵入罪にならないと解する。

なお、〔4〕の事例のように、発煙筒をもって一般参賀の日に皇居に立ち入った男を住居侵入罪で処罰した判例がある（東京地判昭四四・九・一月報一・九・八六五）。

▼酒に酔い団地の別棟に間違って入り、居坐る（不退去罪）

Aは、某団地のB棟の四階の四〇一号に住んでいた者であるが、某夜、酒を飲んで酔ぱらい、C棟の四階の四〇一号のD方を自分の家とまちがって、たまたま鍵がかけてなかったD方のドアをあけて玄関の板間にあがったところ、夫の帰宅を待っていたDの妻E子さんが出てきたので、家をまちがったことに気づいたが、E子さんが帰ってくれと頼むのを無視して、そのままそこに坐り込み、Dが帰宅して押し出されるまで居坐った。

不退去罪の行為は、要求をうけて退去しないことである（真正不作為犯）。「要求をうけて退去しない」というのは、はじめは適法に立ち入った者（たとえば、物品の販売のため訪れたセールスマン）、あるいは故意なしに立ち入った者（たとえば、酒に酔って他人の家を自分の家とまちがって入った者）が、その住居者ないし看守から帰ってくれと要求されても居坐って帰らないということである。はじめから不法に侵入して、そのまま退去しないときは、住居侵入罪が成立し、別に不退去罪は成立しない。なお、不退去罪が成立するのは、社会生活上相当なものとして許容される限度をこえた不退去であることが必要である。たとえば、債権者が債務者の住居にきて債務の弁済を求めたのに対して、債務者が退去の要求をしたばあいに、債権者がたやすくこの要求に応じなかったからといって、ただちに不退去罪を構成するものとはいえないであろう。長時間居坐って債務者の住居の平穏を害するに至ってはじめて不退去罪は成立するものといえよう。

▼アイスクリーム販売の目的で許可なしに皇居外苑に立ち入る（軽犯罪法違反で十日間の拘留）

Aはアイスクリームを販売していた者であるが、皇居外苑内に厚生大臣の許可をうけずにアイスクリーム販売の目的で立ち入ったところ、軽犯罪法一条三二号違反にとわれ十日の拘留に処せられた（東京高判昭三二・一〇・一四高刑集一〇・一〇・七五三）。東京高裁は、その理由につき次のように説明している。すなわち、皇居外苑内は一般に入ることを禁じた場所ではないが、国民公園管理規則によると皇居外苑において物を販売しようとする者は厚生大臣の許可をうけなければならないとされているので（同規則三条）、厚生大臣の許可をうけていない物品販売業者に対しては皇居外苑は軽犯罪法一条三二号にいう「入ることを禁じた場所」にあたる。もっとも、この罪は入ることを禁じた場所に正当な理由なしに入ったばあいにはじめて成立するものであるから、前記の者でも、物品販売の目的でなく、単に見物・散歩の目的で入ったばあいには同号違反罪は成立しないが、物品販売の目的で入ったときには、国民公園管理規則違反の行為をする目的で入ったのであるから所に立ち入ったものとして同号違反罪を構成する。

第13章
秘密を侵す罪

第一三三条【信書の開封】 故なく封緘したる信書を開披したる者は一年以下の懲役又は二〇〇円以下の罰金に処す

第一三四条【秘密をもらすこと】 ①医師、薬剤師、薬種商、産婆、弁護士、弁護人、公証人又は此等の職に在りし者故なく其業務上取扱ひたることに付き知得たる人の秘密を漏泄したるときは六月以下の懲役又は一〇〇円以下の罰金に処す

②宗教若くは禱祀の職に在る者又は此等の職に在りし者故なく其業務上取扱ひたることに付き知得たる人の秘密を漏泄したるとき亦同じ

第一三五条【親告罪】 本章の罪は告訴を待て之を論ず

人はだれでも私生活上多かれ少なかれ秘密をもっている。この私生活上の秘密が不当に暴露されないということは、人々が平和な生活をいとなむための条件である。そこで、本章の罪は、人の私生活上の秘密を不当に暴露するような行為を処罰しようとするものである。

▼同棲中の男あての手紙を勝手に開く（信書開披罪）

A子は、Bとアパートに同棲していたが、Bが最近C子と外で会っているという噂を聞き、なやんでいたところ、某日、Bの留守中に、BあてのC子の手紙が配達されたので、嫉妬のあまり、その手紙の封をヘアーピンであけて、その内容を読んだ。

信書開披罪は、正当な理由なしに封がしてある信書を開くことによって成立する（一三三条）。「信書」とは、特定の人から特定の人にあてた意思を伝達する文書をいうので、小包は信書でない。なお、信書は郵便物である必要はないから置き手紙でも信書である。このような信書を封筒に入れて、糊付けして封をしたばあいに「封緘した信書」ということになる。この「封緘」をやぶって、信書の内容を知ることができるような状

態を作ることが「開披」である。なお、封をやぶるといっても、封を切ることだけでなく、糊付けの部分を湯気にあてて封をはがして開けることも「開披」にあたる。もっとも、封書を電燈の光にあてて、すかしみて内容を読んでも、「開披」とはいえないから本罪にあたらない。信書開披罪は、「開披」すれば既遂となり、行為者が、信書の内容を知ったかどうかは本罪の成否と関係がない。

本罪は親告罪であるので、被害者の告訴がなければ処罰されないが、だれが告訴権を有する被害者であるかについては見解がわかれている。通説は、信書の発信人・受信人ともつねに告訴権を有すると解しているが、判例は、発信人はつねに告訴権をもち、信書の到着後は受信人も告訴権を有するとしている（大判昭一一・三・二四刑集一五・三〇七）。さて、右にあげた事例は、まさに信書開披罪にあたるが、BかC子かが告訴しなければ、A子は処罰されない（一三五条）。

▼医師が患者の秘密をもらす（秘密漏泄罪）

精神科の医師Aは、恩師の紹介状をもって訪ねて来たBに、「Cさんのお嬢さんと自分の息子との間に縁談の話が出ているのですが、Cさんの奥さんが先生に精神病で治療をうけられたという噂を聞きましたので、本当かどうかをお聞きしたいと思って参上しました」といわれ、Cさんの奥さんが軽い精神病にかかったことがあること、自分が治療して今は全快している旨をBに話した。

秘密漏泄罪は、医師・薬剤師・薬種商・産婆・弁護士・弁護人・公証人・宗教もしくは禱祀（とうし）の職にある者、またはこれらの職にあった者が、正当な理由がないのに、その業務上取り扱ったことについて知りえた他人の秘密をもらすことによって成立する（一三四条）。右にあげた者は、職業上他人の秘密を知りうる機会が多いので、これらの者に職業上知りえた他人の秘密をもらすことを禁止したのが、本罪である。すなわち、秘密漏泄罪は、身分犯であるから、右にあげた者以外の者が他人の秘密をもらしても本罪を構成しない。そこで、たとえば、看護婦が医師の業務を補助しているときに知りえた他人の秘密をもらしたとしても、本罪で処罰されることはない。なお、「薬種商」とは医薬品の販売を業とする者で許可をうけた者にかぎられる。

「宗教の職にある者」とは、神官・僧侶・牧師などをさし、「禱祀の職にある者」とは、いわゆる祈禱師・まじない師をさす。「その業務上取り扱ったことについて知りえた人の秘密」だけが、本罪の対象となるものであるから、医師・弁護士などが、その仕事とは無関係に知った他人の秘密、たとえば、理髪店や酒場などで偶然聞き知った他人の秘密をもらしても本罪を構成しない。「漏泄」とは、秘密をまだ知らない第三者に知らせることで、相手方は一人であっても多数であってもよく、また、その方法は、口頭であろうと書面で通知するのであろうとをとわない。本罪は、「故なく」漏泄することが必要であるから、法令上それを告知する義務を負っているばあい、たとえば、医師が伝染病予防法三条にもとづいて、伝染病患者を診断したときに患者の所在地を管轄する保健所長にこの旨を届け出るばあいが、違法でないこともちろんである。なお、本罪も親告罪であるので、被害者の告訴がなければ処罰されない（一三五条）。

磁気テープから情報盗む

購読者名簿つつ抜け、産業スパイが仲介？

貴重な情報を収めたコンピューター用磁気テープが何者かに複写され、テープ自体は無事にもどってきたものの、中身の情報はそっくり同業者に使われてしまった——いかにも情報化時代らしい産業スパイ事件が、日経マグロウヒル社と日本リーダーズ・ダイジェスト社を舞台に発生した。情報を盗まれた側はカンカン、情報を買ったリーダイ社を告訴するというが、リーダイ社側は「ダイレクトメールの世界ではこんなこと常識。情報を買ってどこが悪い」とケゲンそうな顔。これはいったい犯罪なのか——。

複写されたのは日経マグロウヒル社がテープに収めていた約十万人にのぼる隔週刊誌「日経ビジネス」の購読者リスト。このリストがどういうルートを通ってか、日本リーダース・ダイジェスト社の手に渡り同社の「イージー・イングリッシュ」という九巻の英会話カセット販売促進キャンペーンのためのダイレクトメールに利用された。

事件があったのは昨年（四五年）十月下旬。「日経ビジネス」の郵送を請負っているアテナ社が日経マグロウヒル社からテープを受取った。アテナ社はこのテープをフィード・バックするため、従来からオペレーターの委託契約を結んでいる長野県計算センターに渡した。ところが同センターには問題のテープがなかったところから、さらにパシフィック計算センターに回された。同センターでフィード・バックの作業を終え、テープは翌日、無事に戻ってきた。このわずかの間に産業スパイが暗躍、テープを複写してリーダイ社に持込んだらしい。（昭和四六年二月三日朝日　新聞朝刊）

第14章 阿片煙に関する罪

第一三六条【阿片煙の輸入等】 阿片煙を輸入、製造又は販売し若くは販売の目的を以て之を所持したる者は六月以上七年以下の懲役に処す

第一三七条【阿片煙を吸うための器具の輸入等】 阿片煙を吸食する器具を輸入、製造又は販売し若くは販売の目的を以て之を所持したる者は三月以上五年以下の懲役に処す

第一三八条【税関官吏の阿片煙の輸入】 税関官吏阿片煙又は阿片煙吸食の器具を輸入し又は其輸入を許したるときは一年以上一〇年以下の懲役に処す

第一三九条【阿片煙を吸うことなど】 ①阿片煙を吸食したる者は三年以下の懲役に処す

②阿片煙を吸食する為め房屋を給与して利を図りたる者は六月以上七年以下の懲役に処す

第一四〇条【阿片煙またはそれを吸うための器具の所持】 阿片煙又は阿片煙吸食の器具を所持したる者は一年以下の懲役に処す

第一四一条【未遂】 本章の未遂罪は之を罰す

麻薬や覚せい剤の濫用は非常に危険である。麻薬は常習となりやすいし、中毒すると容易にやめることができず、中毒患者はついには廃人同様になってしまう。しかも、こうした悪習が国民一般の間にひろまると、国民の健康は害され、社会生活は退廃し、多くの派生的な罪悪を生み出すことになる。麻薬取締法・覚せい剤取締法・あへん法・大麻取締法などは、こうした麻薬・覚せい剤の不当な施用を取り締ろうとするものである。ところが、麻薬の一種である阿片煙についてだけ、刑法に処罰規定が設けられているが、これは、立法者が阿片煙吸食の悪習が蔓えんした東洋諸国の惨状をかんがみて、国民がこの悪習になじむのを防止しようとする意図から、阿片煙に関する犯罪を刑法にとりあげ厳罰をもってのぞもうとしたものである。しかしながら、今日では、阿片煙の吸食よりは、麻薬や覚せ

い剤の濫用の方がはるかに大きな社会問題となっており、これに対する取締の必要が強まっている。

さて、阿片煙に関する罪は、①阿片煙または阿片煙の吸食器具を輸入する等の罪（一三六条・一三七条・一三八条）、②阿片煙を吸食する罪（一三九条一項）、③阿片煙を吸食するための房室を提供する罪（一三九条二項）、④阿片煙または阿片煙の吸食器具を所持する罪（一四〇条）に分けられる。

「阿片煙」とは、すぐ吸えるように調製された阿片煙膏をさし、その原料である生阿片は含まないとされている（大判大八・三・一一・刑録二五・三一四）。「輸入」とは国外から日本国内にもち込むことであるが、船舶によるばあいについて、領海に入ったときに輸入の既遂となるとする説と陸揚げをしたときに既遂となるとする説とが対立しているが、判例は陸揚げ説をとっている（大判昭八・七・六刑集一二・一一二五）。船舶によるばあいに陸揚げ説をとれば、航空機によるばあいは、わが領土に着陸した航空機から地上に持ち出されたときに既遂となると解すべきであろう。

各法で取り締られる薬物一覧

取締法	取り締られる薬物
刑法	阿片煙膏
麻薬取締法	① 阿片アルカロイド系物質――ヘロイン，モルヒネ，コデイン等 ② コカアルカロイド系物質――コカイン等 ③ 合成麻薬――アルカロイド系物質を化学的に合成したもの ④ LSD (Lysergic acid diethylamide)
あへん法	① けし――けし属の植物で厚生大臣が指定するもの ② あへん――生阿片（けしの液の凝固体） ③ けしがら――けしの麻薬を抽出することができる部分
大麻取締法	大麻，マリファナ
覚せい剤取締法	ヒロポンなど中枢神経を興奮させる薬物

第15章 飲料水に関する罪

第一四二条【飲料水の汚染】 人の飲料に供する浄水を汚穢し因て之を用ふること能はざるに至らしめたる者は六月以下の懲役又は五〇円以下の罰金に処す

第一四三条【水道の汚染】 水道に由り公衆に供給する飲料の浄水又は其水源を汚穢し因て之を用ふること能はざるに至らしめたる者は六月以上七年以下の懲役に処す

第一四四条【飲料水への毒物混入】 人の飲料に供する浄水に毒物其他人の健康を害す可き物を混入したる者は三年以下の懲役に処す

第一四五条【飲料水汚染などによる死傷】 前三条の罪を犯し因て人を死傷に致したる者は傷害の罪に比較し重きに従て処断す

第一四六条【水道への毒物混入】 水道に由り公衆に供給する飲料の浄水又は其水源に毒物其他人の健康を害す可き物を混入したる者は二年以上の有期懲役に処す。因て人を死に致したる者は死刑又は無期若くは五年以上の懲役に処す

第一四七条【水道の損壊】 公衆の飲料に供する浄水の水道を損壊又は壅塞したる者は一年以上一〇年以下の懲役に処す

飲料水に関する罪は、公衆の健康を保護しようとするものである。

▼井戸水の中に食用紅を注ぎ込む（浄水汚穢罪）

Aは、自己の経営する果樹園内にBのために管理人として家屋を貸していたが、管理人をやめて家屋を明け渡す約束をしておきながら、期日がきても明け渡さないのに憤慨して、一日も早く退去させるためにBが飲料に使用している井戸水の中に食紅五〇グラムを溶かした水一升を注ぎ込んだ。

飲料水そのものに対しては、飲料水をよごしてこれを使用することができない状態にする**浄水汚穢罪**（じょうすいおわいざい）（一四二条）と、飲料水に毒物などの人の健康に害のある

ものを混入する**浄水毒物混入罪**（一四四条）とがある。

「浄水」とは人の飲料にできる程度の水であればよく、そうしたものであれば、井戸水でも水道の水でも泉水でもよい。「人の飲料に供する浄水」は、本罪が公共危険罪である点からして、不特定または多数の人の飲料に供せられるものであることが必要である。そこで、たとえば、特定の個人が飲むために茶碗やコップに入れた飲料水は本罪の客体にならない。しかし、一家族の飲用に供するために水がめの中に貯蔵された飲料水は、本罪の客体になるから、これに毒物硫酸ニコチンを流し込んだばあいには、浄水毒物混入罪が成立する（大判昭八・六・五刑集一二・七三六）。「汚穢し因て之を用ふること能はざるに至らしめ」とは、人がそれを用いることができない程度に「汚穢」することを意味する。「汚穢」とは、不潔にすること、要するに、きたないという感じをあたえるようなことで、たとえば、泥とかごみを投げ込んだり、放尿したりすることである。なお、右にあげた事例について、判例は、「人の飲料に供する井戸水の中に食用紅を溶かした水を注ぎ込み、一見して異物の混入したことを認識し得る程度に薄赤色に混濁させ、飲料水として一般に使用することを心理的に不能ならしめた」行為は、浄水汚穢罪にあたるとしている（最判昭三六・九・八刑集一五・八・一三〇九）。浄水毒物混入罪は、たとえば、井戸水の中に、青酸カリ・硫酸ニコチンといった毒物やチフス菌などの細菌・寄生虫またはその卵などを投げ込むことによって成立する。なお、本罪の成立には、実際に人の健康が害されたことは必要でない。浄水汚穢罪・浄水毒物混入罪を犯し、その結果、人を死傷させたときは、結果的加重犯として一四五条が適用される。「傷害の罪に比較し重きに従て処断す」とは、その罪の法定刑と傷害の罪の法定刑とを比較し、重い刑を規定した罰条を適用して処断するという意味である。

水道により公衆に供給する飲料水またはその水源に対しては、これをよごして使用できないような状態にする**水道汚穢罪**（一四三条）とこれに毒物などの人の健康に害のあるものを混入する**水道毒物混入罪**（一四六条前段）とがある。飲料水そのものに対するばあいと、水道をよごしたり、毒物などを混入したりする行為は同じであるが、水道はとくに多数の人に飲料水を供給するもので、その水質に対する人々の信頼度も高いので、重く処罰されることとされたものである。本罪の客体は、「水道により公衆に供給する飲料の浄水またはその水源」にかぎられる。「水道」は、水を供給するための人工的設備をいうから、単に自然の水流を利用したにすぎないものは水道とはいえない。もっとも天然の水路を利用したものでもこれに人工を加えたものであれば水道にあたる。「水源」とは、水道に流入すべき水で、その流入まえのものをいう。たとえば、貯水池の水や、そこに流れこむ水流などがこれにあたる。水道汚穢罪を犯し、その結果、人を死傷させたときは、結果的加重犯として一四五条が適用される。水道毒物混入罪を犯し、その結果、人を死亡させたときは、結果的重犯として、死刑または無期もしくは五年以上の懲役に処せられる（一四六条）。

▼送水管を破壊し、給水を止める（**水道壅塞罪になるか**）

A市長は、隣接のO町が他市と合併することになったことを聞いて憤慨し、その報復としてO町に原価を切って供給している水道の給水を止めてうっぷんをはらそうと思い、水道係員に命じて、水道の送水管に穴をあけ、その修理にことよせて制水弁を閉鎖し、送水管の取り替え作業を行なわせ、その間、O町に対する給水を停止した。

水道損壊罪は、公衆の飲料に供する浄水の水道をこわすか、ふさぐことによって成立する（一四七条）。「公衆の飲料に供する浄水」とは、不特定または多数の人の飲料の用に供する浄水をさす。判例は、一世帯専用または数世帯共用の水道鉛管、口金などを切断した事案について、それが住民に対する飲料水の供給用としての浄水の水道設備の一部である以上、その切断部分が給水設備の末端である一世帯専用、数世帯共用の水道鉛管、口金などであっても、公衆の飲料に供する浄水の水道を損壊したものにあたるとしている（福岡高判昭二六・一二・一二高刑集四・一四・二〇九二）。「損壊」とはこわすことであり、「壅塞（ようそく）」はふさぐこと、つまらせることであるが、いずれも、水道による飲料水の供給が不可能またはいちじるしく困難になる程度のものでなければならない。右にあげた事例は、水道施設自体の操作によって送水を遮断したものであるから、水道の「壅塞」にはあたらない（大阪高判昭四一・六・

一八下級刑集八・六・八三六)。

◇公害処罰法◇

「人の健康に係る公害犯罪の処罰に関する法律」は、昭和四五年一二月二五日に成立し、同四六年七月一日から施行されている。この法律はいわゆる公害罪を公共危険罪としてとらえ、事業活動にともなって有害物質を排出した結果、①公衆の生命・身体に対する危険状態が発生すれば、現実に被害者が出なくても処罰できるようにしたこと、②いわゆる両罰規定を設けて、直接の行為だけでなく法人等の事業主をも処罰しうることとして、企業自体の刑事責任を追及できるようにしたこと、③有害物質の排出と公衆の生命・身体に対する危険状態の発生との間の因果関係について一定の限定で推定をみとめ、公害の原因と結果との間の因果関係の証明について負担の軽減をはかったことに特色がある。

第二条（**故意犯**）① 工場又は事業場における事業活動に伴つて人の健康を害する物質（身体に蓄積した場合に人の健康を害することとなる物質を含む。以下同じ。）を排出し、公衆の生命又は身体に危険を生じさせた者は、三年以下の懲役又は三〇〇万円以下の罰金に処する。

② 前項の罪を犯し、よつて人を死傷させた者は、七年以下の懲役又は五〇〇万円以下の罰金に処する。

第三条（**過失犯**）① 業務上必要な注意を怠り、工場又は事業場における事業活動に伴つて人の健康を害する物質を排出し、公衆の生命又は身体に危険を生じさせた者は、二年以下の懲役若しくは禁錮又は二〇〇万円以下の罰金に処する。

② 前項の罪を犯し、よつて人を死傷させた者は、五年以下の懲役若しくは禁錮又は三〇〇万円以下の罰金に処する。

第四条（**両罰**） 法人の代表者又は法人若しくは人の代理人、使用人その他の従業者が、その法人又は人の業務に関して前二条の罪を犯したときは、行為者を罰するほか、その法人又は人に対して各本条の罰金刑を科する。

第五条（**推定**） 工場又は事業場における事業活動に伴い、当該排出のみによつても公衆の生命又は身体に危険が生じうる程度に人の健康を害する物質を排出した者がある場合において、その排出によりそのような危険が生じうる地域内に同種の物質による公衆の生命又は身体の危険が生じているときは、その危険は、その者の排出した物質によつて生じたものと推定する。

第16章

通貨偽造の罪

第一四八条【通貨の偽造・変造・行使】①行使の目的を以て通用の貨幣、紙幣又は銀行券を偽造又は変造したる者は無期又は三年以上の懲役に処す
②偽造、変造の貨幣、紙幣又は銀行券を行使し又は行使の目的を以て之を人に交付し若くは輸入したる者亦同じ

第一四九条【外国通貨の偽造・変造・行使】①行使の目的を以て内国に流通する外国の貨幣、紙幣又は銀行券を偽造又は変造したる者は二年以上の有期懲役に処す
②偽造、変造の外国の貨幣、紙幣又は銀行券を行使し又は行使の目的を以て之を人に交付し若くは輸入したる者亦同じ

第一五〇条【偽造通貨の取得】行使の目的を以て偽造、変造の貨幣、紙幣又は銀行券を収得したる者は三年以下の懲役に処す

第一五一条【未遂】前三条の未遂罪は之を罰す

第一五二条【偽造通貨取得後の行使】貨幣、紙幣又は銀行券を収得したる後其偽造又は変造なることを知て之を行使し又は行使の目的を以て之を人に交付したる者は其名価三倍以下の罰金又は科料に処す。但一円以下に降すことを得ず

第一五三条【予備】貨幣、紙幣又は銀行券の偽造又は変造の用に供する目的を以て器械又は原料を準備したる者は三月以上五年以下の懲役に処す

今日の経済社会において流通取引が重要な意味をもつものであるということは周知のところである。この流通取引が円滑に行なわれるためには、貨幣制度が確立し、通貨に対する公共の信用が保たれていることが必要である。偽造通貨が多く出まわり、通貨に対する公共の信用が低下すると、国の経済秩序が混乱におち入ることもありうる。そこで、本章の規定する通貨偽造の罪は、通貨に対する公共の信用を保護することによって社会における流通取引の安全をはかり経済秩序を維持しようとするものである。

通貨偽造罪（一四八条一項・一四九条二項）の客体は、「通用の貨幣、紙幣、銀行券」と「内国に流通する外国の貨幣、紙幣、銀行券」である。「通用の」というのは、わが国において強制通用力があるという意味に解すべきである。強制通用力というのは法律によって支払手段としてみとめられた通用力のことである。「貨幣」とは、硬貨（金属貨幣）のことで、一〇〇円硬貨、五〇円硬貨、一〇円硬貨がこれにあたる。「紙幣」とは政府が発行する貨幣代用の証券をいうが、現在わが国ではこれにあたるものは発行されていない。「銀行券」とは政府の認許によって特定の銀行（わが国では日本銀行）が発行する貨幣代用の証券で、今日われわれが使っている、一万円札、五千円札などがこれにあたる。外国の貨幣・紙幣・銀行券は、それらがわが国において事実上流通しているばあいにかぎって通貨偽造罪の客体となる。たとえば、アメリカのドル紙幣はこれにあたる。なお、外国においてのみ流通している外国の通貨については「外国に於て流通する貨幣紙幣銀行券証券偽造変造及模造に関する法律」（一六四頁参照）が適用される。

〔1〕

▼菓子の宣伝に一万円札に似た広告物を印刷・配布する（天の川事件）

AとBは、菓子「天の川」の宣伝のため一万円札に似た広告物を印刷して配布しようと計画し、B版用紙に、表は一万円札と同形、同図形で、上部に天の川銀行券、下部に天の川銀行、その横に円形で天の川之印と記載し、聖徳太子の像の部分にマネキン娘の写真を入れ、裏面には娘の写真を入れ、漫画、天の川宣伝文句を記載したものを約五万枚製造した。

真正の通貨とまぎらわしいものをつくると罰せられることがある

▼千円札を切り取り貼り合わせる（偽造か変造か）

Aは、行使の目的で、まず八枚の千円札のそれぞれのことなる部分を縦に八分の一ずつ切り取り、その切り取

〔2〕　った八分の一の部分八枚を、真正の千円札の紋様のとおりに貼り合わせて一見完全なもののような千円札を一枚作り、つぎに、右の各八分の一を切り除いた残りの一四片は、右端および左端を切り取ったおのおの一枚を除き、その残りの一二片を用い、それぞれ元の千円札のうち切り残りの両端を貼り合わせて、一見完全にみえる千円札六枚を作り上げた。

「偽造」とは、通貨を発行する権限のない者が通貨の外観を有するものを作ることで、その方法はとわない。たとえば、使えなくなった硬貨にメッキして一〇〇円硬貨を作るとか、毛筆で一万円札に似たものを描くとか、写真印刷によって千円札に似たものを作り上げるとか、どんな方法でもよい。ただ、できあがったものは、社会一般の人が一見して本物であると誤信する程度のものであることが必要である。その程度に達してはいないが真正の通貨に紛らわしい外観を有するものを作ったときは、「模造」となり、「通貨及証券模造取締法」（二六四頁参照）で処罰されることがある。右にあげた事例〔1〕について判例は模造にあたるとしている（東京高判昭三八・一・二一高刑集一六・一・一）。もっとも、偽造する意思で作ったが、技術がまずくて模造の程度のものしかできなかったときは、模造ではなく、通貨偽造罪の未遂である。

「変造」とは、同一性を害さない限度において真正の通貨に加工して通貨の外観を有するものを作ることである。たとえば、一〇〇円札の百という表示の部分にインキで変更を加え、これを水に浸して青色にぼかし五〇〇円札のようにみせかけたばあいは、変造にあたる（東京高判昭三〇・一二・六東高刑時報六・一二・四四〇）。これに反して、金属貨幣を鎔解し、これを材料として他の通貨の外観を有するものを作り出すようなばあいは、作り出されたものと以前の真貨とは同一性を欠くから変造でなく偽造である。なお、右にあげた事例〔2〕について、判例は偽造としているが（広島高松江支判昭三〇・九・二八高刑集八・八・一〇五六）、通貨の同一性を害したとまでいえないから変造と解すべきであろう。もっとも、偽造と変造とは、同一の条項に規定され法定刑も同じであるから、実際問題としては、両者の区別はあまり重要でない。

通貨偽造罪は、「行使の目的」をもって通貨を偽造・変造することによって成立する（目的犯）。「行使の目的」とは、偽造・変造の通貨、すなわち、にせ金を本物として流通におこうとする目的をいう。自分自身が本物として使うつもりのばあいにかぎらず、他人に使わせる目的でもよい。たとえば、にせの千円札を五〇〇円で他人に売りさばく目的で、千円札を偽造したばあいでも、「行使の目的」があったといえる。「行使の目的」がなければ通貨偽造罪は成立しない。たとえば、学校の教材にするためにとか、テレビの小道具に使うためにとかの目的で一万円札に似せた札を作っても、行使の目的がないから、通貨偽造罪にはならない。

偽造・変造の通貨の「行使」とは、偽造・変造の通貨を本物の通貨のようにみせかけて流通に置くことで、たとえば、にせ札を本物のようにみせかけて、買物をしたり、両替をしたり、他人に贈与したり、賭博の賭金に使ったりすることである。また、別に本物であると主張することは必要でないから、にせの硬貨を公衆電話機や自動販売機に投入して使っても行使にあたる。なお、にせ札を使って財物をだまし取ったばあい、偽造通貨行使罪のほかに詐欺罪も成立するかどうかについては争いがあるが、偽造通貨の行使は、通常、財物の騙取をともなうものであり、行使罪の規定は詐欺行為を当然に予定しているものとみとめられるから、詐欺罪は偽造通貨行使罪に吸収され、別に詐欺罪は成立しないものと解する（大判明四三・六・三〇刑録一六・一三一四）。

偽造・変造の通貨の「交付」とは、偽造・変造の通貨をにせ金であるということをあきらかにして、または、すでににせ金だということを知っている者に手渡すことをいう。たとえば、欲深くにせ札でも使う気のある男に、にせの一万円札を一〇〇〇円で売り渡すようなばあいが交付にあたる。交付罪は、「行使の目的」で交付したときにかぎって成立する（目的犯）。そこで、ただ、にせ札を一時保管してもらう意思で、事情を打ち明けて自分の作ったにせ札をあずけたようなばあいには交付罪は成立しない。なお、交付罪は、にせ金の交付を独立に処罰するものであるから、行使の目的で交付した以上、交付をうけた相手方が実際にそれを行使しなくても、交付罪の既遂が成立する。

偽造・変造の通貨の「輸入」とは、偽造・変造の通貨を国外からわが国内に入れることである。船舶によるばあい、領海に入ったときに既遂となるとする説と陸揚げしたときに既遂となるとする説とが対立しているが、判例は陸揚げ説に立っている（大判昭八・七・六刑集一二・一一二五）。船舶によるばあいに陸揚げ説をとれば、航空機によるばあいは、わが領土に着陸した航空機からにせ金を地上に持ち出したときに、既遂となると解すべきであろう。

偽造通貨収得罪は、行使の目的をもって偽造・変造の通貨を収得することによって成立する（一五〇条）。「収得」とは、自分の所持に移す一切の行為をいう。たとえば、贈与をうけること、買い受けること、拾得すること、さらには窃取することも「収得」にあたる。収得罪は行使の目的をもってなされることを必要とするから、行為者がにせ金であることを知って収得したばあいにのみ本罪が成立することもちろんである。したがって、収得した後、にせ金であることを知って、行使の目的を生じても本罪を構成しない。なお、にせ札と知りながらこれをもらい、それを使って買物をすると、偽造通貨収得罪と行使罪が成立し、両者は牽連犯となる。

▼にせの千円札をつかまされた者が、これを使うこと三〇〇〇円以下の罰金

Aは、駅前で洋品店を開いていた者であるが、某夜、売上金をかぞえているときに、その中に、一〇〇〇円のにせ札がまじっていることを発見したが、警察にとどければ一〇〇〇円損をしてしまうと考え、駅に行き、駅の売店でにせの千円札を出してたばこチェリー一箱を買い、九〇〇円のつりを受け取った。

偽造通貨収得後知情行使罪は、貨幣・紙幣・銀行券を収得したあとで、それが偽造または変造されたものであることを知って、これを行使しまたは行使の目的で人に交付することによって成立する（一五二条）。この罪が名価三倍以下の罰金・科料と、とくにその刑が軽いのは、にせ金をそうとは知らずに収得した者が、その後、それがにせ金であることを知ったばあいに、自分の損害を他に転嫁しようとすることは、人間の弱みとして往々みられるところで、情においてある程度同情に値するものであるということが考慮されたものである。このばあい、にせ金を使って財物をだましとったときでも、本罪のみが成立し、詐欺罪は成立しな

い。そうでなければ、本罪にとくに軽い刑を定めた趣旨が没却されることになろう。

通貨偽造準備罪は、貨幣・紙幣・銀行券の偽造・変造のために用いる目的で、器械または原料を準備することによって成立する（一五三条）。通貨の偽造・変造は、その未遂も処罰されるが（一五一条）、未遂に至らない予備行為のうち、器械・原料を準備する行為を独立の犯罪として処罰することとしたものである。「偽造又は変造の用に供する目的」は、犯人自身の偽造・変造の用に供する目的であると、他人の偽造・変造の用に供する目的であるとをとわない。「器械」とは、印刷機・写真機など、偽造・変造のために使うことのできる一切の器械を意味し、偽造・変造に直接必要なものにかぎらないが、毛筆などのように器械といえないような単純な道具は含まれないであろう。「原料」とは、たとえば、地金・用紙・印刷用インクなどである。

◇外国に於て流通する貨幣紙幣銀行券証券偽造変造及模造に関する法律（明治三八年）

第一条　①流通せしむるの目的を以て外国に於てのみ流通する金銀貨、紙幣、銀行券、帝国官府発行の証券を偽造し又は変造したる者は重懲役又は軽懲役に処す

②金銀貨以外の硬貨を偽造し又は変造したる者は軽懲役又は二年以上五年以下の重禁錮に処す

第二条　流通せしむるの目的を以て偽造又は変造に係る前条に記載したる物を帝国若は外国に輸入したる者は前条の例に同じ

第三条　①情を知て偽造又は変造に係る第一条に記載したる物を行使し若は流通せしむるの目的を以て授受したる者は軽懲役又は六月以上五年以下の重禁錮に処す

②取得したる後其の偽造又は変造なることを知て行使し若は流通せしむるの目的を以て授付したる者は其の名価三倍以下の罰金に処す。但二円以下に降すことを得ず

第四条　〔予備〕（略）

第五条　①販売するの目的を以て第一条に記載したる物に紛はしき外観を有する物を製造し又は帝国若は外国に輸入したる者は二年以下の重禁錮又は二〇〇円以下の罰金に処す

②前項に記載したる物を販売したる者は前項の例に同じ

（以下略）

◇通貨及証券模造取締法（明治二八年）

第一条　貨幣、政府発行紙幣、銀行紙幣、兌換銀行券、国債証券及地方債証券に紛はしき外観を有するものを製造し又は販売することを得ず

第二条　前条に違犯したる者は一月以上三年以下の重禁錮に処し五円以上五〇円以下の罰金を附加す

（以下略）

〔注〕「重懲役」「軽懲役」「重禁錮」はいずれも有期懲役の意味である（刑法施行法二条）。

第17章
文書偽造の罪

第一五四条【詔書等の偽造・変造】 ①行使の目的を以て御璽、国璽若くは御名を使用して詔書其他の文書を偽造し又は偽造したる御璽、国璽若くは御名を使用して詔書其他の文書を偽造したる者は無期又は三年以上の懲役に処す
②御璽、国璽を押捺し又は御名を署したる詔書其他の文書を変造したる者亦同じ

第一五五条【公文書の偽造・変造】 ①行使の目的を以て公務所又は公務員の印章若くは署名を使用して公務所又は公務員の作る可き文書若くは図画を偽造し又は偽造したる公務所又は公務員の印章若くは署名を使用して公務所又は公務員の作る可き文書若くは図画を偽造したる者は一年以上一〇年以下の懲役に処す
②公務所又は公務員の捺印若くは署名したる文書若くは図画を変造したる者亦同じ
③前二項の外公務所又は公務員の作る可き文書若くは図画を偽造し又は公務所又は公務員の作りたる文書若くは図画を変造したる者は三年以下の懲役又は三〇〇円以下の罰金に処す

第一五六条【虚偽の公文書の作成】 公務員其職務に関し行使の目的を以て虚偽の文書若くは図画を作り又は文書若くは図画を変造したるときは印章、署名の有無を区別し前二条の例に依る

第一五七条【公正証書等の原本に虚偽を記載すること】 ①公務員に対し虚偽の申立を為し権利、義務に関する公正証書の原本に不実の記載を為さしめたる者は五年以下の懲役又は一〇〇〇円以下の罰金に処す
②公務員に対し虚偽の申立を為し免状、鑑札又は旅券に不実の記載を為さしめたる者は一年以下の懲役又は三〇〇円以下の罰金に処す
③前二項の未遂罪は之を罰す

第一五八条【偽造公文書の行使】 ①前四条に記載したる文書又は図画を行使したる者は其文書又は図画を偽造若くは変造し又は虚偽の文書若くは図画を作り又は不実の記載を為さしめたる者と同一の刑に処す

②前項の未遂罪は之を罰す

今日、われわれの社会生活において、お互に意思を伝達しあい、取引を円滑かつ確実に行なうために文書のもつ役割は大きい。法律的な権利義務関係についてはもちろんのこと、各種の取引をはじめとして、社会生活における重要な事実関係についても、文書によってその存在が示され証明されるのが一般である。これは、文書がもっているところの明確さと確実さとから、文書に対する社会一般の信頼度が高いからである。そこで、本章の規定する文書偽造の罪は、このような文書に対する信用を害するような行為を処罰することによって、文書に対する社会一般の信用を保護しようとするものである。もちろん、文書が偽造されると、勝手に自分の氏名を使われた者の個人的信用が損われたり、また、偽造文書が詐欺の手段として用いられ、これを信用した相手方が財産的損害をこうむることもすくなくない。しかし、文書偽造の罪が直接に保護しようとしているのは、社会に対する社会一般の信用であるから、文書偽造の罪の成立には、文書の偽造などの行為によって文書に対する社会一般の信用が害される危険が生ずれば足り、それ以上に、文書の作成名義を冒用された者とか偽造文書を行使された相手方が財産的損害をうけたり、その他特別の法益が侵害されたことは必要でない。なお、勝手に他人名義の文書を作っても、その内容が真実であったばあいに文書偽造罪が成立するかどうかについては説が分かれているが、通説・判例（大判大四・九・二一刑録二一・一三九〇）は、文書に対する社会一般の信用を十分に保護するためには、たとえ内容が真実と合致していても、他人名義を冒用して文書を作れば、文書偽造罪が成立するとしている（形式主義）。

まず、文書偽造罪の客体となる文書の一般的意義を説明することとしよう。「文書」とは、多少継続すべき状態において物体の上に記載された意思または観念を確定的に表示したものをいい、文字その他の発音的符号（たとえば、電信符号、速記の符号、盲人用点字など）によるもの（狭義の文書）と象形的符号によるもの（図画）とがある。そこで、たとえば、土地の境界をあきらかにするために作成された図面などは、ここにいう「図画」にあたるが、美術作品としての絵画などは、作成者の意思または観念の表示としての意味をもたないものであるから、ここにいう「図画」にあたらない。

さて、「文書」であるためには、多少継続すべき状態において物体の上に表示されたものであることが必要であるから、たとえば、砂の上に書かれた文字や板の上に水書きされた文字のようなものは文書とはいえない。文書の表示される物体は、多くのばあいは紙であろうが、これにかぎる必要はなく、皮・木板・石材・陶器・金属板などいずれでもよく、表示の方法も制限されていないから、インク・墨で記載しようと、タイプライター・印刷機で印刷しようと薬品を用いて木材などに焼きつけようとをとわない。また、文書は、一定の意思または観念を表示されたものであることを必要とするから、番号札・下足札・門札などは文書とはいえない。しかし、完全に一定の意思または観念が表示されておらず表示が部分的に省略されていても、客観的・一般的にその意味内容を理解しうるものは文書といえる（省略文書）。判例によると、郵便局の日付印、郵便受付時刻証明書、印鑑紙、銀行の出金票、銀行の支払伝票などは文書であるとされている。もっとも、文字などがあまりにも省略されて、単なる署名・押印と同視されるようなときには、別に印章偽造罪が設けられている趣旨からいって、文書（省略文書）ではなく、むしろ印章・記号と解すべきであろう。そうした意味から、たとえば、郵便局の日付印は、公文書ではなく印章と解すべきであろう。「文書」は意思または観念が確定的なものとして表示されたものであることを必要とするから、草案や草稿は文書ではない。

次に、文書は一定の意思または観念の表示であるから、それを表示した者、すなわち、作成名義人の存在が必要である。そこで、作成名義人がだれであるかがわからないようなものは、文書偽造罪の客体としての文書とはいえない。もっとも、作成名義人の氏名を文書自体に表示することはかならずしも必要でなく、文書の内容・文体・筆跡などからだれが作成名義人であるかが理解できればよい。なお、作成名義人は、自然人であると法人であると法人格をもたない団体であるとをとわないこともちろんである。

▼架空人名義の文書を偽造しても文書偽造罪

京都府熊野郡川上村郵便局長Aは、架空人名義を用いて偽造の保険申込書を作成行使して、同局に割り当てられた簡易保険募集額の割当債務を達成したようによそおうとして、右郵便局において、架空人Bほか四名名義の保険申込書を作成し、これを京都地方簡易保険局に一括して送付し、受理させた。

本当は実在しない人の名義を使って文書を作ったばあいに、文書偽造罪が成立するかどうかについては見解がわかれているが、通説は、死亡者・架空人の名義の文書で作ったばあいでも、通常一般人をして実在者の真正な文書と誤信させるようなものであるならば文書偽造罪は成立するとし、判例も変遷はあったが最近では、この立場を肯定するに至っている（最判昭二八・一一・一三刑集七・一一・二〇九六）。なお、天照大神とか猿飛佐助とかいったように、一見して虚無人とわかるような名義を用いたばあいには、文書に対する社会一般の信用が害されるおそれがほとんどないから、文書偽造罪にあたらないこともちろんである。

さて、文書偽造罪は、その偽造の客体となる文書の性格、すなわち、それが詔書類であるか公文書であるか私文書であるかによって、その処罰をことにしている。**詔書偽造罪**は、行使の目的で、御璽（天皇の印）、国璽（日本国の印）、御名（天皇の署名）を使用して詔書その他の文書を偽造したまたは偽造した御璽・国璽・御名を使用して詔書その他の文書を偽造すること、または御璽・国璽が押してあるかまたは御名が記してある詔書その他の文書を変造することによって成立し（一五四条）、刑罰が他の文書偽造罪より重いが、実際にはあまりおこらない犯罪である。なお、本罪の客体は、詔書その他の公式の文書であって、天皇の私信は含まれない。

▼公務員の肩書を用いた広告文の偽造は私文書偽造

Aは、共産党佐賀県委員会の機関紙であった「新佐賀」の発行兼編集印刷人であったが、県労働基準局長名義の広告掲載の申込がなかったのに、勝手に、「新佐賀」紙上に、「祝発展　佐賀県労働基準局長 野口俊一」という広告文を掲載し、同紙を販売頒布した。

公文書偽造罪（一五五条）は、行使の目的で公文書を偽造または変造することによって成立する（目的犯）。「公務所又は公務員の作る可き文書」とは、公務所または公務員がその職務上作成する文書である。そこで、公務員の退職届は、たとえ公務員としての肩書が書かれていたとしても公文書でなく私文書であり、また公務員の肩書を用いて新聞紙の広告欄に掲載された広告文も公文書ではなく、その公務員名義の私文書である（最決昭三三・九・一六刑集一二・一三・三〇三一）。しかし、公文書は、公務所または公務員がその職務上作成する文書であるかぎり、公法上の関係で作成されたものであると私法上の関係で作成されたものであるとをとわないから、たとえば、大阪市電気局所属係員名義の物品納入契約書も公文書にあたる（大判昭一四・七・二六刑集一八・四四四）。なお、しばしば偽造の対象となる公文書としては、郵便貯金通帳、自動車運転免許証、外国人登録証明書、印鑑証明書などがある。公務所または公務員の作るべき図画の例として、判例は、日本専売公社の製造たばこ「光」の外箱は、同公社の製造にかかる製造たばこ「光」すなわち合法的な専売品であることを証明する意思を表示した図画であるから、公図画にあたるとしている（最判昭三三・四・一〇刑集一二・五・七四三）。

公文書偽造罪は、公務所または公務員の印章または署名を用いたばあいと用いなかったばあいとを区別して、法定刑に軽重を設けている。公務所または公務員の印章も署名もない公文書の例としては、たとえば、駅の名前の示す駅名札・物品税証紙・物品税表示証紙などがある。

〔1〕

▼巡査が勝手に運転免許証を作成する（公文書偽造）

交通係巡査Aは、市公安委員会の補助機関として運転免許証の作成交付の事務を担当する警察署長の事務補助者として、法定の資格を備えた者に対する運転免許証の作成交付の事務を担当していた者であるが、自動車運転試験に合格しておらず、運転免許をうける資格のないBに頼まれて、勝手に市公安委員会名義の運転免許証を作成し交付してやった。

〔2〕

▼電力区助役が職務権限外の電柱代金代理受領承諾書を勝手に作る（自己名義でも公文書偽造）

Aは、四国鉄道局高知電力区助役として、部内の出納事務を担当していたもので、対外部関係に関する証明公文書を作成する権限がなかったのに、第三者から金銭をだましとる手段として、内容虚偽の電柱代金代理受領承諾書を四国鉄道管理局高知電力区出納責任者A名義で作り、これに庁印として右電力区の公印を勝手に押し、A名の下にその私印を押した。

▼他人の自動車運転免許証の写真を自分のと貼りかえ、生年月日を変更する（公文書偽造）

〔3〕

Aは不正に入手したBの自動車運転免許証を使用し、行使の目的でBの写真を自分の写真に貼りかえ、生年月日欄に「昭和14年3月12日生」と記載のあるうち「14」の「1」をかみそりの刃で削り落し「昭和4年3月12日生」と改めた。

「偽造」とは、作成権限のない者が名義をいつわって他人名義の文書を作ることである。そこで、公務員でない私人が勝手に公務所または公務員の名義を冒用して、その作成権限に属する公文書を作れば、公文書の偽造となることもちろんであるが、公務員でも、職務上ある公文書の作成を補助しているにすぎない公務員が、勝手にその公文書を作成したばあい〔1〕（最決昭三四・六・三〇裁判集一三〇・三五一）とか、公務員がその職務権限と関係のない事項について自己名義で虚偽の内容の文書を作ったばあい〔2〕（最判昭三四・八・二八刑集一三・一〇・二九三二）には、公文書偽造罪が成立する。「変造」とは、権限のない者が真正に成立した他人名義の文書の内容に変更を加えることであるが、その変更によって文書の前後の同一性が害されないことが必要である。そこで、既存の文書を利用するばあいでも、その重要な部分を変更してまったく新しい別の文書とみられるようなものにしたときは、変造ではなく偽造である。判例は、たとえば、旅券の氏名・年齢・渡航地を変更したばあい（大判大三・一一・七刑録二〇・二〇五四）、郵便貯金通帳の記号・番号、貯金者の住所・氏名、預入および払戻金額を変更したばあい（大判昭二・九・九刑集六・三四七）、自動車運転免許証の写真をはがして自分の写真をはり生年月日を変更したばあい〔3〕（最決昭三五・一・一二刑集一四・一・九）などを偽造にあたるとしている。これに対して、郵便貯金通帳の貯金受入年月日または払戻年月日を変更したばあいは変造であるとされている（大判昭一一・一一・九新聞四〇七四・一五）。もっとも、公文書の偽造も変造も同一条文に規定され法定刑も同じであるから、両者の区別をやかましく論じてみても実益は乏しい。

公文書偽造罪が成立するためには、一般人が公務所または公務員がその権限内で作成した文書と信ずるに足る程度の形式・外観をそなえた文書を作成すれば足り、発行名義に多少の相違があっても（大判昭八・一〇・二刑集一二・一七二二）、若干の記載要件を欠いたものでもよい（最判昭二六・八・二八刑集五・九・一八二二）。

虚偽公文書作成罪は、公務員がその職務に関し、行使の目的で、内容の虚偽の文書・図画を作り、または文書・図画の内容を虚偽に変更することによって成立し、その処罰は、印章・署名があるかどうかによって区別され、それぞれ一五四条・一五五条のばあいと同様に取り扱うものとされている（一五六条）。一五六条にいう「変造」は、一五五条にいう変造とことなり、既存の文書の内容を虚偽に変更することをいう。そこで、本罪は、職務上、その文書を作成する権限のある公務員が、内容の虚偽の公文書を作ったり、既存の公文書に虚偽の記入をして内容を虚偽のものとする犯罪で、当該公文書を作成する権限のない公務員が勝手にその公文書を作成したばあいには公文書の偽造である。たとえば、公立高等学校の校長が同校を中途退学したたの教え子から頼まれ、卒業していないことを承知のうえで、同校の卒業証明書を発行してやったばあいには、本罪が成立するが、同校の事務員が校長の知らぬ間に勝手に卒業証明書を作ってやったばあいは公文書偽造罪となる。

▼離婚届をいつわりであると知りつつ受理しても戸籍吏は無罪

Bは、その妻Cと離婚したいと思い、離婚届に署名し判を押すよう説得したが、Cは、どうしても離婚を承知せず、離婚届に印は絶対に押さないとがんばるので、ついに、Cに無断で、その氏名を書き三文判を押した離婚届を作り、これを市役所の戸籍係に提出した。これを受け取った戸籍係Aは、偶然Cを知っており、Cが離婚の意思のないことを承知していたので、その離婚届がいつわりのものであることがわかったが、そのままこれを受理して戸籍に記入した。

当事者の届出にもとづいて記載される文書について、当該公務員がその届出事項の内容が虚偽であることを知りながら、記載したときに虚偽公文書作成罪が成立するか。当該公務員に届出事項が本当かどうかを審査して、届出事項が虚偽であることがあきらかなときには、これを拒否すべき義務および権限があるときに、届出事項が虚偽であることを知りながら届出通りに記載すれば本罪が成立することについては問題がなかろう。ところが、戸籍とか登記とかのように、当該公務員に届出書の形式面だけを審査しそれ以上に届出事項が真実かどうかについて実質的に審査する権限がないばあいに、届出事項が虚偽であること知りながら、これを受理して記載したときに本罪が成立するかどうかについては見解が分かれている。しかし、当該公務員に形式的審査権しかあたえられていないという点に着眼すれば、当該公務員が、届出人・申請人と共謀して自分の職務上の義務を不法に利用したばあいは別であるが、ただ偶然に届出事項が虚偽であることを知りながらこれを受理して記載したばあいには本罪を構成しないと解すべきであろう。

▼**部下の公務員が上司を利用して虚偽公文書を作成させたばあい（虚偽公文書作成罪の間接正犯をみとめる）**

〔1〕

Aは、某県地方事務所の総務課建築係として、一般建築に関する建築申請書類の審査、建築物の現場審査ならびに住宅金融公庫からの融資によって建築される住宅の建築設計審査、建築進行状況の審査およびこれらに関する文書の起案等の職務を担当していたものであるが、その地位を利用し、行使の目的で、まだ着工していないBの住宅の現場審査申請書に、建前が済んだ旨の虚偽の報告を記載し、これを右住宅の現場審査合格書の作成権限者である同地方事務所長Cに提出した。右の事情を知らなかったCは、その報告に記載されたとおりの建築が進行したものと誤信して、所要の記名・捺印をして現場審査合格書を作成した。

▼**兵役に服したことがない旨虚偽の事項を記載した証明願を役場に提出して村長名義の証明書を作らせても無罪**

〔2〕

Aは、本籍地大原村役場において、日本において兵役に服したことがない旨ならびに選挙に投票したことがない旨の虚偽の事項を記載した証明願各一通を同役場の係員Bに提出し、情を知らないBをして同村長Cから委任をうけていた村長のこの種証明書発行の職務に関し、行使の目的で、右証明書二通に順次同村長C名義の証明文の奥書および同村長職印を押捺させ、右各証明書記載の内容が事実相違ないことを証明する旨の同村長名義の虚偽の証明書二通を作成させた。

作成権限のない公務員が、作成権限のある公務員を利用して虚偽公文書を作ったり、公務員でない私人が公文書の作成権限をもつ公務員に虚偽の申出をして情を知らない公務員に内容の虚偽の公文書を作成させたばあいに、虚偽公文書作成罪の間接正犯として処罰されるかどうかが問題となる。判例は、右にあげた事例〔1〕については本罪の間接正犯の成立をみとめ（最判昭三一・一〇・四刑集一一・一〇・二四六四）、事例〔2〕についてはこれを否定している（最判昭二七・一二・二五刑集六・一二・一三八七）。しかし、本罪は、作成権限を有する者しか犯しえない身分犯の一種であるから、作成権限のない者による実現が不可能であること、およびて、刑法がとくに一五七条において一定の客体にかぎって本罪の間接正犯的形態を処罰し、しかもその法定刑を本罪より軽くしていることを考えあわすと、一五七条にあたるばあい以外は、その公文書を作成する権限のない者による本罪の間接正犯的形態は不可罰であると考えるべきであろう。

公正証書等不実記載罪は、公務員に対し虚偽の申立をして、権限・義務に関する公正証書の原本、または免状・鑑札・旅券に不実の記載させることによって成立する（一五七条一項・二項）。免状・鑑札・旅券のばあいは公正証書のばあいよりも法定刑が軽い。いずれの未遂も処罰される（三項）。

本罪は、公務員を利用して行なう虚偽公文書の作成で、虚偽公文書作成罪の間接正犯的形態である。したがって、本罪の成立には当該公務員がその申立が虚偽であることを知らないことが必要である。公務員に事情を打ち明けて不実の記載をさせたばあいには、その公務員は虚偽公文書作成罪の正犯となり、記載させた者はその教唆犯となろう。

「権利、義務に関する公正証書の原本」とは、公務員がその職務上作成する文書の原本で、権利義務に関する事実を公的に証明する効力を有するものをいい、たとえば、戸籍簿・土地登記簿・建物登記簿・住民登録法による住民票などがこれにあたる。「免状」とは、ある特定の人に対して、特定の行為を行なう権利をあたえる公務所または公務員の作成する証明書をいい、たとえば、医師や歯科医師の免許証、狩猟免状、自動車運転免許証などがこれにあたる。これは対して、外国人登録証明書・自動車検査証・試験の合格証書などは「免状」ではない。「鑑札」とは、公務所の許可・登録があったことを証明するものであって、公務所が作成下付し、その下付をうけた者がこれを備え付け、または携帯することを要するものをいい、質屋や古物商の許可証、犬の鑑札などがこれにあたる。「旅券」とは、公務所が、外国に渡航する一定の人に対して、その旅行を認許した旨を記した文書であって、旅券法にもとづいて発給されるものをいう。さて、本罪の客体は上述したものにかぎられるから、それ以外の客体については、本罪が成立しないこともちろんである。たとえば、市立の結婚相談所の係員に提出するカードに虚偽の事項を書き、面接に際して学歴その他についてうそを述べて、依頼人名簿に不実の事項を記載させても、本罪は成立しないこともちろんであるが、虚偽公文書作成罪の間接正犯的形態は本罪にあたらないかぎり不可罰とみるべきであるから、結局、無罪ということになる。

▼虚偽の登記申請をして、登記簿にその旨を記載させると（公正証書不実記載罪）

地面師A・Bらは、Cの宅地をだまし取ることを計画し、裁判官Dを欺いてCからAに右宅地の所有権移転登記手続をする旨の和解調書を作成させ、東京法務局某出張所に右和解調書の正本を添付した所有権移転登記申請書を提出して虚偽の申立をし、登記官吏Eをして、右宅地につきCからAへの所有権移転登記をさせた。

本罪の行為は、公務員に対し虚偽の申立をして当該公務員をして公正証書等に不実の記載をさせることである。「虚偽の申立」には、申立事項に虚偽のあるばあいだけでなく申立人に関して虚偽のあるばあいも含まれる。申立の方法は、口頭によると書面によるとをとわないし、自分の名義でするか他人名義でするとをとわない。なお、中間省略登記について、すなわち、たとえば、AからBがAの所有地を買い、それをさらにBからCが買ったばあいに、実際の所有権移転どおりにA→B→Cという移転登記をしないで、Aから直接Cに所有権が移転したように申請し、その旨を登記簿に記載させたばあいについて、古い判例（大判大八・一二・二三刑録二五・一四九一）は、本罪の成立を肯定したが、これに対して学説は強く反対し、第三者に対する対抗要件にすぎない登記の省略は許されたことであるから本罪は成立しないとしている。その後、本罪の成立をみとめた判例は出ていないし、かえって傍論的ではあるが、中間省略登記の適用性を肯定した下級審判例もみられるので、右の判例は、実際上変更されたものとみてよかろう。

▼偽造免許証をもって自動車を運転——偽造公文書行使罪は不成立

〔1〕

Aは、自動車の運転手として働こうと思い、第一種原動機付自転車運転免許証の交付をうけ、これを使って大型自動車運転免許証を偽造し、タクシー会社に運転手として採用してもらい、偽造の自動車運転免許証を携帯してタクシーを運転した。

▼**偽造の郵便貯金通帳を情婦に渡す**（偽造公文書の行使）

〔2〕

Aは、B子と私通していたが、B子からその将来のために貯金をしてくれるよう懇請されたが、預金をするような金がなかったので、郵便貯金通帳を偽造してこれをB子に贈与しようと企て、郵便貯金通帳を偽造し、これを真正に成立したもののようによそおって、B子に交付した。

偽造公文書・虚偽公文書行使罪は、偽造・変造の公文書または虚偽の記載がされた公文書を行使することによって成立し、その未遂も処罰される（一五八条）。「行使」とは、偽造文書・虚偽文書を真正なものまたは内容の真実なものとして使用することをいう。したがって、偽造等の情を知らない者に対して使用するばあいにかぎられる。行使の方法は、文書の種類によって、提示・交付・送付・備付けなどいずれの方法でもよい。たとえば、登記簿のように一定の場所に備えつけて閲覧に供すべき性質のものは、一定の場所に備えつければ行使にあたる。なお、行使といえるためには、相手方が文書の内容を認識しうる状態におくことを必要とするから、右にあげた事例〔1〕のように、自動車を運転する際に偽造の運転免許証をポケットまたは自動車内に携帯しているだけでは、まだ他人にそれを真正なものとして随時閲覧する状態におかれていないから、行使にはあたらない（最判昭四四・六・一八刑集二三・七・九五〇）。しかし、文書の内容を認識しうる状態におけば足り、それ以上に相手方が現に閲覧したことは必要としないから、偽造文書を郵便で発送するばあいには、それが相手方に到達すれば、行使は既遂となる。行使は、かならずしも文書をその本来の用法にしたがって使用するばあいにかぎられないから、右にあげた事例〔2〕のばあいにも行使といえる。

行使の目的で公文書を偽造し、これを行使したばあいは、公文書偽造罪と行使罪とは牽連犯となる。また、偽造公文書を行使して財物を騙取したときは、行使罪と詐欺罪との牽連犯となるとするのが、通説・判例（大判明四四・一一・一〇刑録一七・一八七一）である。

第一五九条【私文書偽造・変造】 ①行使の目的を以て他人の印章若くは署名を使用して権利、義務又は事実証明に関する文書若くは図画を偽造し又は偽造したる他人の印章若くは署名を使用して権利、義務又は事実証明に関する文書若くは図画を偽造したる者は三月以上五年以下の懲役に処す
②他人の印章を押捺し若くは他人の署名したる権利、義務又は事実証明に関する文書若くは図画を変造したる者亦同じ
③前二項の外権利、義務又は事実証明に関する文書若くは図画を偽造又は変造したる者は一年以下の懲役又は一〇〇円以下の罰金に処す

第一六〇条【虚偽の私文書の作成】 医師公務所に提出す可き診断書、検案書又は死亡証書に虚偽の記載を為したるときは三年以下の禁錮又は五〇〇円以下の罰金に処す

第一六一条【偽造私文書の行使】 ①前二条に記載したる文書又は図画を行使したる者は其文書又は図画を偽造若くは変造し又は虚偽の記載を為したる者と同一の刑に処す
②前項の未遂罪は之を罰す

私文書偽造罪（一五九条）は、行使の目的で、他人の権利・義務または事実証明に関する文書・図画を偽造または変造することによって成立する（目的犯）。文書偽造罪の客体となる文書は、法律上意味のあるものでなければならない。これは、文書偽造罪が公共の信用に対する罪であるところからの要件である。ところで、詔書・公文書は、いずれも当然、その内容が法律上意味のあるものであるので、刑法は別段の限定をしていないが、私文書については、「権利、義務又は事実証明に関する文書」と限定している。「権利、義務に関する文書」とは、法律上の権利・義務の発生、存続、変更、消滅についての事項を記載した文書で、たとえば、銀行の支払伝票、送金を依頼する電報頼信紙、借用証書、遺言書、売買の申込書または承諾書などがこれにあたる。「事実証明に関する文書」とは、実社会生活に交渉を有する事項を証明するに足りる文書であるとするのが判例（大判大九・一二・二四刑録二六・九三八）であるが、これではほとんどすべての私文書が含まれることになり限定の意味を失ってしまうことになろう。法律関係になんらかの影響を及ぼすべき日常生活上の事実を証明するに足りる文書と解すべきであろうか。判例が事実証明に関する文書とみとめたものとしては、

書画の箱書、郵便局に対する転居届、議員候補者の推せん状、履歴書、紹介状などがある。なお、単なる書画のような芸術的作品は事実証明に関する文書にはあたらない。

私文書偽造罪は、公文書偽造罪と同じように、他人の印章・署名を用いたばあいと用いなかったばあいとを区別して、法定刑に軽重を設けている。

▼賃貸借契約書の条項を勝手に書きかえる（私文書変造罪）

〔1〕

Aは自己の所有の店舗をBに貸したが、あとになって、勝手に賃貸借契約証書の第四条の賃貸料に関する条項の末尾に「賃貸料は二年間毎に更新する事」と書き加えた。

▼代理名義を冒用すれば私文書偽造罪

〔2〕

Aは、Bから同人の署名のある売渡価格二〇〇円の売渡契約書を受け取り、この価格で電話を買戻約款付で売り渡すことを依頼されたところ、Aの代理人名義を用いてCあての売渡価格三〇〇円の売渡契約書を作成した。

▼使用目的が限定されてあずかった白紙委任状に勝手に書き込むと私文書偽造

〔3〕

AとBは、他の用件に使用する目的で、Cから、Cの氏名が記載され、その名の下と印紙貼用部分とに実印が押してある本文が記載されていない白紙委任状用紙をあずかっていたが、Cの承諾をえずに勝手に、DがAから六〇万円を借りるについて連帯保証人となる保証契約締結をBに委任する旨の文句を記入して、C名義の保証契約締結の委任状を作成した。

「偽造」「変造」の意義については、公文書偽造罪で述べたところ（一七〇頁）を参照。なお、代理権・代表権のない者が他人の代理資格、代表資格を冒用して文書を作成したばあい、たとえば、Aの代理人でもないBが、勝手に「A代理人B」と書いた借用証書を作ったり、C株式会社の代表取締役ではないDが勝手に「C株式会社代表取締役D」と書いた契約書を作ったばあいに、文書偽造罪を構成するかどうかについて見解がわかれているが、判例は、そうした文書の法律上の効果は本人に帰属するものであるから、その文書の名義人は本人であり、したがって代理資格・代表資格の冒用は、本人の名義をいつわったものとして文書偽造罪になるとしている（大判昭四二・六・一〇刑録一五・七三八）。なお、判例と結論は同じであるが、代理資格・代表資格を用いて作成された文書においては、代理資格・代表資格と氏名とを合わしたものが一体として一つの作成名義になっているものと解し、この点についていつわりがあるから作成名義をいつわったものとして文書の偽造と解すべきであるとする見解もある。また、代理権・代表権を有する者が、その権限の範囲をこえて代理名義・代表名義を用いて文書を作成したばあいも、代理資格・代表資格の冒用の一種であるから文書偽造罪の成立をみとめるべきであろう。これに反して、代理権・代表権を有する者が、その権限の範囲内で、その権限を濫用して、代理名義・代表名義を用いて文書を作成したばあいは、作成名義をいつわっていないから文書偽造罪にはあたらない（なお、本人との関係で背任罪その他が成立するかどうかは別論である）。

虚偽診断書等作成罪は、医師が公務所に提出すべき診断書・検案書・死亡証書に虚偽の記載をすることによって成立する（一六〇条）。私文書について虚偽文書作成が処罰されるのは、刑法では本罪のばあいだけである。「診断書」とは、医師が診断の結果を表示して人の健康状態を証明するために作成する文書をいい、「検案書」とは、死体について死亡の事実を医学的に確認した結果を記載した文書をいい、「死亡証書」とは、生前から診療に従事していた医師が患者の死亡したときに死亡の事実を確認して作る一種の診断書（死亡診断書）をいう。公務所に提出すべき診断書・検案書・死亡証書に虚偽の記載をしたばあいにのみ処罰されるものであるので、たとえば、医師が結核患者から、婚約の相手方に示すために、結核にかかっていない旨の証明書を書いてほしいと頼まれ、同人が結核にかかっていない旨の健康証明書を書いてやったとしても本罪は構成しない。なお、ここにいう「虚偽の記載」とは客観的に真実に反する記載であることを必要とする。そこで、医師が虚偽であると誤信していても、その記載が客観的に真実であれば本罪は成立しない。

偽造私文書等行使罪は、一五九条・一六〇条に記載された文書・図画を行使することによって成立し、その未遂も処罰される（一六一条）。「行使」の意義については、偽造公文書・虚偽公文書行使罪の項（一七五頁）を参照。

第18章　有価証券偽造の罪

第一六二条【有価証券の偽造・変造・虚偽記入】①行使の目的を以て公債証書、官府の証券、会社の株券其他の有価証券を偽造又は変造したる者は三月以上一〇年以下の懲役に処す
②行使の目的を以て有価証券に虚偽の記入を為したる者亦同じ
第一六三条【偽造有価証券の行使等】①偽造、変造の有価証券又は虚偽の記入を為したる有価証券を行使し又は行使の目的を以て之を人に交付し若くは輸入したる者は三月以上一〇年以下の懲役に処す
②前項の未遂罪は之を罰す

有価証券は今日の社会生活において経済取引上きわめて重要な役割を演じており、とくに、小切手・手形などのようにほとんど通貨に等しい機能をいとなんでいるものもある。そこで、刑法は、この有価証券の偽造等の行為を一般の文書のばあいと区別して、本章で特別に処罰することとしている。

有価証券偽造罪は、行使の目的で有価証券を偽造・変造することによって成立し、**有価証券虚偽記入罪**は行使の目的で有価証券に虚偽の記入をすることによって成立する（一六二条）。

▼**定期券の偽造は、有価証券偽造罪**

Aは、印刷工として京都の自宅から大阪市内の印刷会社へ阪急電車を利用して通勤していたものであるが、某日、自宅において、行使の目的で勤務先の会社で入手した地図紙片を使って、阪急電鉄会社発行の通勤定期乗車券一枚を偽造した。

有価証券は、財産上の権利を表示する証券であって、その権利の行使または処分のためにその証券の占有を必要とするものであるとされている。一六二条は、有価証券の例示として、公債証書（国債・地方債）、官府

の証券（大蔵省券・郵便為替証書など）、会社の株券をあげている。そのほか、有価証券の例としては、小切手・手形・貨物引換証・社債券・商品券・鉄道乗車券・急行券・定期乗車券・外国貿易支払票などがある。なお、本罪の客体となる有価証券は、わが国で発行されたものか、またはわが国において流通するものにかぎられる（大判大三・一一・一四刑録二〇・二一一一）。

有価証券偽造罪・同虚偽記入罪は、いずれも行使の目的でなされることが必要である（目的犯）。「行使の目的」とは、真正の有価証券として使用する目的をいい、かならずしも具体的に他人に対しその証券を輾転流通させる目的があることを必要としない。そこで、たとえば、手形を流通させるためでなく、真正の手形として親族に呈示させるためであったときでも行使の目的があったといえる（大判明四四・三・三一刑録一七・八三三）。

▼白地手形をだましとり、勝手に補充する（有価証券偽造）

Aは、Bをだまして、約束手形の用紙に振出人として署名させて、これを受け取った後、行使の目的で勝手にその他の手形要件を記載して金額三〇万円のB名義の約束手形を完成した。

「偽造」「変造」については、文書偽造罪において述べたことが妥当する（一七〇頁参照）。すなわち、「偽造」とは、作成権限のない者が、他人名義を冒用して有価証券を作成することをいい、「変造」とは真正に成立した有価証券に権限なしに変更を加えることであるが、その変更によって有価証券の同一性が失われないことが必要である。たとえば、宝くじの当せんが確定した後に、空くじの番号を当せん番号に変更することなどは偽造にあたり、手形の振出日付、受取日付をほしいままに変更することは変造にあたろう。なお、「偽造」といえるためには、その形式上一般人に真正の有価証券であると誤信させる程度の外観をそなえたものを作成することが必要であるが、その程度に達していれば、その記載内容、券面の形式などが真正の有価証券と完全に一致していなくてもよく、また、名義人が実在していなくてもよい。たとえば、架空人名義の約束手形を作成しても、それが外形上一般人をして真正に成立した有価証券と誤信させる程度のものであれば、偽造にあたる（最判昭三〇・五・二五刑集九・六・一〇八〇）。「虚偽記入」とは、作成権限のある者が有価証券に真実に反する記載をすることをいうと解する。たとえば、倉庫業者が自己名義の預証券を作成するにあたって、まだ現物の寄託がないのにあったように虚偽の記載をしたばあいが、虚偽記入にあたるものといえよう（大判大一二・二・一五刑集二・七三）。ところが、このような見解に反して、判例は、他人名義を冒用して有価証券の発行・振出といった基本的証券行為をしたときだけが偽造であって、虚偽記入とは、それ以外、有価証券に真実に反する記載をするすべての行為をさすものであるとしている（大判大二・六・一二刑録一九・七〇五）。そこで、裏書・引受・保証といったいわゆる附従的証券行為については自己名義を使用したばあいであると他人名義を冒用をしたばあいであるとをとわないということになる。したがって、他人名義を冒用して手形に裏書したときは判例では虚偽記入ということになるが、前説では偽造ということになろう。前説は、文書偽造罪と本罪とをパラレルに考えて、偽造・変造は作成名義をいつわることであり、虚偽記入は作成権限のある者が内容の真実をいつわるものと解そうとするものである。もっとも、偽造も虚偽記入も項はちがうが同一法条にあたり法定刑も同じであるから、この区別は実際上はあまり意味はない。

偽造有価証券等行使罪は、偽造・変造の有価証券または虚偽の記入をした有価証券を行使し、または行使の目的で交付しあるいは輸入することによって成立し、その未遂も処罰される（一六三条）。「交付」「輸入」については、行使の目的が必要である。「行使」とは、真正なまたは内容の真実な有価証券として使用することで、通貨のばあいとことなり、かならずしも流通におくことを必要としない。「交付」「輸入」については、通貨偽造罪の項（一六二頁）参照。

第19章

印章偽造の罪

第一六四条【天皇および日本国の印の偽造・不正使用】①行使の目的を以て御璽、国璽又は御名を偽造したる者は二年以上の有期懲役に処す
②御璽、国璽又は御名を不正に使用し又は偽造したる御璽、国璽又は御名を使用したる者亦同じ

第一六五条【公印の偽造・不正使用】①行使の目的を以て公務所又は公務員の印章若くは署名を偽造したる者は三月以上五年以下の懲役に処す
②公務所又は公務員の印章若くは署名を不正に使用し又は偽造したる公務所又は公務員の印章若くは署名を使用したる者亦同じ

第一六六条【公記号の偽造・不正使用】①行使の目的を以て公務所の記号を偽造したる者は三年以下の懲役に処す
②公務所の記号を不正に使用し又は偽造したる公務所の記号を使用したる者亦同じ

第一六七条【私印の偽造・不正使用】①行使の目的を以て他人の印章若くは署名を偽造したる者は三年以下の懲役に処す
②他人の印章若くは署名を不正に使用し又は偽造したる印章若くは署名を使用したる者亦同じ

第一六八条【未遂】第一六四条第二項、第一六五条第二項、第一六六条第二項及び前条第二項の未遂罪は之を罰す

印章・署名は、人の同一性を示すものとして、文書や有価証券を作成するときに使用され、その一部として意味をもつことが多い。しかし、このように文書・有価証券の一部をなさないときにも、印章・署名は、ある事項と特定の人との間に一定の連絡のあることを証明するといった社会生活上重要な機能をもつものである（たとえば、書画の落款、封筒面の署名など）。そこで、印章・署名の偽造・不正使用等はそれ自体公共の信用を害する危険がある。こうした点を考慮して、刑法は、印章・署名に対する公共の信用を保護法益とする印章偽造の罪を独立の犯罪として本章に規定した。

このように、印章・署名は独立の意義をもつものであるが、また、文書・有価証券の一部として意味をもつことが多いものであることは上述したとおりである。そこで、文書・有価証券を偽造する手段として、印章・署名の偽造・不正使用が行なわれることが多い。このばあい、文書偽造罪・有価証券偽造罪の既遂が成立したときには、その手段としての印章・署名の偽造等は文書偽造罪・有価証券偽造罪に吸収されるが、それらが未遂に終わったときには、印章偽造の罪が成立する。このばあいは、印章偽造の罪は、文書偽造罪・有価証券偽造罪の未遂的形態である。

印章偽造の罪の客体は、印章（記号を含む）・署名である。本罪は、印章・署名に対する公共の信用を保護しようとするものであるから、本罪の客体としての印章・署名は、法律上あるいは取引上重要なものであることが必要である。そこで、たとえば、絵葉書などに押す神社・寺の記念スタンプとか映画や野球のスターがファンの求めに応じてするサインとかは、本罪の客体に含まれない。これに反して、書画に使用される印章（雅号印）は、その真正を証明するものとして法律上、取引上重要性をもつものであるから、ここにいう印章にあたる（大判大三・六・三刑録二〇・一一〇八）。

「印章」は、それが物体の上に押された文字その他の符号の影跡（印影）にかぎられるか、それとも、印章をあらわすために文字その他の符号を刻んだ物体（印顆(いんか)、俗にいうハンコ）を含むかについて見解が対立しているが、通説・判例（大判明四三・一一・二一刑録一六・二〇九三）は、印顆も含むとしている。そこで、判例によると、他人のハンコを勝手に作りこれを押して印章を偽造しようとするばあいは、そのハンコを作り上げたときに印章偽造は既遂ということになる。「署名」とは、自己を表示するために文字によって氏名（氏または名だけでもよい）その他の呼称（商号、法人の略号、屋号、雅号など）を表記したものをいう。署名については、それが自署にかぎられるかどうかについて見解が対立しているが、多数説および判例（大判明四五・五・三〇刑録一八・七九〇）は、自署にかぎられず、代筆・印刷等によるいわゆる記名も含まれると解している。

▼**全国選挙管理委員会の検印の偽造は公印偽造罪にあたる**

Aは、選挙運動用のポスターを沢山作ることを企て、行使の目的で、東京都中央区所在の参議院議員候補者B選挙事務所の二階で、B候補者の選挙運動のために使用するポスター約一五〇〇枚に、偽造した全国選挙管理委員会の検印を押捺した。

次に、刑法は、公務所の「印章」(一六五条)と公務所の「記号」(一六六条)とを別個に規定しているので、印章と記号との区別が問題となる。ところが、この点について判例の態度は一貫しておらず、印章と記号との区別の標準を押される目的物がなんであるかにもとめ、文書に押して証明の用に供するのが印章で、産物・商品・書籍などに押するものが記号であるとする判例(大判大三・一一・四刑録二〇・二〇〇八、最判昭三〇・一・一一刑集九・一・二五)と、押される目的物がなんであるかにかかわらず、公務所の名を表面にあらわしているものは公務所の印章で、その名を表わしてないものが公務所の記号であるとする判例(大判大一一・三・一五刑集一・一四七)とがある。そこで、たとえば、図書に押してある「東京大学附属図書館蔵書印」は、前の判例の立場では記号、後の判例の立場では印章ということになる。学説もそれぞれの判例に賛成するものに分かれているが、本来、印章は主体の同一性を証明するものであるから、印章と記号との区別は、押される目的物によって、それが文書であるか産物・商品・書籍等であるかによって区別さるべきではなく、主体の同一性を表示するものが印章、その他の事項を証明するにすぎないものを記号と解するのが妥当ではないかと考える。そこで、記号には、主体が表示されていることは必要でないが、印章には主体が表示されていることが必要である。そこで、産物・商品等に押された公務所名の表示されていない印は、いずれの立場からも記号とされる。たとえば、立木に押す「検」および「山」という極印、官林払下予定木に押す官署の表示のない検印、税関を表示する文字のない日付印、税務署が納税の書類に押す「済」の印などは記号である。なお、記号について、私人の記号の偽造等が処罰されるかどうかが問題となる。判例は、私人の記号の偽造は一六七条の私印偽造に含まれるとしている(大判大三・一一・四刑録二〇・二〇〇八)。しかし、刑法が印章と記号とを区別し、公務所の記号についてだけとくに一六六条を設け、私人の記号については特別の規定がないところからいって、私人の記号は一六七条の印章には含まれないと解すべきであろう。

行為は、印章（記号を含む）・署名の偽造・不正使用、偽造の印章・署名の使用である。偽造は行使の目的でなされることを必要とする（目的犯）。不正使用・使用は、その未遂も処罰される（一六八条）。

印章の「偽造」とは権限なしに他人の印章を作り出すことであり、署名の「偽造」とは権限なしに他人の署名を記載することをいう。それが真印、真正の署名に酷似していることは必要でないが、通常一般人が一見して本物の印・署名であると誤認する程度のものであることを必要とする。たとえば、「大阪法務局岸和田支局」および「津地方法務局宇治山田支局の印」の印章と誤信させるために、「大阪法務社岸和田支局」および「津地方新聞宇治山田支局の印」という印のそれぞれ「社」「新聞」の部分を、ことさら不鮮明に押捺した事案について、印章偽造になるという趣旨を示した判例がある（最決昭三一・七・五刑集一〇・七・一〇二五）。偽造の方法はとわない。印章を偽造するばあい、有合印を使用しても、また朱筆で描写して印影を作り出しても偽造である。署名の偽造は、筆と墨・ペン・鉛筆で書いても、カーボン紙を用いて書いてもよい。

印章・署名の「不正使用」とは、他人の真正の印章・署名を権限なしに、その用法にしたがって他人に対して使用することであり、偽造の印章・署名の「使用」とは、真正でない印章・署名を真正なものとして、その用法にしたがって他人に対して使用することである。このばあい、単に印影・署名を作り出すだけでは使用ではなく、他人が閲覧しうる状態におくことが必要である。そこで、たとえば、白紙に他人の印章を盗捺しただけでは、印章の不正使用の予備がみとめられるにすぎない（大判昭四・一一・一刑集八・五五七）。

印章偽造の罪は、御璽等偽造・不正使用罪（一六四条）、公印等偽造・不正使用罪（一六五条）、公記号偽造・不正使用罪（一六六条）、私印等偽造・不正使用罪（一六七条）に分けられ、法定刑に軽重がある。「公務所又は公務員の印章」とは、公務上使用される印章をいい、それが職印であると、私印・認印であるとをとわないとされている（大判昭九・二・二四刑集一三・一六〇）。

第20章　偽証の罪

第一六九条【偽証】法律に依り宣誓したる証人虚偽の陳述を為したるときは三月以上一〇年以下の懲役に処す

第一七〇条【偽証の自白】前条の罪を犯したる者証言したる事件の裁判確定前又は懲戒処分前自白したるときは其刑を減軽又は免除することを得

第一七一条【虚偽鑑定・虚偽通訳】法律に依り宣誓したる鑑定人又は通事虚偽の鑑定又は通訳を為したるときは前二条の例に同じ

裁判所に証人として呼び出されると、宣誓させられるのが一般である。証人が宣誓書という書面を読みあげた後、その書面に署名し印を押すと、「法律により宣誓した証人」ということになる。こうした証人がうその証言をすると、偽証罪で処罰される（一六九条）。すなわち、偽証罪は、法律により宣誓した証人が虚偽の陳述をしたばあいだけを処罰することとしている。宣誓していない証人や捜査段階で参考人といわれる人がうそをいっても偽証罪で処罰されることはない。

宣誓書

宣　誓

良心に従って、真実を述べ、何事も隠さず、偽りを述べないことを誓います。

証人　甲野太郎

▼証言拒絶権のある者でも宣誓のうえ虚偽の証言をすると偽証罪

公職選挙法違反で起訴されたBは、その事件の証人として裁判所が呼び出しをうけたAに対して、自分に有利になるよう虚偽の証言をしてくれと頼んだ。Aは、本当のことをいうと自分も選挙違反でつかまるおそれがあったので、Bの頼みに応じて、公判廷で宣誓のうえ、虚偽の証言をした。

宣誓をすると裁判官から「宣誓した以上うそをいうと偽証罪で処罰されることになるからうそをつかない

ように」といった注意（偽証の罰の告知）がなされなければならないが、この偽証の罰を告げられなかったときでも、宣誓したうえでうその証言をすれば偽証罪が成立する。しかし、たとえば、低脳の男とか幼児とかのように、宣誓の意味を理解することができないような者にあやまって宣誓させてしまったようなときには（刑訴一五五条、民訴二八九条参照）、その者がうそをいっても偽証罪は成立しない。なお、証言拒絶権のある者（刑訴一四四条以下、民訴二八〇条・二八一条）でも、宣誓のうえ証人として虚偽の陳述をすれば偽証罪の責任を負う。たとえば、右にあげた事例のAのように、本当のことをいうと自分が刑事訴追をうけまたは有罪判決をうけるおそれがあるときには証言を拒むことができるが（刑訴一四六条）、公判廷ですすんで宣誓のうえ証人としてうその証言をすれば、偽証罪の罪責は免れない（最決昭二八・一〇・一九刑集七・一〇・一九四五）。また、民事事件で、証人が自分や近親者にいちじるしい利害関係がある事柄について証言を求められたばあいには、この証人は宣誓を拒絶することができる（民訴二九一条）。しかし、この権利を行使しないで宣誓をしたうえでうその証言をすると、このばあいも偽証罪で罰せられる。

わが国の刑事訴訟法では、被告人は自分の被告事件について証人とはなれないから、被告人は虚偽の供述をしても処罰されないこともちろんである。しかし、右にあげた事例のBのように被告人が自分の被告事件について他人を教唆して虚偽の証言をさせたときは、他人に偽証罪を犯させてまでして自分の罪を逃れようとすることはゆるされないから、偽証教唆罪が成立する（大判明四三・六・一四刑録一六・一一九一）。

▼記憶に反する陳述をすればそれが客観的な真実と合致していても偽証罪となる

Aは、証人として宣誓のうえ、BがCにアルコール一〇〇〇箱を売約するにあたって、その引渡場所について当事者間に特約があったかどうかを知らなかったにもかかわらず、その記憶に反して、右アルコールの引渡は某商会の倉庫内でなすべき契約があって、売買契約書にその旨の記載があったかどうかわからないが、口頭または書面で引渡場所の約束があったことはまちがいない、と陳述した。なお、BC間に引渡場所の特約があり、したがって、Aの陳述は客観的真実と合致していた。

偽証罪の行為は「虚偽の陳述」である。この「虚偽の陳述」の意味について、通説・判例（大判大三・四・二九刑録二〇・六五四）は、証人がその記憶に反して陳述することであるとしているが（主観説）、これに対して、客観的な真実に反する陳述をすることであるとする反対説（客観説）がある。しかし、記憶に反する陳述をすること自体に、すでに国家の審判があやまらしめられる危険があるといえるから、主観説が妥当といえよう。そこで、証人がその記憶に反した陳述をしたところ、それがたまたま客観的な真実と合致していたとしても偽証罪が成立する（大判明四四・一〇・三一刑録一七・一八二四）。逆に、証人が記憶どおりの陳述をしたならば、たとえそれが客観的な真実と合致していなくても虚偽の陳述とはいえないから偽証罪は成立しない。なお、偽証罪は、虚偽の陳述があれば成立し、それが現実に裁判の結果に影響を及ぼしたことは必要でない（抽象的危険犯）。

なお、本罪の既遂時期については、個々の陳述があれば既遂となるとする見解と一回の尋問手続における陳述全体が終了したときに既遂となるとする見解とが対立しているが、陳述は一つの連続したもので全体として観察すべきものであるから、後者の見解が妥当であろう。したがって、いったん虚偽の陳述をしても全体の陳述が終わるまでに訂正すれば本罪は成立しないものと解すべきである。

偽証罪を犯した者が、その証言した事件の裁判確定まえに自白したときは、その刑が減軽または免除されることがある（一七〇条）。これは、あやまった裁判を未然に防止しようとする政策的な考慮にもとづいて規定されたものである。

虚偽鑑定・虚偽通訳罪は、法律により宣誓した鑑定人または通訳が虚偽の鑑定または通訳をすることによって成立する（一七一条）。本罪も宣誓した鑑定人・通訳が自分の所信に反した鑑定・通訳をすれば足り、それがたまたま客観的な真実に合致していても本罪の成立を妨げない。なお、本罪についても、自白による刑の減軽・免除がありうる。

第21章 誣告の罪

第一七二条【誣告】 人をして刑事又は懲戒の処分を受けしむる目的を以て虚偽の申告を為したる者は第一六九条の例に同じ

第一七三条【誣告の自白】 前条の罪を犯したる者申告したる事件の裁判確定前又は懲戒処分前自白したるときは其刑を減軽又は免除することを得

▼相手が承諾していても虚偽の申告をすると誣告罪になる

Aは、Bから、「世の中がいやになった、刑務所でくらしたいから、自分が泥棒をしたとうその事実を警察に届け出てくれないか」と頼まれたので、これを承知し、警察署に行き、Bが自分の家から現金を盗んだ旨、うその事実を警察官に届け出た。

誣告罪(ぶこく)は、人に刑事処分または懲戒処分をうけさせる目的で、虚偽の申告をすることによって成立し、その法定刑は三月以上一〇年以下の懲役である(一七二条)。たとえば、Aがその競争相手Bを罪におとし入れようとおもい、ありもしない事実をでっちあげて、Bは時計を密輸入してひそかに売りさばいているといったことを警察に密告したようなばあいがこれにあたる。こうしたことがなされると、捜査機関がふりまわされ、ひいては、国家の審判権の運用があやまらせられるおそれがあり、他方、ありもしないことを密告された者が身におぼえもないことで警察に取り調べられたり、ばあいによってはぬれ衣を着せられることとなり非常な不利益をうけることとなる。そこで、誣告罪は、そうした行為を処罰することによって、国家の刑事司法作用や懲戒作用が正しく行なわれることを保障するとともに、個人が不当に刑事処分や懲戒処分をうけないようにして個人の私生活の安全をまもろうとするものである。このように、誣告罪はまず第一に国家の審判作用を害するおそれのある行為を処罰しようとするものであるから、右にあげた事例のように、誣告された者の承諾にもとづいて誣告したばあいでも誣告罪は成立する（大判大一・一二・二〇刑録一八・一五六六参照）。

誣告罪は「人をして刑事または懲戒の処分を受けしめる目的」をもってなされることが必要である（目的犯）。「人」とは他人を意味する。したがって、たとえば、働くのがいやになった男が刑務所に入ればただで食べさせてもらえるとおもい、自分で「わたしはどこどこで泥棒をしました」とうその事実を警察に申し出たばあいのように、自分自身を誣告しても誣告罪は成立しない。また、この「人」は他人であれば、自然人にかぎらず法人（会社・財団法人など）も含まれるから「A会社は物品税を脱税している」とうその事実を警察に密告しても誣告罪となる。なお、すでに死んでしまった人や実在しない人について、「何某はこれこれの悪事をした」とうその事実を申告しても、結局のところ、国家の審判作用をあやまらすこともないし、また迷惑する者もいないから、誣告罪にはならない。もっとも、このような行為をすると、虚構の犯罪を公務員に申し出た者ということで軽犯罪法（一条一六号）によって、拘留または科料に処せられる。

「刑事処分」とは、犯罪として処罰されることだけでなく、少年法による保護処分、売春防止法による補導処分、起訴猶予処分なども含まれる。「懲戒処分」とは、特別権力関係にもとづく制裁をいい、法令が懲戒という名称を用いているばあいだけでなく（国家公務員法八二条）、懲罰などの名称が用いられているばあいも含み（国会法一二一条以下）、公務員以外の者に対する制裁（公証人法七九条、弁護士法五六条）も含まれる。

〔1〕

▽**自分がした放火事件を他人がしたと手紙で告発**

Aは、Bさんの妻C子と駆落（かけおち）しようとしたが、Bさんに追いかけられてはまずいとおもい、Bさんを放火の容疑者として警察に引張らせて追いかけられないようにするのが得策だと考えて、駆落の前日Dさんの家に放火し、帰宅後、すぐ警察署あてに本日の放火事件についてBを早く取り調べてほしいと書いた手紙を郵便で出したところ、その手紙は即日警察署に配達された。

▼狂言強盗は誣告罪にはならない

〔2〕

団地マダムA子は、夫が会社に出かけて留守中の昼間に、夫にかくしてその団地に住んでいる奥さん連中と花札賭博をし、賭博に負けて、応接セットを買うために銀行からおろしてきた金を全部使ってしまった。A子は、これが夫に知られたら大変だとおもい、これをかくすために「強盗に入られて家にあった金を全部持って行かれた」とうその事実を警察に届け出た。

他人に刑事処分または懲戒処分をうけさせる目的について、通説・判例（大判大六・二・八刑録二三・四一）は、他人が処分をうけるかも知れないという認識があれば足り、結果の発生を希望・意欲することを要しないとしているので、右にあげた事例〔1〕のばあいも誣告罪が成立することになる。しかし、誣告罪は目的犯であるから、処分がなされることを確定的なものとして認識する必要はないが、処分がなされるかも知れないとおもいながら、処分がなされることを希望・意欲することが必要なのではなかろうか。なお、右にあげた事例〔2〕ような狂言強盗はよくあるが、これは、犯人の名前もはっきりしないし、特定の者を処罰してもらおうとする目的がないから、誣告罪にはあたらず、ただ軽犯罪法（一条一六号）によって処罰されるだけである。

本罪の行為は「虚偽の申告」である。虚偽の申告とは、刑事処分や懲戒処分をする権限のある者に対して、客観的真実に反する事実をみずから進んで自発的に申告することである。申告は、書面でしても口頭でしてもよいし、別に告訴・告発の形式をとる必要もないから、投書でもよく、また書面によるばあい、匿名であると自分の名前でしようと他人の名前を勝手に使おうと、偽名であるとをとわない。「虚偽の申告」の虚偽とは客観的な真実に反することであるから、うそだと信じ、相手方をおとし入れる目的である事実を申告したところ、それがたまたま本当であったというときには、「虚偽」の申告をしたことにならないから誣告罪は成立しない。また、申告の内容は、「だれだれは泥棒だ」という程度の漠然としたものでは足りず、捜査官または監督者に特定の人に特定の犯罪または職務違反の行為があることを疑わせしめて、犯罪の捜査または懲戒上の手続を開始することをうながす程度の具体性がなければならない。しかし、それ以上に、日時・

場所・行為の態様等事実の内容を具体的に詳述する必要はない。

▼虚偽かも知れないとおもいがら申告すると誣告罪になる

> Aは、某日、名古屋地方検察庁のB検事がCから饗応をうけたという噂話をDから聞き、名古屋地検の粛正をはかろうとして、右の事実の真偽を十分調査せず、その事実の存在について十分の確信もなく幾分の疑念をもっていたにもかかわらず、B検事が自分の告発によって刑事処分をうけることがありうることを認識しながら、名古屋地方検察庁検事正Eに対して、「検事Bは他の検事とともに某日と某日の二回にわたり、当時脱税および経済違反の容疑者として検察庁より取調をうけていたCから同人所有の別荘で酒食その他の饗応をうけ、汚職の行為をなしたものである」旨の虚偽の事実を告発した。

誣告罪は故意犯であるから、客観的には虚偽である事実を行為者が真実であると誤信して申告したときには、誣告の故意がないから本罪は成立しない。すなわち、本罪の故意には、申告内容が虚偽であることを認識していることが必要であるが、その虚偽であることを確定的に知っていることを必要とするか、ことによると虚偽かも知れないとおもっていただけでもよいかについては見解が分かれているが、判例は後者の見解に立っている（最判昭二八・一・二三刑集七・一・四六）。

本罪は未遂が処罰されないので、その既遂時期が問題となるが、虚偽の申告が当該関係機関（刑事処分については、検察官・検察事務官・司法警察職員など、懲戒処分については任命権や監督権のある上官）に到着したときに既遂となる。郵送によるばあいは、その手紙が当該機関に到達し相手が見ることができる状態になったときに既遂となり、それ以上に相手が申告の内容を知ったこと、捜査などが開始されたことなどは必要でない。

なお、誣告罪も偽証罪のばあいと同様の趣旨の自白による刑の減軽・免除の規定がある（一七三条）。

第22章

猥褻，姦淫および重婚の罪

第一七四条【公然わいせつ】 公然猥褻の行為を為したる者は六月以下の懲役若く五〇〇円以下の罰金又は拘留若くは科料に処す

第一七五条【わいせつ文書の配布など】 猥褻の文書、図画其他の物を頒布若くは販売し又は公然之を陳列したる者は二年以下の懲役又は五〇〇〇円以下の罰金若くは科料に処す。販売の目的を以て之を所持したる者亦同じ

本章の罪は、社会の性的風俗を害する罪としての公然わいせつ罪・わいせつ文書等頒布罪・重婚罪と、個人の性的自由を害する罪としての強制わいせつ罪、強姦罪、準強制わいせつ・準強姦罪、強制わいせつ・強姦致死傷罪、淫行勧誘罪とに分けられる。もっとも、淫行勧誘罪は社会の性的風俗を害する面、重婚罪は夫婦の誠実義務に違反する面ももっている。

公然わいせつ罪は、公然わいせつの行為をすることによって成立する（一七四条）。「猥褻（わいせつ）の行為」とは、その行為者またはその他の者の性欲を刺激興奮または満足させる動作であって、普通人の正常な性的羞恥心を害し善良な性的道義観念に反するものをいうとされている（東京高判昭二七・一二・一八高刑集五・一二・二三一四）。もちろん、わいせつな行為かどうかの判断は、社会の通念によって決められるものであるが、その社会の通念というものが時代によって大きく変化するものであるから、以前はわいせつの行為とされていたものが、今日ではわいせつの行為にあたらないということもありうる。そこで、今日のように、性の自由化が強く叫けばれ、性に関する人々の考え方が大きく転換している社会では、人々がどのように考えているかをみきわめて慎重に判断をする必要があろう。

本罪は、わいせつの行為が「公然」と行なわれるこ

とが必要である。「公然」とは、不特定の人または多数の人が認識できる状態をいう。不特定または多数の人が現実にみたことは必要でなく、それらの人がみることができる可能性があれば、「公然」といえる。そこで、たとえば、公園の木蔭などで性行為をすれば、だれもみていなかったとしても公然わいせつ罪にあたる。なお、旅館の密室で二名ないし五名の見物人のまえで性交の実演をみせたものであっても、それが街頭で客引きをし、通行人を誘い、これをみせたものであるときは、公然わいせつな行為を行なったものといえる（大阪高判昭三〇・六・一〇高刑集八・五・六四九参照）。

▼「シロシロ」実演は公然わいせつ罪

A・B・Cは、D子・E子と共謀して、わいせつ行為の実演を企て、「ほてい屋」階下の座敷で、D子・E子が全裸となり張形と称する模擬陰茎を用い、俗に「シロシロ」といわれている女性二名による性交を実演して、Fほか三〇名ぐらいの客に観覧させた。

さて、公然わいせつ罪は、二つの型に分けられる。すなわち、第一は、行為者自身が自分の性欲を刺激・興奮・満足させる目的でなされる行為を公然と行なうものである。たとえば、多数の通行人がみている道路上で陰茎を露出して手淫をしたり、公園の芝生で性交をしたりするばあいがこれにあたる。第二は、行為者自身は、直接、自分の性欲の刺激・興奮・満足を目的とせず、その行為によって他の者の性欲を刺激・興奮・満足させる目的からなされる行為を公然と行なうもので、いわゆる「シロシロ」「シロクロ」などの性的演技が見せ物としてなされるばあいがこれにあたる（最決昭三二・五・二二刑集一一・五・一五二六参照）。後者は、一七五条の罪に近い性格をもつものである。なお、わいせつの行為には、動作のほか、わいせつな言葉を用いることも含まれるかどうかについて争いがあるが、含まれないと解する。

わいせつ文書等頒布罪は、わいせつの文書、図画その他の物を頒布・販売・公然陳列し、または販売の目的で所持することによって成立する（一七五条）。本罪の客体は、「猥褻の文書・図画その他の物」（わいせつ物）である。「猥褻」とは、ことさらに性欲を興奮または刺激させ、かつ普通人の正常な性的羞恥心を害し善良な性的道義観念に反することをいうとされている

（最判昭二六・五・一〇刑集五・六・一〇二六）。わいせつかどうかは、結局のところ社会の通念にしたがって判断されるものであるが、社会の通念というものが時代によって変化するものであるので、わいせつの観念も時代によってことなるものであるということは前述したとおりである。ところで、本罪は、憲法の保障する表現・学問の自由（憲法二一条・二三条）と関係をもつものであるので、本条の解釈にあたっては、この点を慎重に考慮する必要がある。とくに本罪に関して問題となるのは、芸術上の作品や学問上の論述がわいせつ性をもちうるかどうかである。文芸作品に関してこの点が論議の対象となったことは、チャタレー事件の裁判（最判昭三二・三・一三刑集一一・三・九九七）や「悪徳の栄え」事件の裁判（最判昭四四・一〇・一五刑集二三・一〇・一二三九）で、周知のところであろう。

芸術上の作品や学問上の論述がわいせつ性をもつかどうかは、その文書の芸術性・学術性との関連において判断さるべきことはもちろんであり、芸術性・学術性は原則としてわいせつ性を解消する機能をもつものといえよう。ところで、わいせつ性の程度には強弱さまざまのものがあり、他方、芸術性・学術性についても、その程度・態様などにニュアンスの差があるものであるから、この両者の相関関係において、当該文書のわいせつ性を判断すべきである。なお、文書のわいせつ性の判断にあたっては、当該文書を全体として判断の対象とすべきであって、文書の一部分だけを切り離して取り出し、その部分についてわいせつの有無を判断することによって、文書そのもののわいせつ性の有無を判断することは妥当でない。ところで、ある文書についてわいせつ性があるとみとめられたとしても、そうした文書の頒布等がただちに可罰的であるとはいえない。その文書のもつ芸術性・思想性・学術性の程度、わいせつ性の度合、その文書の作成者の態度、販売・宣伝を含めた公表の方法など具体的ばあいにおける全事情を基礎として、文書のわいせつ性によって侵害される法益と芸術的・学問的作品としてもつ公益性とを比較考量し、そうした文書の頒布等が社会的相当性の枠内にあるものと判断されたならば、その文書の頒布等は違法性を阻却し、わいせつ罪を構成しないものと解すべきであろう。

▼男女性交の姿態を撮影した未現像フィルムもわいせつ図画にあたる

Aは、女性二人をモデルに使い、淫びな動作で男女性交の姿態を実演させ、その場面を撮影したフィルムを現像・編集の段階をへて、これを売却するつもりでいたところ、それに先立ち、発覚・検挙され、右フィルムは未現像のまま司法警察官に領置された。

わいせつ物には、わいせつ本・わいせつ写真のほか、わいせつな彫刻・人形・置物・スライド・映画フィルムなども含まれる。判例は、わいせつな場面を撮影した未現象のフィルムも、潜在的にはわいせつ性を帯びており、現象も比較的簡単で、未現象のままでも頒布・販売することができるからわいせつの図画にあたるとしている（名古屋高判四一・三・一〇高刑集一九・二・一〇四）。

▼ブルーフィルムの映写は公然陳列

〔1〕

Aは、情婦Bが経営していた飲食店の二階の座敷で、子分のBが街頭で客引きをして連れてきたCほか数名の者に、ブルーフィルムを一六ミリ映画機で映写して観覧させた。

▼注文に応じたエロ写真の複製はわいせつ図画販売罪でない

〔2〕

Aは、Bからその持参したわいせつ写真の複製を依頼されたので、その注文に応じてその写真を複製してBに渡し、複製代金を受け取った。

本罪の行為は、頒布・販売・公然陳列・販売目的での所持である。「頒布」とは、不特定または多数の人に無料で交付することで、たとえば、外国で沢山買い込んできたわいせつな写真を大勢の知人に土産としてくばったばあいなどがこれにあたる。「販売」とは、不特定または多数の人に対価をとって交付することで、売買にかぎらず、酒代の不足分として渡すばあいでもよい。不特定または多数の人に対してなす目的であれば、ただ一人に対して一回だけ交付したとしても頒布・販売となる。しかし、一人か二人の特定の友人にわいせつ写真を渡したり、特定の人から依頼されたわいせつ写真を複製して渡したりしても、頒布・販売にあたらない（札幌高函館支判昭三五・一・一二高刑集一三・一・四二）。「公然陳列」とは、不特定または多数の人の観覧しうる状態におくことをいい、エロ映画の映写もこれにあたる。なお、わいせつな感情を表現した発声を録音したテープ（ブルー・テープ）を録音機にかけて再生し、不特定または多数の人に聞かせたばあいがわいせつ物の公然陳列罪にあたるとした下級審判例がある（東京地判昭三〇・一〇・三一判時六九・二七）。「所持」とは事実上の支配におくことをいうが、かならずしも手にもつている必要はなく、自宅に置いておいても所持していることになる。所持は、販売の目的でなされたばあいのみ処罰される。

なお、わいせつ物を頒布・販売・公然陳列した者だけが罰せられ、その相手方、すなわち、もらった者、買った者、観覧した者は処罰されない。

第一七六条【強制わいせつ】 一三歳以上の男女に対し暴行又は脅迫を以て猥褻の行為を為したる者は六月以上七年以下の懲役に処す。一三歳に満たざる男女に対し猥褻の行為を為したる者亦同じ

第一七七条【強姦】 暴行又は脅迫を以て一三歳以上の婦女を姦淫したる者は強姦の罪と為し二年以上の有期懲役に処す。一三歳に満たざる婦女を姦淫したる者亦同じ

第一七八条【心神喪失に乗じた強制わいせつ・姦淫など】 人の心神喪失若くは抗拒不能に乗じ又は之をして心神を喪失せしめ若くは抗拒不能ならしめて猥褻の行為を為し又は姦淫したる者は前二条の例に同じ

第一七九条【未遂】 前三条の未遂罪は之を罰す

第一八〇条【親告罪】 ①前四条の罪は告訴を待て之を論ず

②二人以上現場に於て共同して犯したる前四条の罪に付ては前項の例を用いず

第一八一条【強姦の際の死傷】 第一七六条乃至第一七九条の罪を犯し因て人を死傷に致したる者は無期又は三年以上の懲役に処す

第一八二条【性交勧誘】 営利の目的を以て淫行の常習なき婦女を勧誘して姦淫せしめたる者は三年以下の懲役又は五〇〇円以下の罰金に処す

第一八三条【姦通罪】 削除

第一八四条【重婚】 配偶者ある者重ねて婚姻を為したるときは二年以下の懲役に処す。其相婚したる者亦同じ

強制わいせつ罪は、一三歳以上の男女に対して暴行または脅迫を用いてわいせつの行為をなすこと、または一三歳未満の男女に対してわいせつの行為をなすこ

とによって成立する（一七六条）。その未遂も処罰される（一七九条）。本罪の被害者は男性・女性をとわないが、被害者が一三歳以上のときは、暴行・脅迫という手段を使ってわいせつ行為をしたときだけ罪となるが、被害者が一三歳未満のときは、暴行・脅迫を用いても、用いなくても、被害者の同意があったとしても罪となる。一三歳未満の子供は、通常わいせつ行為がなんであるかを十分に理解できないから、その同意は意味がないので、同意のもとにわいせつ行為を行なったとしても犯罪になるとしたものである。

〔1〕

Aは、飲食店「白樺」で飲食中、同店のB子さんに強いて接吻しようと考え、同店内のカウンターの内側に入り、矢庭にB子さんの背後から抱きつき同女に接吻しようとして拒否されると、手でB子さんの背部を二回ほど殴打し、Aをさけて腰掛けたB子さんの膝に馬乗りとなって抱きつき、片手でB子さんの陰部をスカートの上から強く押しなでた。

▼無理やり接吻しようとしたり陰部をスカートの上から強く押しなでる（強制わいせつ罪）

▼無理やり衣類をはぎとって全裸写真をとるのは強制わいせつ罪

〔2〕

写真撮影業をいとなんでいたAは、記念写真を撮りにきたB子さん、C子さんに、ただで海水着姿の写真を撮ってやると甘言でいざない、B子さん、C子さんの海水着姿の写真を撮ったあと、性欲の刺激・興奮のため、いきなり、海水着やパンティに手をかけて無理やりにこれをはぎとって裸体にし、その写真を撮り、さらに、羞恥心と恐怖心とからほとんど無抵抗となったB子さん、C子さんの陰部を手指で左右に開き、または強いて開かせたうえ、その写真を撮影した。

強制わいせつは，被害者の性的自由の侵害が主眼となる点に注意

「猥褻の行為」とは、公然わいせつ罪で述べたところと同じであるが、ただ、本罪のわいせつ行為は被害者の性的自由の侵害を主眼として理解されなければならないから、性的風俗の保護を主たる目的とする公然

わいせつ罪のそれとは若干のニュアンスをことにする。たとえば、キスをすることは公然わいせつ罪におけるわいせつ行為とはいえないが、相手方の意思に反して無理やりにキスをすれば、強制わいせつ罪を構成する。そのほか、陰部に手をふれるとか、女性の乳房をもてあそぶとかは、通常、一七六条にいうわいせつ行為にあたろう。姦淫もわいせつ行為ではあるが、強姦罪の規定があるから、本罪のわいせつ行為には含まれない。なお、裸にして写真をとる行為もわいせつ行為にあたる（東京高判昭二九・五・二九判決特報四〇・一三八）。

▼もっぱら報復のため婦女を脅迫し裸にして撮影する（強制わいせつ罪でなく強要罪）

Aは、内妻BがC子の手引により東京方面へ逃げたものと信じ、C子を詰問しようとしてアパートの自室に呼び出し、「よくも俺を騙したな。お前の顔に硫酸をかければ醜くなる。」など約二時間にわたり脅迫し、C子が許しを請うのに対し、同女の裸体写真をとってその仕返しをしようと考え、「五分間裸で立っておれ」と命じ、畏怖しているC子が仕方なく裸になったところを写真撮影をした。

ここにいう「暴行」とは、なぐったり、押し倒したり、しばったりして、相手方の身体に対して暴力を加えることである。なお、婦女の意思に反して指を陰部に挿入する行為のように、暴行そのものがわいせつ行為であるばあいにも、暴行による強制わいせつ罪が成立する（大判大一四・一二・一刑集四・七四三）。「脅迫」とは相手方をおそれさすような害悪を告げることである。スパー・マーケットで万引をした女性をつかまえた警備員が警備員室に連れ込み、「接吻させれば許してやるが、させないと、警察に引き渡し、お前の夫にも通知するぞ」とおどし、無理やりに接吻したようなばあいが、脅迫による強制わいせつにあたろう。

なお、強制わいせつ罪は、行為者の性欲を刺激しまたは満足させる性的意図のもとに行なわれることが必要である。判例も、婦女を脅迫し裸にして撮影する行為であっても、それがもっぱらその婦女に報復する目的や、侮辱・虐待の目的に出たばあいには強制わいせつ罪は成立しないとしている（最判昭四五・一・二九刑集二四・一・一）。

▼暴行の程度が弱いと強姦罪にならないことがある

〔1〕

B子（三七歳）は、ある夜一二時頃、翌朝午前二時過ぎまで汽車がないので、夜間営業中の売店で休んでいるうち、居合せたAと初めて言葉を交し、汽車で一緒に帰ろう等と約三、四〇分店で話し合ってから、駅に向うため歩き始めた。Aが散歩をしようと横道に折れることを誘ったところ、その横道は、人家もなく暗黒の松原内を通ずる道で、B子が売店で休む前に警察官に独りで松林の方に行ってはいかんと注意を受けていたのに、B子は、Aの誘いに応じて横道に入り、暗黒の松原内を通ずる道を連れ立って歩き、AがB子の肩に手をかけても、その手をはねのけもせず、また逃げ出すような態度を示めさなかった。松原内を通ずる道を三〇〇メートルばかり連れ立って歩いたところで、Aは、B子を抱くようにして手を首の後にかけ、前から仰向けに倒して、馬乗りになって、もがくB子をおさえて姦淫した。その際、B子は「大きな声をたてるよ」「警察へ言うよ」等言ったが、実際には大声で救いを求めず、また逃げようとしてもがきはしたが、それ以上力を尽しての抵抗をしなかった。また、Aが姦淫にあたって、殴打・扼首・脅迫等を加えた形跡もない。

〔2〕

▼車内の女性を強姦しようとしてドアを開き乗車しようとすれば、強姦未遂罪（着手とみとめる）

白タク営業をしていたAは、小雨の降る冬午後九時すぎ頃、客として乗車したB子さんを姦淫しようと企て、B子さんの指定した行先とはことなる山間部に自動車を走らせ、付近に人家のすくない空地に自動車を停車し、無言で自動車後部座席のドアを開いて、後部座席中央に腰かけていたB子さんに近づくために乗車しようとしたところ、危険を感じていたB子さんはAの開いた乗車口からAの傍をくぐり抜けるようにして車外に飛び出したため強姦の目的を遂げなかった。

強姦罪は、暴行または脅迫を用いて一三歳以上の婦女を姦淫することによって成立する。一三歳未満の婦女を姦淫するばあいは、暴行・脅迫を用いようと用いまいと、同意があろうとなかろうと、本罪が成立する（一七七条）。未遂も処罰される（一七九条）。

強姦罪の客体は女性にかぎられる。相手の女性が行為者と以前から性的関係にあった者でも、これを強姦すれば本罪となる（札幌高判昭三〇・九・一五高刑集八・六・九〇一）。もっとも、夫婦の間では、妻が性交に応じないので、夫が妻を打つなぐるなどの乱暴を加えて性交をとげたとしても強姦罪は成立しない。

強姦罪の暴行・脅迫は、相手方の抵抗をいちじるしく困難ならしめる程度のものであることを要する（最判昭二四・五・一〇刑集三・六・七一一）。したがって、暴行・脅迫がその程度にも至らなかったときとか、はじめから暴行・脅迫がなかったときには強姦罪は成立しない。右にあげた事例〔1〕は、強姦罪の成立が否定された事例である（山口地判昭三四・三・二下級刑集一・三・六一一）。「姦淫」は、男性器を女性器のなかに入れることであるから、射精しなくても入れれば、強姦罪は既遂となる（大判大二・一一・一九刑録一九・一二五五）。強姦罪は、姦淫を目的とする暴行・脅迫が開始されたときにその着手がみとめられるから、この時点で強姦未遂罪が成立する。右にあげた事例〔2〕について、実行の着手があったとして強姦未遂罪をみとめた下級審判例がある（高松高判昭四一・八・九高刑集一九・五・五二〇）。

▼患者が治療と誤信しているのを利用して医師がこれを姦淫したばあい（準強姦罪）

〔1〕

医師Aは、病気の治療をうけるため通院してきていたB子さん（一八歳）が性的知識に乏しく、自分を深く信頼しているのに乗じて、治療のために陰部に坐薬を入れると称してB子さんをだまし、自分の陰茎を挿入して、なんらの抵抗をうけることなく姦淫をとげた。

▼夫とまちがえたのを利用した姦淫は抗拒不能に乗じての姦淫（準強姦罪）

〔2〕

B子は、昼間、相当きつい麦刈りをし、夜は夫の帰りを待って深夜近くまで繕い仕事をしていたが、すっかりくたびれたので、寝床に入って就寝した。一方、Aは、深夜、B子を姦淫する目的でB方に侵入し、B子の寝床にもぐり込んだ。B子は、Aが寝床に忍び込んだことで眼をさましたが、まだ頭がはっきりせず半睡半醒の状態で、Aの音声が夫のそれと酷似していたこと、部屋が暗闇であったこと等からAを自分の夫とまちがえ、Aと性交に及んだが、中途においてAの動作が平素の夫と相違していることから人違いであることに気づき必死の抵抗をした。

準強制わいせつ罪・準強姦罪は、人の心神喪失・抵抗不能の状態を利用し、または人を心神喪失・抵抗不能の状態におとし入れて、わいせつの行為をしたり、姦淫したりすることによって成立する（一七八条）。未遂も処罰される（一七九条）。

「心神喪失」とは精神の障害によって正常な判断力を失っている状態をいう。そこで、たとえば、白痴の女性をだまして情交すると、本罪にあたる。「抗拒不能」とは、心神喪失以外の理由で、心理的または物理的に抵抗できないか、または抵抗がいちじるしく困難な状態をいう。たとえば、手足をしばられていたり、強いショックで身体が動かなくなっている状態などがこれにあたる。「乗じ」とは、その状態を利用することである。右にあげた事例〔1〕(大判大一五・六・二五刑集五・二八五)、事例〔2〕(広島高判昭三三・一二・二四高刑集一一・一〇・七〇一)について、判例は、いずれも「抗拒不能」に乗じて姦淫したものとしている。「人をして心神を喪失せしめ若くは抗拒不能ならしめ」とは、たとえば、被害者に麻酔薬をかがせたり睡眠薬を飲ませたり、催眠術を用いたりして、相手方を心神喪失・抵抗不能の状態におとし入れることである。もっとも、暴行・脅迫によって婦女を心神喪失または抵抗不能にして姦淫したばあいは本罪でなく強姦罪が成立する。

強制わいせつ罪、強姦罪、準強制わいせつ罪・準強姦罪およびこれらの罪の未遂罪は、告訴がなければ起訴できない(一八〇条一項)。これは、これらの犯罪が行なわれたからといって、すぐにその犯人を裁判にかけると、そのことのためにその事件が世間に知れわたり、被害者の名誉や利益が害されることがすくなくないので、この点を考慮して親告罪としたものである。しかし、いわゆる輪姦などのように、二人以上の者が現場で共同して犯したばあいには、その犯罪の凶悪性・危険性からみて、その訴追を被害者の意思にかからしめることは適当でないという考慮から、親告罪とはならないとされている(一八〇条二項)。なお「二人以上共同して犯したる」とは、共同正犯のばあいを意味する。

強制わいせつ罪、強姦罪、準強制わいせつ罪・準強姦罪およびこれらの罪の未遂罪を犯し、よって被害者を死亡させたり傷を負わせたりとすると、結果的加重犯として刑が加重され(一八一条)、親告罪にもならない。死傷の結果は、わいせつ・姦淫の行為自体から生じたものでも、その手段としての暴行・脅迫から生じたものでもよく、さらに、わいせつ・姦淫行為の機会に行なわれた行為から生じたものでもよい。たとえば、強姦の目的で婦女に暴行を加えたところ、被害者が救いをもとめて二階から飛び降り負傷したばあいも強姦致傷罪が成立する。しかし、強姦行為が終了後、別個に被害者を傷害したときは、強姦罪と傷害罪の併合罪であって本罪は成立しない。なお、犯人が殺意をもって被害者を強姦し、かつ殺害したばあいには、殺人罪と強姦致死罪との観念的競合と解するのが通説・判例(最判昭三一・一〇・二五刑集一〇・一〇・一四五五)である。

強姦の傷害には制限がないから、処女を強姦して処女膜を破っても、強姦の結果性病を感染させても、強姦致傷罪にあたる。

淫行勧誘罪は、営利の目的で、みだりに性交をいとなむ習癖のない女子を勧誘して性交させることによって成立する（一八二条）。「淫行の常習なき婦女」とはい婦女をいう。婚外の性交の経験者でも、それが不特定の相手とではなく、常習といえなければ、淫行の常習なき婦女に含まれる。なお、婦女の年齢はとわないから、一三歳未満の婦女に対しても本罪は成立する（大判明四五・二・二九刑録一八・二三四）。勧誘をうけて性交に応じた婦女や、その相手となった男が、本罪の共犯とはならないこともちろんである。

重婚罪は、配偶者のある者がさらに別の人と婚姻をすることによって成立する。その婚姻の相手方となった者も処罰される（一八四条）。「配偶者のある者」とは正式の婚姻届をした法律上の婚姻をしている者をさし、「重ねて婚姻を為したる」というのも、重ねて法律上の婚姻をなすことを意味する。そこで、たとえば、正式に婚姻届をした正式の妻を置去りにして都会に出た夫が、そこで知り合った別の女とホテルで結婚式をあげて同棲したとしても、それを届出ないかぎり、後の結婚は法律上の婚姻でないから重婚罪は成立しない。そこで、重婚罪が成立するのはごくかぎられたばあいということになろう。判例は、前の婚姻について協議離婚届を偽造し、戸籍吏に届け出て離婚手続を終え、その後、後の婚姻についての婚姻届を提出して、情を知らない戸籍吏をして戸籍簿の原本に記載されて、婚姻手続を完了させたばあいに、重婚罪が成立するとしている（名古屋高判昭三六・一一・八高刑集一四・八・五六三）。

第23章

賭博および富籤に関する罪

第一八五条【賭博】 偶然の輸贏に関し財物を以て博戯又は賭事を為したる者は一〇〇〇円以下の罰金又は科料に処す。但一時の娯楽に供する物を賭したる者は此限に在らず

第一八六条【常習賭博・賭博場開張】 ①常習として博戯又は賭事を為したる者は三年以下の懲役に処す

②賭博場を開張し又は博徒を結合して利を図りたる者は三月以上五年以下の懲役に処す

第一八七条【富くじ】 ①富籤を発売したる者は二年以下の懲役又は三〇〇〇円以下の罰金に処す

②富籤発売の取次を為したる者は一年以下の懲役又は二〇〇〇円以下の罰金に処す

③前二項の外富籤を授受したる者は三〇〇円以下の罰金又は科料に処す

賭け麻雀は、サラリーマンや学生の間で日常茶飯事のように行なわれ、だれもがほとんど罪の意識などもっていないのが現状であろう。それでも、新聞には、時折、団地マダムが花札賭博であげられたとか、都市近郊の土地成金を賭博に誘い込んで土地を売った金をまき上げた暴力団員が賭博罪で検挙されたとかいった記事がのっている。賭博罪は、刑法上の犯罪なのである。本章は、賭博罪と富籤罪とを規定する。

もともと自分の金をどのように使おうと自由であるから、賭博にかけても富くじを買っても、別に処罰しなくてもよさそうにもおもえる。しかし、賭博・富くじはいずれも非生産的で、こうしたもの、とくに賭博にこりだすと、その結果、人々は勤労意欲を失い、その人を破滅に追いやる危険があるばかりでなく、ひいては、経済社会の健全な発展を阻害することになる。ここに、賭博行為・富くじ行為が処罰される理由がある。もっとも、賭博・富くじは一定の政策的目的から法律で許されているばあいがある。たとえば、競馬・

競輪・宝くじの類がこれである。しかし、国家が賭博、富くじを広範囲に処罰しながら、その国家が一方で政策的目的からといえ、賭博・富くじの一種である競馬・競輪・宝くじの類を公許していることは問題であろう。

賭博罪は、「偶然の輸贏に関し財物を以て博戯又は賭事を為したる」と、むずかしい文句が用いられているが（一八五条）、要するに、金品を賭けて偶然の事情で勝敗を決することである。勝敗がまったくまたは主として偶然性によって決せられる必要はなく、囲碁とか麻雀のように、当事者の技術がその勝敗の決定に相当関係していても多少とも偶然性の支配をうけていればよい。そこで、まったく偶然性のないばあいには行為者が主観的に偶然性があると思っていても賭博罪にはならない。いわゆる詐欺賭博は、一方が勝敗の結果を細工しているものであるから勝敗に偶然性はなく、ただ他の一方がそれを知らないだけである。したがって、このばあいは賭博罪は成立せず、詐欺手段を用いた方には詐欺罪が成立するが、だまされた方は詐欺の被害者にすぎない。「博戯又は賭事」とあるので、この区別が問題とされているが、刑法は、両者を同一構成要件に規定し、処罰についても区別していないから、両者を無理に区別する心要はない。判例も、判決の中で賭事になるか博戯になるかを判示しなくてもよいとしている（大判大二・一〇・七刑録一九・九八九）。

さて、財物を賭けて偶然の事情で勝敗をきめると賭博罪になるとすると、正月にみかんをかけてトランプをやり勝った者がみかんをもらっても、賭博罪で罰せられるかというと、「一時の娯楽に供する物を賭したる者は此限に在らず」（一八五条但書）と規定されており、その程度のものを賭けても賭博罪にはならない。ところで、「一時の娯楽に供する物」とは、抽象的にいえば、価格がわずかで、それを賭けても大した社会的影響のないような物をいうと定義しうるが、その具体的限界を定めることはむずかしい。その場で食べたり飲んだりしてしまう茶菓・食事などはその典型であろう。家庭にお土産として持ち帰る物でも、その価格がわずかで勝敗の興味をそそる景品の域を出ないときは「一時の娯楽に供する物」といえよう。金銭はその額の多少にかかわらず一時の娯楽に供する物にあたらないとされている（最判昭二三・一〇・七刑集二・一一・一二八九）。そこで、麻雀の賭け金が一〇〇〇点一〇円だろうと一〇〇円だろうと、賭博罪になる。なお、たとえば、たばこホープ一箱のかわりにその代金五〇円といったように、一時の娯楽に供すべき物の対価を負担させるために一定の金額を支出させたにすぎないばあいは賭博罪を構成しないとする判例がある（大判大二・一一・一九刑録一九・一二五三）。

▼花札賭博で花札をくばれば（既遂――賭博罪成立）

A・B・C・Dは、旅館の一室で花札賭博をしようとして、それぞれ賭け金を出し、親をきめるために、花札を配付しはじめたところを、警察に踏み込まれて逮捕された。

賭博罪は賭博行為を開始すれば既遂となり、勝敗が決したこと、いわんや、勝敗の結果にもとづいて財物の分配が行なわれたことを必要としない。たとえば、右にあげた事例のばあい、花札を配付したところで既遂となる（最判昭二三・七・八刑集二・八・八二二）。

くりかえし賭博行為をする習癖をもった者が賭博をすると、**常習賭博罪**となり、刑が加重される（一八六条一項）。

賭博罪には、なお、賭場開帳罪と博徒結合罪（一八六条二項）とがある。これらは、いずれも賭博を助長し、社会にあたえる害悪も大きいので、通常の賭博罪よりも重く処罰される。**賭場開帳罪**は、寺銭・手数料名義で財産上の利益をうる目的で、みずから賭博の主宰者となり、その支配下において賭博をさせる場所を開設することによって成立する。**博徒結合罪**は、博徒を結合して利を図ることによって成立する。「博徒の結合」とは、行為者自身が中心となって博徒（常習的または職業的に賭博を行なう者）を集めて、親分子分の関係またはそれに似た多少継続的な関係を作り、一定の縄張り内で集まって賭博を行なう機会をあたえることをいう。

富くじ罪は、富くじを発売・取次・授受することによって成立する（一八七条）。「富くじ」というのは、一定の発売者がまえもって番号札を発売して、その後、抽せんその他の偶然的な方法で、「あたり」「はずれ」をきめ、札の購買者の間に不平等な利益を分配することである。

第24章 礼拝所および墳墓に関する罪

第一八八条【礼拝所不敬・説教妨害】①神祠、仏堂、墓所其他礼拝所に対し公然不敬の行為ありたる者は六月以下の懲役若くは禁錮又は五〇円以下の罰金に処す

②説教、礼拝又は葬式を妨害したる者は一年以下の懲役若くは禁錮又は一〇〇円以下の罰金に処す

第一八九条【墳墓をあばくこと】墳墓を発掘したる者は二年以下の懲役に処す

第一九〇条【死体遺棄など】死体、遺骨、遺髪又は棺内に蔵置したる物を損壊、遺棄又は領得したる者は三年以下の懲役に処す

第一九一条【墓をあばいて死体を損壊すること】第一八九条の罪を犯し死体、遺骨、遺髪又は棺内に蔵置したる物を損壊、遺棄又は領得したる者は三月以上五年以下の懲役に処す

第一九二条【変死者の密葬】検視を経ずして変死者を葬りたる者は五〇円以下の罰金又は科料に処す

▼墓に放尿する格好をすれば、礼拝所不敬罪が成立

〔1〕

Aは、墓地の区画内で、Bさん一家に対するかねてからの悪感情の発露として、「畜生意地がやけら、小便でもひっかけてやれ」といいながら放尿をするような格好をした。

「不敬の行為」とは尊厳または神聖を害するような行為をいう

▼深夜墓碑を押し倒しても礼拝所不敬罪

〔2〕 Aらは、午前二時頃、岡山県児島郡興除村の共同墓地において、墓碑四〇本余と台石等九個を押倒した。

礼拝所不敬罪は、神祠(神社)、仏堂(寺)、墓所その他の礼拝所(教会など)に対し、公然と不敬な行為をすることによって成立する(一八八条一項)。「公然」が、不特定または多数の人が認識することができる状態をさすものであることはすでに述べたところである。「不敬の行為」とは、尊厳または神聖を害するような行為をいう。たとえば、参詣者のいるところで、御本尊につばをかけたりすると、公然と不敬の行為をしたことになる。なお、右にあげた事例〔2〕について、判例は、その共同墓地が他人の住家も遠くない位置に散在するものであるから、たまたまその行為が午前二時ごろ行なわれ、当時通行人などがなかったとしても、「公然」と行為したといえるとして、本罪の成立をみとめている(最決昭四三・六・五刑集二二・六・四二七)。八王寺市内の高尾墓園で創価学会の初代会長らの墓石が多数倒された事件があったが、これも本罪にあたるものといえよう。

説教等妨害罪は、説教・礼拝・葬式を妨害することによって成立する(一八八条二項)。そこで、結婚式・祝賀式などを妨害しても本罪にはあたらず、軽犯罪法一条二四号にふれるにすぎない。

墳墓発掘罪は、墳墓を発掘することによって成立する(一八九条)。本罪は死者に対する一般人の宗教感情を保護しようとするものであるから、古墳のように、祭祀・礼拝の対象としての意味を失っているものは、ここにいう墳墓にはあたらない。

死体等損壊・遺棄罪は、死体・遺骨・遺髪または棺内に蔵置した物を損壊・遺棄・領得することによって成立する(一九〇条)。

本罪の客体は、死体・遺骨・遺髪および棺内に蔵置した物である。「死体」は、死者の身体の全部にかぎらずその一部でもよい。死胎も人の形体をそなえていれば死体である。「遺骨」「遺髪」は、死者の祭祀または記念のために保存しまたは保存すべきものであることを要する。そこで、たとえば、火葬場で骨揚をした後、風俗習慣にしたがって火葬場に残した骨片は、本罪の客体とならない。「棺内に蔵置した物」とは、死体等とともに棺内におかれたもの（いわゆる副葬品。たとえば、死者が生前使っていた装身品などで棺内におかれたもの）である。

▼内妻が本妻を殺し、その死体を押入れにかくしたのを知りながら、そのまま内妻と逃走した夫は、死体遺棄罪

Aは、B子と東京のキャバレーで知りあい同居生活をし、一方郷里の群馬県でC子と見合結婚をした。その後、B子とC子はともにAにだまされたことに同情しあい、いっしょに生活をはじめたが、B子は、AがC子を連れ戻そうとしたことに嫉妬し、コカコーラに強青酸ナトリウムを入れ、それをC子に飲ませて殺し、押入れの奥に隠し、その旨をAに電話で知らせた。これを聞いて、AはB子のアパートに行き、C子の死体が押入れに入れてあることを確認したが、B子に一緒に死のうといって、C子の死体をそのままにして、B子と一緒にそこを出て、各地の旅館を転々とした。

本罪の行為は、損壊・遺棄・領得である。「損壊」とは物理的な破壊をいう。死体の首・手足等を切りとるいわゆるバラバラ事件などは死体の損壊にあたる。万病薬として嬰児の黒焼をほしがっている者がいるということを聞き、それを作って利益をえようとおもい、嬰児の死体を埋葬しないで黒焼してこれを粉末にしたという事件があったが、これが死体損壊罪にあたることはもちろんである。しかし、死体を姦淫することは（屍姦）は、死体損壊罪にはならない。「遺棄」とは、習俗上の埋葬とみとめられる方法によらないで放棄することをいう。死児を分娩した女子がひそかに自宅の庭すみにこれを埋めたばあいも死体の遺棄にあたる。遺棄は、通常、死体等の場所を移すことをともなうが、右にあげた事例のように、埋葬すべき法律上の責任がある者が埋葬の意思なく死体を放置すれば、遺棄となる（不作為による遺棄）。なお、殺人犯人が死体をその場において逃走しても、殺人罪のほかに死体遺棄罪は成立しないが、その犯跡をかくすために、死体を山中に運んで捨てたときは、死体遺棄罪も成立する。「領得」とは所持を取得することで、窃取・買受・受贈等その方法はとわない。ところで、たとえば、棺内蔵置物を盗み出したばあいのように、本罪の客体が窃取その他の不法な方法で領得されたばあいに、本罪のほかに、窃盗罪等の財産罪が成立するかどうかについては争いがあるが、通説・判例は、本罪のほかに窃盗罪その他の財産罪は成立しないとしている（大判大四・六・二四刑録二一・八八六参照)。

墳墓発掘死体等損壊・遺棄罪は、墳墓を発掘して、死体・遺骨・遺髪または棺内に蔵置した物を損壊・遺棄・領得することによって成立する(一九一条)。本罪は、墳墓発掘罪と死体等損壊・遺棄罪との結合であって、不法に墳墓を発掘した者が、死体等を損壊・遺棄・領得したばあいにかぎって適用される。三島由起夫氏の墓をあばいて遺骨を持ち去った事件(下欄参照)があったが、本罪にあたる。

変死者密葬罪は、検視をへないで変死者を葬ることによって成立する(一九二条)。本条は、宗教的感情を保護するものではなく、警察目的を考慮した行政刑罰法規である。「変死者」とは、不自然な死亡をとげ、その死因が不明なものをいうと解するのが判例である(大判大九・一二・二四刑録二六・一四三七)。

三島由紀夫の遺骨盗まる
多摩霊園——狂信者の犯行か

昭和四五年一一月陸上自衛隊東部方面総監部に乗り込み、割腹自殺した作家、三島由紀夫(本名、平岡公威)の遺骨が、東京・府中市の多摩霊園にある墓から骨つぼごと盗まれたことがわかり、府中署は二五日墳墓発掘、遺骨領得の疑いで捜査をはじめた。三島夫人の平岡瑤子さんが墓参りにきて、墓をいじった形跡があるのを発見、同霊園管理事務所長らに調査を頼んでいたもので、府中署は二五日朝五時半から、墓を開いて実況検分をした結果、遺骨が消えているのを確認した。同署は、熱狂的な三島崇拝者が遺骨を持ち去ったとの見方を深めているが、盗まれた目的などはわからず、今のところ手がかりはないという。

盗まれた日時は不明だが、同署の調べでは七月中旬三島家の家人が墓参りに行ったときには異常はなかったという。一方瑤子夫人は、八月下旬に墓参したときの印象を「今から思えば線香台が動いていたような気もする」といっており、同署ではこの期間に持去られた疑いが強いとしている。

また犯人については、同署はこれまで三島家に崇拝者から「骨をわけてくれ」との申込みが続いていたことなどから、熱狂的な崇拝者が持去ったとの見方を強めている。

(昭和四六年九月二五日　朝日新聞夕刊)

なお、その後、遺骨は同年一二月五日に同霊園内で骨つぼごと見つかったが、犯人はわかっていない。

第25章　瀆職の罪

第一九三条【公務員の職権の濫用】 公務員其職権を濫用し人をして義務なき事を行はしめ又は行ふ可き権利を妨害したるときは二年以下の懲役又は禁錮に処す

第一九四条【警察官などの職権の濫用】 裁判、検察、警察の職務を行ひ又は之を補助する者其職権を濫用し人を逮捕又は監禁したるときは六月以上一〇年以下の懲役又は禁錮に処す

第一九五条【警察官などによる暴行など】 ①裁判、検察、警察の職務を行ひ又は之を補助する者其職務を行ふに当り刑事被告人其他の者に対し暴行又は陵虐の行為を為したるときは七年以下の懲役又は禁錮に処す

②法令に因り拘禁せられたる者を看守又は護送する者被拘禁者に対し暴行又は陵虐の行為を為したるとき亦同じ

第一九六条【警察官などの逮捕・監禁・暴行などによる死傷】 前二条の罪を犯し因て人を死傷に致したる者は傷害の罪に比較し重きに従て処断す

職権濫用罪

▼執行吏が職権を濫用して債務者の財産を競売したばあい（職権濫用罪）

執行吏Aは、Bに対する有体動産差押の強制執行をしたが、Bから執行停止の申立がなされ、差押物件の競売手続が停止されていたところ、債権者CからBを困らせる方法があればとってもらいたいと懇請され、右差押物件に関しては民訴法五七一条の特別処分を必要とする事由がないのに、Cに、これに該当する事由がある旨を記載した差押物件競売施行申請書を提出させ、Bを害する目的で右差押物件を競売に付し、Bのその物件についての所有権を失わせた。

一般公務員職権濫用罪は、公務員がその職権を濫用して、人に義務のないことをさせ、または行なうべき権利を妨害することによって成立する（一九三条）。「職権の濫用」とは、職務上の権限を不法に行使する

こと、すなわち、一般的な職務権限に属する事項について、職務の本旨に反する行為をすることである。「義務のないことを行なわせる」とは、法律上まったく義務のないことを行なわせることのほか、一応義務のあるときに、その義務の履行期を早めたり、これに重い条件を加えるなど、義務の態様を不利益に変更することも含まれる。「行なうべき権利を妨害する」とは、法律上みとめられている権利の行使を妨げることである。たとえば、許可・認可をあたえる権限をもっている公務員が正当な理由がないのに、私意をさしはさんで、これを不当に拒否したり、おくらせたり、権利の発生を妨害したりすることがこれにあたる。右にあげた事例もその一例である（福岡高判昭三四・九・二二下級刑集一・九・一九〇四）。

なお、本罪が既遂に達するためには、公務員の職権濫用の行為があっただけでは足りず、現に人が義務のないことを行なわされたか、行なうべき権利を妨害されたことが必要である。

▼警官が捜査協力者に暴行を加え、部屋に監禁・傷害を与える（特別公務員職権濫用致傷罪）**――やぐら荘事件**

仙台中央警察署警備勤務の巡査部長Aは、Bを殺人事件の容疑者として捜査中、Bの動静等の捜査に関しBの実兄Cと接触するうち、Bの筆跡を入手するため、Cと一緒に旅館「やぐら荘」にゆき、Bの筆跡を入手した。その際Aは、Cが共産党と関係があるらしいとの話を聞いていたので、今後の捜査に協力をうるために必要と考え、Cが関係していないと否定するにもかかわらず、執拗に共産党との関係の有無を問いただし、憤然として立ち上り走り去ろうとするCに暴行を加えて、その退去を阻止して部屋に監禁したが、その際Cに傷害を負わせた。

特別公務員職権濫用罪は、裁判・検察・警察の職務を行なう者またはこれを補助する者が、その職権を濫用して人を逮捕または監禁することによって成立する。本罪は、逮捕監禁罪の特別罪である。本罪の主体は、法文に列挙された公務員、すなわち、特別公務員にかぎられる。「裁判・検察の職務を行なう者」とは、裁判官・検察官のことであり、「これを補助する者」とは、裁判所書記官・検察事務官などのことであり、「警察の職務を行ないまたはこれを補助する者」とは、司法警察職員・特別司法警察職員・準特別司法警察職員（鉄道公安職員など）のことである。なお、「これを補助する者」とは、その職務上補助者としての地位にある者をさし、事実上補助する私人がこれに含まれないこともちろんである。逮捕・監禁の意義については、逮捕監禁罪の項（二四九頁）を参照。本罪を犯した結果、人を死傷させたときは、結果的加重犯として、傷害の罪と比較し重きにしたがって処断される（一九六条）。すなわち、死亡させたときは二〇五条の傷害致死罪の法定刑により、傷害を負わせたときは一九四条の法定刑によって、処断されることになる。

▼風俗営業取締法違反で取調をうけている者に対する警官のわいせつ行為（特別公務員暴行陵虐罪）

警察官Aは、風俗営業をいとなんでいたB子が、無許可で家屋の構造を変更したという容疑があったので、B子に警察署に任意出頭をもとめ、その事実の有無を調査している際に、自分の陰茎を出してB子に無理にさわらせたり、B子の陰部を手や足でもてあそんだ。

特別公務員暴行陵虐罪は、裁判・検察・警察の職務を行なう者またはこれを補助する者が、その職務を行なうにあたって、刑事被告人その他の者に対し、暴行・陵虐の行為をすること、または、法令によって拘禁された者を看守または護送する者が被拘禁者に対して暴行・陵虐の行為をすることによって成立する（一九五条）。本罪の主体は、特別公務員職権濫用罪（一九四条）の主体のほか、法令により拘禁された者を職務として看守・護送する者である。本罪の客体は、刑事被告人その他の者および法令により拘禁された者である。「その他の者」には、被疑者・証人・参考人など、捜査・裁判の上において取調の対象となる者のほか、右にあげた事例のように、行政警察上の監督保護をうくべき事件の本人や関係人も含まれる（福岡高判昭二七・一〇・二八高刑集五・一二・二一七五）。「法令により拘禁された者」の意義については、被拘禁者奪取罪の項（一一三頁）を参照。

▼巡査が窃盗容疑で取調中の女子の陰部をいじるのは特別公務員暴行陵虐罪

某警察署に勤務し犯罪捜査の事務に従事していた巡査Aは、某日、同警察署の取調室で、B子を窃盗の容疑で取調中、捜査のため必要があると称して、B子の陰部をしらべ、指でその内陰部をもてあそんだ。

「暴行」は、人に対する有形力の行使をいうが、なぐる、けるといった、直接人の身体に対する暴行のほか、たとえば、被疑者の着用している衣服を引きさくといった、物を通じて間接的に人に加えられる暴行でもよい。「陵虐の行為」とは、暴行以外の方法によって、精神的または肉体的に恥辱・苦痛をあたえる行為を意味する。たとえば、相当な飲食物や衣服をあたえないとか、睡眠を妨げるとか、全裸にして羞恥感を覚えさせるとか、わいせつ・姦淫の行為をするとかいった行為がこれにあたる。なお、陵虐の行為として、わいせつ・姦淫の行為が行なわれたばあいについて、判例は、もっぱら本罪の適用をみとめているが（大判大四・六・一刑録二一・七一七）、強制わいせつ罪・強姦罪と本罪との観念的競合と解すべきであろう、なお、本罪を犯した結果、人を死傷させたときには、結果的加重犯として、傷害の罪と比較して重きにしたがって処断される（一九六条）。すなわち、死亡させたときは二〇五条の傷害致死罪の法定刑により、傷害を負わせたときは一〇年以下の懲役または禁錮によって処断される。

第一九七条【収賄・事前収賄】①公務員又は仲裁人其職務に関し賄賂を収受し又は之を要求若くは約束したるときは三年以下の懲役に処す。請託を受けたる場合に於ては五年以下の懲役に処す

②公務員又は仲裁人たらんとする者其担当すべき職務に関し請託を受けて賄賂を収受し又は之を要求若くは約束したるときは公務員又は仲裁人と為りたる場合に於て三年以下の懲役に処す

第一九七条の二【第三者に賄賂を提供させること】公務員又は仲裁人其職務に関し請託を受けて第三者に賄賂を供与せしめ又は其供与を要求若くは約束したるときは三年以下の懲役に処す

第一九七条の三【加重収賄・事後収賄】①公務員又は仲裁人前二条の罪を犯し因て不正の行為を為し又は相当の行為を為さざるときは一年以上の有期懲役に処す

②公務員又は仲裁人其職務上不正の行為を為し又は相当の行為を為さざりしことに関し賄賂を収受、要求若くは約束し又は第三者に之を供与せしめ其供与を要求若くは約束したるとき亦同じ

③公務員又は仲裁人たりし者其在職中請託を受けて職務上不正の行為を為し又は相当の行為を為さざりしことに関し賄賂を収受し又は之を要求若くは約束したるときは三年以下の懲役に処す

第一九七条の四【斡旋収賄】 公務員請託を受け他の公務員をして其職務上不正の行為を為さしめ又は相当の行為を為さざらしむ可く斡旋を為すこと又は為したることの報酬として賄賂を収受し又は之を要求若くは約束したるときは三年以下の懲役に処す

第一九七条の五【没収・追徴】 犯人又は情を知りたる第三者の収受したる賄賂は之を没収す。其全部又は一部を没収すること能はざるときは其価額を追徴す

第一九八条【贈賄】 ①第一九七条乃至第一九七条の四に規定する賄賂を供与し又は其申込若くは約束を為したる者は三年以下の懲役又は五〇〇〇円以下の罰金に処す
②一九七条の四に規定する賄賂を供与し又は其申込若くは約束を為したる者は二年以下の懲役又は三〇〇〇円以下の罰金に処す

賄賂罪　公務員が賄賂をもらった事件が新聞、テレビなどに報道されるとき、「汚職」という言葉が使われている。この「汚職」という言葉は、法律用語である「瀆職（とくしょく）」をやさしく表現したものである。汚職＝瀆職の罪では、賄賂罪が圧倒的に多いので、汚職といえば、賄賂をとることのように思われがちであるが、瀆職の罪には、前述の職権濫用罪も含まれる。すなわち、職権濫用罪と賄賂罪はともに公務の神聖を汚すものとして瀆職の罪とされているものである。

さて、金品の贈物や御馳走戦術で公務員の仕事が動かされるようでは、公務員の仕事に対する社会一般の人々の信頼が失われることになり、やがては、地獄の沙汰も金次第という汚職天国が出現することになる。こうなっては、国家もおわりである。そこで、こうしたことにならないように、賄賂をとったり、贈ったりする行為を処罰しようとするのが賄賂罪である。すなわち、賄賂罪は、公務員の職務行為の不可買収性およびその公正さを保護しようとするものである。

賄賂罪は収賄罪と贈賄罪とに分けられる。収賄罪は、賄賂を要求・約束・収受する罪であり、贈賄罪は、賄賂を申入・約束・供与する罪である。そこで、賄賂の要求・申込はそれだけで成立する。たとえば、賄賂を公務員のところに持って行ったところ相手から突っ返されたときにも賄賂申込罪は成立するし、公務員が業者に賄賂を要求したところ、業者がこれを拒絶したときでも賄賂要求罪は成立する。しかし、賄賂の収受は、

賄賂を贈られたからこれを受け取るものであり、約束は、賄賂を贈る・もらうことについての合意であるから、このばあいには、贈賄者と収賄者とが必要であるので、収賄罪と贈賄罪は必要的共犯である。

収賄罪は、右にあげた条文をみればわかるようにいろいろな型のものが規定されている。そこで、まず基本的なものである単純収賄罪・受託収賄罪について説明することとしよう。

単純収賄罪は、公務員または仲裁人がその職務に関して賄賂を収受・要求・約束することによって成立する（一九七条一項）。請託をうけたばあいには刑が加重される（受託収賄罪）。

収賄罪の主体は、公務員または仲裁人であるが、仲裁人というのは、世間一般にいう喧嘩などを仲裁する人のことではなく、仲裁手続（民訴七八六条以下）の規定によってえらばれた仲裁人のことである。収賄罪は、公務員・仲裁人についてだけ成立する身分犯である。そこで、国立大学の付属小学校の先生が入学選考に関して父兄から金品をもらうと収賄罪になるが、私立の小学校の先生が金品をもらっても収賄罪にはならない。

▼情交も賄賂の目的物となる

警察官Aは、窃盗の現行犯として逮捕されたB子を取り調べていた際に、情交を承諾すれば釈放してやるといったところ、B子がこれを承諾したので、同女と情交した。

「賄賂」とは，職務に関する不法な報酬としての利益をいう

収賄罪の客体である賄賂とは、職務に関する不法な報酬としての利益をいう。賄賂の内容となる利益は、人の欲望または需要を満足させるものならどんな利益でもよい。金銭・品物はもちろん、債務の弁済、担保の提供、公私の職務その他有利な地位、さらには、酒

食の饗応、芸妓の演芸、異性間の情交なども賄賂に含まれる。そこで、たとえば、公務員が自宅を新築するための資金の一部を、職務に関して交渉のある業者から借りたときでも収賄罪となる。なお、右にあげた事例について収賄罪の成立がみとめられている（大判大四・七・九刑録二一・九九〇）。これは贈賄者本人が提供したばあいであるが、贈賄者が提供したコールガールと情交したばあいも同様である。

▼薬剤科部長が薬品の購入に関し、金品をもらうと収賄罪が成立

某市立病院の薬剤科部長Aは、医薬品の卸商Bから、医薬品の購入に関して便宜な取扱をしてやった謝礼として金品をもらった。ところで、同病院の事務分掌規則によると、薬品の品目・数量・注文先などの決定は庶務課の職務権限に属し病院長の決裁によって行なわれることになっていたが、実際には、薬剤科部長Aが薬品名・数量・注文先を明示した要求伝票を庶務課に提出するとそのまま病院長によって承諾されていた。

賄賂は、「職務に関する」ものでなければならないから、職務と関係のない行為についての報酬やお礼、たとえば、県立高校の教諭が夜間に家庭教師をし、その謝礼として受け取った金銭が賄賂にならないこともちろんである。そこで、収賄罪でとくに問題となるのが、この「職務に関する」ということである。造船疑獄のような有名な汚職事件で当事者間で金品の授受がなされたことがあきらかであるのに無罪となった事例は、その金品の授受が「職務に関して」なされたことが証明できなかったからである。「職務に関する」とは、本来の職務行為のほか、職務に密接な関係のある行為も含むとされている。本来の職務とは、公務員・仲裁人がその地位にともなう本来の任務として取り扱う一切の職務をいい、その範囲はかならずしも法令に直接の規定があることを必要としない。たとえば、通商産業政務次官が競輪場の設置申請に対して、政務として決裁に関与することは職務行為にあたる（最判昭三一・七・一七刑集一〇・七・一〇七五）。なお、右にあげた事例について、判例は、Aが薬品購入について要求伝票を作成する行為は、薬剤科に属する薬品の保管整理に関する本来の職務と密接な関係にある行為であるとして、AがBから金品を受け取った行為につき収賄罪の成立をみとめている（最決昭三三・三・一三刑集一二・三・五三三)。これに対して、電報電話局施設課線路係長が電話売買の斡旋をすることは、その職務行為と関連はあるが、密接な関連があるとはいえないとされている(最判昭三四・五・二六刑集一三・五・八一七)。

ところで、公務員がその職務権限をことにする他の職務に転職した後に、転職前の職務に関して金品をもらったばあいに賄賂罪が成立するかどうかについては、見解が分かれているが、判例は、公務員でさえあれば、職務が変わったあとで金品を受け取っても収賄罪が成立するとしているが(最判昭二八・四・二五刑集七・四・八八一)、学説では反対説が有力である。

公務員が職務上交渉のある業者から中元・歳暮として送ってきた品物を受け取ると収賄罪になるであろうか。そうした贈物は、職務に関係はないものとはいえないが、それが一般社会における社交的儀礼の範囲内にあるばあいには、賄賂にあたらないと解すべきであろう。もっとも、中元・歳暮・結婚祝・餞別の名目でも、一般社会における社交的儀礼の範囲をこえた贈物がなされたときには、その贈物の賄賂性は否定できないこともちろんである。

収賄罪の行為は、賄賂の収受・要求・約束である。賄賂を要求し、約束し、収受したときには包括して一個の収賄罪がみとめられる(大判昭一〇・一〇・二三刑集一四・一〇五二)。

公務員・仲裁人が請託をうけて収賄すると刑が加重されることは前述した(一九七条一項後段)。「請託」とは、一定の職務行為をしてくれ・してくれるなと頼むことで、その依頼は不当な職務行為に関することであると正当な職務行為に関することであるとをとわない。「請託をうける」とは、そうした依頼を承諾することであるが、はっきりと承諾した旨を相手方に知らせる必要はなく、態度などで相手方に承諾したことがわかる程度の黙示的なものであってもよい。

さて、収賄罪には、単純収賄罪・受託収賄罪のほか、いくつかの類型が規定されている。まず第一は、**事前収賄罪**といわれるもので、公務員または仲裁人となろうとする者が、その将来担当するであろう職務に関して請託をうけて、賄賂を収受・要求・約束し、その後、現実に公務員または仲裁人になったときに処罰されるものである(一九七条二項)。国会議員の候補者が「当選したら、補助金の出るような法律を作って下さいよ」と頼まれ、これを承諾して相手方から金を受け取っても、落選したときは、本罪で処罰されることはない。

▼陸運事務所長が、正規の手数料以外の金銭を事務所あて出させる（第三者供賄罪）

県陸運事務所長Aは、自動車販売業者の自動車臨時運行許可申請に際して、申請者B・C・Dらから、出来るだけ早く許可してもらいたい旨の依頼をうけ、これを承諾し、その許可に対する対価として、正規の手数料以外の金銭を同陸運事務所に供与させ、これを同事務所職員の交際費・飲食費等の支払にあてた。

第三者供賄罪は、公務員または仲裁人がその職務に関し請託をうけて第三者に賄賂を供与させ、またはその供与を要求・約束することによって成立する（一九七条の二）。本罪は、公務員・仲裁人が直接自分では賄賂をうけとらないで、自分となんらか特別な関係がある第三者（自然人であると法人であるとその他の団体であるとをとわない）のところに賄賂を持って行かせたり、持って行くことを要求したり、約束させたりする、一種の脱法的収賄行為を処罰しようとするものである。

加重収賄罪は、公務員・仲裁人が、前述の収賄罪を犯してから職務違反行為をすること、または職務違反行為をしたことに関して賄賂を収受・要求・約束し、あるいは第三者に賄賂を供与させまたはその供与を要求・約束することによって成立し、重い刑罰が科せられる（一九七条の三第一項・二項）。

事後収賄罪は、公務員または仲裁人であった者がその在職中に請託をうけて、職務上不正な行為をし、または相当な行為をしなかったことに関して、賄賂を収受・要求・約束することによって成立する（一九七条の三第三項）。

▼日通社長が国会での不正の追及を恐れ、議員に金を贈る（斡旋収賄罪）

日本通運社長Aらは、B参議院議員が日通と食糧庁との間の政府食糧輸送契約について参議院決算委員会で追及することを知り、「B質問」が日通に不利にならないようC議員を通じてB議員に質問をゆるめるよう働きかけてもらうこととして、そのあっせんの報酬としてC議員に二〇〇万円を贈り、C議員もその事情を知って受け取った。

斡旋収賄罪は、公務員が、請託をうけて、他の公務員にその職務上不正な行為をさせ、または相当な行為をさせないように斡旋すること、またはこのような斡旋をしたことの報酬として賄賂を収受・要求・約束することによって成立する（一九七条の四）。本罪の主体は、公務員にかぎられ、仲裁人は含まれていない。公務員がその地位を利用してなすことはかならずしも必要でないが、公務員としての立場においてなすことが必要であろう（最決昭四三・一〇・一五刑集二二・一〇・九〇一）。したがって、たとえば、親族といったまったく私的な関係を利用したときには本罪にあたらない。本罪のばあいの「請託」は、他の公務員の職務について不正の行為をしたり正当な行為をしないように斡旋を頼むことである。斡旋はいわゆる口利きである。

▼教育ママらに有罪判決（小学校の入試贈賄で罰金刑）

A子ら九名は、福岡教育大付属福岡小学校へ子供を入学させたいので、入学選考に手ごころを加えてほしい、と同小学校の教諭七人にあわせて二〇八万円の現金・ギフトチェック・商品券を贈った。

贈賄罪は、前述した各収賄罪の賄賂を供与・申込・約束することによって成立する（一九八条）。「申込」は賄賂を受け取るよううながすことであるが、相手方が現実に受け取れる状態におかなくても、たとえば、公務員の妻に差し出しただけでも申込となる。賄賂を申し込み約束し供与したときは、包括して賄賂供与罪として処断される。

▼巡査が闇取引している者の弱みにつけ込み金をとる（巡査に恐喝罪の判決）

大阪府巡査Aは、闇取引をしている者の弱みにつけこんで金を巻き上げようと計画し、大阪市道修町のB会社取締役Cがサッカリンの闇取引をしていることを聞き込み、同会社に出かけてサッカリンの取引内容について取り調べ、Cを検挙するような態度を示した。処罰をおそれたCは、寛大な取扱をしてくれとたのみ、その場でAに現金五万円を手渡した。

右にあげた事例のように、公務員が職務に関して恐喝的方法によって相手方から財物を交付させたばあいに、贈収賄罪が成立するかどうかについては問題がある。判例は、公務員について収賄罪の成立を否定し恐喝罪のみの成立をみとめたもの（最判昭二五・四・六刑集四・四・四八一）と被害者側に贈賄罪の成立をみとめたもの（大判昭一〇・一二・二一刑集一四・一四三四、最決昭三九・一二・八刑集一八・一〇・九五二）とがある。学説上では、賄賂の交付はかならずしも完全に任意でなくてもよいから、このばあい、公務員については収賄罪と恐喝罪との観念的競合、相手方には贈賄罪をみとめる見解が有力である。

犯人または情を知った第三者が収受した賄賂は没収され、その全部または一部を没収することができないときはその価額が追徴される（一九七条の五）。総則の没収・追徴（一九条、一九条の二）は任意的であるが、収受した賄賂はかならず没収・追徴される。これは、贈収賄者に犯罪に関する利益を回復・保持させない趣旨に出たものであるとされている（大判大一一・四・二二刑集一・二九六）。収賄者がいったん受け取った賄賂を任意に贈賄者に返したときは、贈賄者から没収するとされている（大判大一一・四・二二刑集一・二九六）。数人が共同して金一封をもらい、これを分配したときは、各自が取った額だけが没収・追徴される。もっとも、分配額が不明のときは平等に分割した額を各人から没収・追徴する。

追徴は、没収できないときになされるが、それは、収受した金銭を費消してしまったために没収できなくなったばあいだけでなく、その物の性質上はじめから没収できないばあいも含まれる。たとえば、芸妓をあげてもらったり、酒食を御馳走になったり、コールガールを世話してもらって情交したばあいには、はじめから没収できないので、このばあいは相当額を追徴する。追徴の価額を算定する時期について、判例は賄賂が授受された当時の価額によるとしている（最判昭四三・九・二五刑集二二・九・八七一）。

第26章 殺人の罪

第一九九条【殺人】 人を殺したる者は死刑又は無期若くは三年以上の懲役に処す
第二〇〇条【尊属殺】 自己又は配偶者の直系尊属を殺したる者は死刑又は無期懲役に処す
第二〇一条【殺人の予備】 前二条の罪を犯す目的を以て其予備を為したる者は二年以下の懲役に処す。但情状に因り其刑を免除することを得
第二〇二条【自殺関与】 人を教唆若くは幇助して自殺せしめ又は被殺者の嘱託を受け若くは其承諾を得て之を殺したる者は六月以上七年以下の懲役又は禁錮に処す
第二〇三条【未遂】 第一九九条、第二〇〇条及び前条の未遂罪は之を罰す

▼母親が嬰児を新聞紙に包んで捨てる

A子は、自宅の便所で分娩したが、妊娠していることを家人にかくしていたので、嬰児を闇から闇に葬ってしまおうと考え、仮死状態で出産した嬰児を分娩したままの状態で便所の板敷の上に放置し、新聞紙・風呂敷に包んで川に投げ込んだ。

人を殺すということは、殺意をもって自然の死期に先立って人の生命を断つことである。そこで、まず問題となるのは、人の始期、いいかえると、胎児が人となる時期はいつかということであるが、胎児の身体の一部が母体の外に出たときに人となるとするのが判例の立場であり、大多数の学説もこれを支持している。この立場からは、出産の際、胎児の身体の一部が母体の外に出たときから胎児は人となるので、それ以後に、これを殺せば殺人罪となり、まだ母体内にあるうちに胎児を殺せば堕胎罪となる。産門からその一部を露出した胎児の面部を殺意をもって強圧した行為を殺人行為にあたるとした判例（大判大八・一二・一三刑録二五・

一三六七）がある。次に、人の終期、いいかえると、死亡の時期であるが、この点については、従来、心臓の鼓動が永久的に停止したときを死亡の時期と解するのが一般であったが、最近、臓器移植、とくに心臓移植と関連して、脳死（脳幹機能の非可逆的停止）をもって人の死とすべきであるという主張もなされており、死亡の時期については、近い将来、考えなおさなければならない余地を含んでいるものといえよう。

さて、出生から死亡するまでの生命ある人であれば、早産のため発育不良で将来生長の希望のない嬰児でも、瀕死の重傷者でも、さらに死刑の判決が確定している者でも、これを殺せば殺人罪にあたる。右にあげた事例について、判例は、嬰児が自然に放置されたときは分娩後一五分ないし三〇分間に死亡したであろうものであったとしても、A子の行為は、殺人罪にあたるとしている（東京高判昭三五・二・一七下級刑集二・二・一三三）。

▼はねた重傷者置去りに殺人未遂の判決（「未必の故意」を適用）

〔1〕

Aは、昭和四五年一月一一日夜、自転車販売業Bをはね、左足などに一〇ヵ月の大ケガを負わせ、死んだら損害賠償もしなければならなくなると考え、現場から三キロ離れた人目につきにくい農道わきに運び、そこ置去りにして逃げた。

▼乗車拒否したうえ、客を引きずった運転手に殺人未遂の判決

〔2〕

Y交通株式会社のタクシー運転手Aは、渋谷区神宮通り一丁目の路上で信号待ちのため停車した際、Bさんが乗車を求めたが、拒否したところ、後部客席左側ドアの半開きの窓越しに内側の取っ手に手をかけ、ドアを開けようとしたので、振りはなそうとして車を発進させ、窓わくにしがみついたBさんを引きずったまま、約一〇八メートルの間を時速約四七キロで疾走し、Bさんを振り落とし、全治約一ヵ月のケガをさせた。

人を殺す方法には制限がない。たとえば、ピストルで撃つ、あいくちで刺す、日本刀で切る、細ひもで首をしめる、青酸カリを飲ます、河に突きおとす、など、人の生命を断つのに適した方法であれば、どんな方法でもよい。そこで、被害者の行為を利用して人を殺すこともできる。たとえば、Aは、愚鈍なBが自分を非常に信頼し、なんでもいうことを聞くのを利用し、保

険会社から保険金をだまし取ろうと考え、まずBに生命保険をかけたうえ、Bに、含糖ペプシンと食塩とをまぜて水でといたものを飲ませ、「この薬を飲めば、首をくくっても、しばらく気絶するだけで、すぐ自分が別の薬で生きかえらせてやるから、首をくくってみないか」といってBをだまし、全然自殺の意思のないBに自分の首をくくらせて死亡させたばあいは、Bの行為を利用した殺人である（大判昭八・四・一九刑集一二・四七一参照）。

また、たとえば、母親が自分の赤ん坊を殺す意思で授乳しないで死亡させたばあい、赤ん坊に乳をやるのは母親の義務であるのに、その義務をつくさないで赤ん坊を死亡させたのであるから、殺人罪（**不作為による殺人**）が成立する。このように、死の結果を防止する法律上の義務を負う者の不作為によっても殺人は実現されうる。右にあげた事例〔**1**〕は、自動車で人をひき重傷を負わせた者は、被害者を救護する義務があるのに置去りにしたという点で不作為による殺人（未遂）の事例といえよう。

殺人の方法はとわないといっても、それが人の生命を断つのに適した方法でなければならないということは前述したとおりである。たとえば、人を殺す意思で硫黄の粉末を味噌汁に入れて飲ませても、硫黄の粉末はこれを食べた者を死亡させる効果をもつものではないから、この行為は殺人行為にはあたらず、味噌汁を飲んだ者が下痢をしたときに傷害罪が成立するにすぎない（大判大六・九・一〇刑録二三・九九九）。

なお、殺意（殺人の故意）は、相手方を殺してやろうというように人の死を意欲したときだけでなく、「死ぬなら死んでもかまわない」「死んでもやむをえない」と思っていたときにもみとめられる（**未必の故意**という）。人を殺してしまったばあい、殺すつもりではなかったといった殺意の否認が往々にしてあるが、こうしたばあい、使用した凶器がピストルとか日本刀とかいったものであることは殺意を認定する重要な根拠となろう。右にあげた二つの事例について、裁判所は、殺意（未必的な）を認定して殺人未遂罪を適用している。

▼割腹自殺の介錯は嘱託・承諾殺人罪（三島事件）

昭和四五年一一月二五日午前一一時頃、市ヶ谷の自衛隊に、三島由紀夫ら楯の会の会員五名が訪れ、東部方面総監に、隊員への演説をさせろと要求、日本刀や短刀をつきつけ人質にした。自衛隊側が三島の演説を許すと、三島は憲法改正などを訴えたあと、総監室にもどって会員Mとともに割腹自殺し、部屋にいたほかのA・B・Cがこれを介錯した。

介錯は嘱託・承諾殺人罪

自殺しても処罰されることはない。死んでしまえば処罰されないことは当りまえであるが自殺に失敗して死にそこなったときも処罰されない。しかし、他人に自殺をすすめたり、他人の自殺を手助けしたりすると処罰される。また、相手から殺してくれと頼まれて殺しても、相手の同意をえて殺しても、自殺の教唆・幇助と同様に処罰される（二〇二条）。

これらの罪は、自分も一緒に死ぬつもりであっても成立する。たとえば、A子がBに心中しようともちかけ、Bもその気になって心中したときには、A子は**自殺教唆罪**ということになるし、このばあいにBが心中のために多量の睡眠薬を手に入れて、A子に渡したようなときには、Bは**自殺幇助罪**ということになる。また、DとE子とは、一緒に身投げをするつもりで海岸の崖の上に立ったところ、E子がDに飛び込めないから突き落してくれと言ったので、DはE子を海に突き落とし、ついで自分も海中に身を投げたときには、Dは、**嘱託殺人罪**、FがG子に一緒に死のうと心中をもちかけたところ、G子が承知したので、FはG子の首を絞めて殺し、自分は短刀でのどを突いたときは、Fは**承諾殺人罪**ということになる。もっとも、行為者が自殺に失敗して生き残ったときに問題になるということはいうまでもなかろう。なお、右にあげた三島事件において、三島を介錯したA・B・Cの行為は、自殺の幇助ではなく、嘱託・承諾殺人罪にあたると解すべきであろう。

▼**心中するとみせかけ自殺させる（だました男は殺人罪）**

Aは、愛人であったB子との関係を清算しようとして、別れ話をもちかけたところ、同女は承知せず心中しようといい出した。Aは心中する意思が全然ないのに、一緒に死ぬようにみせかけ、B子をだまし、青化ソーダを同女にあたえた。B子はAが一緒に死んでくれるものと信じていたので、青化ソーダを飲んでその場で死亡した。

さて、自殺は、自殺がどういうことかを知っている者が自由な意思決定によって自分の生命を断つことである。したがって、精神病者で通常の意思能力もなく、自殺がどういうことかも理解できず、しかも行為者の命ずることにはなんでも服従する被害者に首つりの方法を教えて死亡させたときは殺人罪が成立する（最決昭二七・二・二一刑集六・二・二七五）。また、自殺の意味を理解する者に対して、その意思決定の自由を失わせてみずから死に致らしめたときは、自殺教唆罪ではなく殺人罪（被害者の行為を利用した殺人罪）である。右にあげた事例のばあいは、B子が自殺への決意を固めたことについて、もっとも重要な役割を演じたのは、Aが一緒に死んでくれると信じていたことであるから、Aがこの点についてB子をだましたのは、B子の自殺の決意に対する自由を奪うものとして、殺人罪の成立をみとめるべきである（最判昭三三・一一・二一刑集一二・一五・三五一九）。

嘱託・承諾も、死がどういうことかを理解する者が自由意思にもとづき本心からなされたものであることが必要である。そこで、いわゆる親子心中のばあい、子供が幼児であるときは、母親が「坊や死のうね」と言ったところ、幼児が「うん、ママと一緒に死ぬ」と言ったとしても、子供は殺したが自分は自殺しそこなって生き残ってしまった母親は、承諾殺人罪ではなく普通の殺人罪にとわれることになる。

▼**病気で悶え苦しみ「殺してくれ」と叫ぶ父を毒殺（高裁は安楽死をみとめず）**

Aの父Bは昭和三一年一〇月ごろ脳溢血でたおれ、昭和三四年一〇月ごろには全身不随となり、昭和三六年七月はじめごろから食欲がいちじるしく減退し、衰弱がはなはだしく、上下肢は曲げたままで少しでも動かすと激痛を訴えるようになり、しばしばシャックリの発作におそれわれ息も絶えんばかりに悶え苦しみ、「早く死にたい」「殺してくれ」と大声で叫んでいた。Aは、このような父の声を耳にし、その言語に絶した苦悶の様子をみるにつけ、子としてたえられない気持でいたところ、同年八月二〇日にはかかりつけの医師から「あと七日か一〇日だろう」といわれ、ついに父を病苦から免れさせることが最後の孝養であると考え、同月二五日、牛乳に有機燐殺虫剤を少量混入して、これをAに飲ませて、死亡させた。

本人が本心から殺してくれとたのんでも、人を殺すことが許されないということは、前述した（嘱託殺人罪となる）。ところで、不治の病にかかり死が間近かにせまっている病人がひどい苦痛にたえかねて、早く楽にしてくれ、殺してくれと熱心にたのむので、みるにみかねた近親の者が薬を飲ませて死亡させたようなばあい、この近親者の行為は**安楽死**といわれるが、このばあいにも嘱託殺人罪として処罰されるものであるのか、それとも、違法性が失われ無罪ということになるのであろうか。この点については見解が分かれているが、わが国の多くの学説は、厳格な要件をそなえた安楽死は違法ではないと解している。右にあげた事例について、判例は、①病者が現代医学の知識と技術からみて不治の病におかされ、しかもその死が目前にせまっていること、②病者の苦痛がはなはだしく、何人も真にみるにしのびない程度のものであること、③もっぱら病者の死苦の緩和の目的でなされたこと、④病者の意識がなお明瞭であって意思を表明できるばあいには、本人の真の嘱託または承諾のあること、⑤医師の手によることが原則であって、これによりえないときには医師によりえないことがうなずけるに足りる特別な事情があること、⑥その方法が倫理的にも妥当なものとして認容しうるものであること、と六つの要件をあげ、これらの要件をすべてみたしてはじめて、安楽死としてその行為の違法性が否定されるとし、右の事例においては、医師によりえなかったことを肯定するに足りる特別の事情がみとめられないことと、病人に飲ませる牛乳に有機燐殺中剤を混入したことは倫理的に認容しがたい方法であることの二点において、右の⑤⑥の要件を欠くので、Aの行為は安楽死としてその違法性が阻却されるものではないとして嘱託殺人罪の成立をみとめている（名古屋高判昭三七・一二・二二高刑集一五・九・六七四）。判例のあげている要件はほぼ妥当なものといえよう。なお、病者のあえいでいる苦痛は肉体的苦痛にかぎらるべきで、精神的な苦痛のばあいには安楽死は許されないと解すべきであり（東京地判昭和二五・四・一四裁判所時報五八・四参照）、病者の明示の意思がなければこれまた安楽死は許されないと解すべきである。

自分または配偶者の直系尊属（父母・祖父母など）を殺すと、死刑または無期懲役に処せられる（二〇〇条）。このように、**尊属殺**についてとくに重い刑を規定する二〇〇条は、法の下の平等の原理を定めた憲法一四条に違反するのではないかということが争われているが、判例は違憲でないとしている（最判昭二五・一〇・二五刑集四・一〇・二一二六）。もっとも、学説では違憲論もかなり有力である。

なお、殺人罪（一九九条・二〇〇条）は重大な犯罪であるので、その未遂にとどまらず、予備も処罰されることに注意すべきである（二〇一）。

身障の息子を殺した医師
「心神喪失」理由に無罪

昭和四二年八月、生まれてから二七年間寝たっきりの心身障害の息子を思いあまって殺し、殺人罪で起訴された東京都千代田区神田三崎町の医師被告Aに対し、東京地裁刑事部清水裁判長は「被告は、犯行時、心神喪失の状態にあった」として無罪（求刑懲役三年）を言い渡した。そのなかで同裁判所は「安楽死に相当するような誤解があるが、これまでに安楽死だとして無罪になった事例はない。安楽死を是認する立場に立つとしても、不治の傷病で死期が目前に迫っている、また肉体的苦痛が、だれも黙視できないようなもので、しかも手段が倫理的に妥当でなければならない、などその成立要件は、きわめてきびしい。本件は、この場合には当らず、被告が心神喪失で責任能力がないとの判断から無罪にした」と述べた。

（昭和四三年一二月四日　朝日新聞夕刊）

第27章 傷害の罪

第二〇四条【傷害】人の身体を傷害したる者は一〇年以下の懲役又は五〇〇円以下の罰金若くは科料に処す

第二〇五条【傷害致死】①身体傷害に因り人を死に致したる者は二年以上の有期懲役に処す
②自己又は配偶者の直系尊属に対して犯したるときは無期又は三年以上の懲役に処す

第二〇六条【傷害助勢】前二条の犯罪あるに当り現場に於て勢を助けたる者は自ら人を傷害せずと雖も一年以下の懲役又は五〇円以下の罰金若くは科料に処す

第二〇七条【共犯として扱われるばあい】二人以上にて暴行を加へ人を傷害したる場合に於て傷害の軽重を知ること能はず又は其傷害を生ぜしめたる者を知ること能はざるときは共同者に非ずと雖も共犯の例に依る

第二〇八条【暴行】暴行を加へたる者人を傷害するに至らざるときは二年以下の懲役若くは五〇〇円以下の罰金又は拘留若くは科料に処す

▼脳梅毒にかかった男に軽傷を与えたら死亡
（相当因果関係説では傷害罪）

Aは、Bと口論のすえ、Bの左眼部を右足でけりつけて傷（一〇日ぐらいで全治する程度のもの）を負わせた。ところが、Bはまえから脳梅毒におかされて脳に高度の病的変化があったので、この傷のため脳の組織が崩壊し死亡してしまった。

人をなぐったり、けったりすると暴行罪になるが、その結果、相手がケガをすれば傷害罪、ケガにとどまらず死亡してしまうと傷害致死罪が成立する。傷害罪・傷害致死罪が成立するためには、暴行によって傷害・死亡という結果が生じたものであること（暴行と傷害・死亡との間の因果関係の存在）が必要である。なお、この因果関係は、とくに傷害致死罪で問題とされている。従来、判例は、暴行と死亡という結果との間に、その暴行がなかったならば死亡という結果も生じなかったであろうという関係（条件関係）がみとめられれば、因果関係ありとして傷害致死罪の成立をみとめているので、右の事例のばあいも傷害致死罪の成立を肯定している（最判昭二五・三・三一刑集四・三・四六九参照）。もっとも、学説では、暴行を行なったときに、行為者が知っていた事情および社会の一般が知ることができたであろう事情を前提として、その暴行からその死亡という結果が生ずることが、経験上、一般に予想できるようなばあいだけに因果関係をみとめる考え（折衷的相当因果関係説）が有力である。この立場からは、右の事例のばあい、AがBの脳に高度の病的変化のあったことを知っていたか、一般人がそれを知りえたという特別の事情のないかぎり、AがBの左眼部をけりつけたという暴行とBの死亡との間には因果関係はみとめられず、したがって、傷害致死罪は成立せず、傷害罪ということになろう。なお、判例は、前述したように、因果関係について基調として条件説を採用しているが、最近、相当因果関係説に立って行為と結果との間の因果関係を否定したとみられる判例（最決昭四二・一〇・二四刑集二一・八・一一一六）が出たので、今後は、裁判の上でも相当因果関係説が有力になるであろう。

▼カミソリで女性の頭髪を切り取ると、傷害罪か

> Aは同じ村に住んでいたB子が、親しく交際していたのに、突然、別の男と結婚することとなったので、その無情を怒り、剃刀でB子の頭髪を根元から切り取った。

さて、人の身体の生理的機能を害することが傷害であるという点については争いがない。そこで、腕の骨を折ったり、顔に切り傷をつけたりするなど、いわゆるケガをさせるばあいだけでなく、下痢をさせたり、中毒症状にかからせたり、病気を感染させたり、相当時間人事不省におち入らせたりすることも傷害にあたる。もっとも、ほおを平手でぶったところ、皮膚の一部分が赤くなったときでも、厳密にいえば生理的機能を害したということになるが、このようにごく軽微なものは傷害にはあたらないものといえよう。したがって、このばあいは暴行罪が成立するにとどまる。また、催涙ガスにふれて、涙が出て目のふちが赤くなっても、それが一時間ぐらいでなおってしまう程度のものであれば、傷害にはあたらないと解してよかろう。

ここで問題となるのは、右の事例のように、女性の頭髪を剃刃でそって丸坊主にしてしまったばあいである。判例は、頭髪を切り取っても生理的機能を害したことにはならないから、傷害にあたらず暴行であるとしている（大判明四五・六・二〇刑録一八・八九六）。しかし、学説の多くは、生理的機能を害さなくても人の身体の外観にいちじるしい変化をあたえたときは傷害と解すべきであるとし、右の事例は傷害罪にあたるとしている。もちろん、無精ひげを切ったり、頭髪をすこしばかり切り取ったぐらいでは暴行である。

▼腸チフス菌入りバナナを食べさせる（千葉大チフス菌事件）

Aは、注射蒸留水二〇ccアンプルに、腸チフス菌を培養している試験管から白金棒で同菌をけずりとって入れ、この液をバナナ一二、三本に注入、「病気見舞」と称して知人Bに届けたところ、これを食べたBほか八人が腸チフスにかかり、全治するまでに六、七週間入院した。

「傷害」とは人の身体の生理的機能を害することをいう

傷害は、なぐる、けるといった暴行によって生ずるばあいが多いが、右の事例のように、病菌をぬった食物を食べさせて病気にかからせても傷害にあたる。また、性病にかかっている者が性交すれば相手に性病をうつすことを知りながら、だまって性交し、相手方に性病をうつしたばあいも傷害罪が成立する。もっとも、自分が性病にかかっていることを知らなかったときは、性交によって相手方に性病をうつしたときでも、傷害罪は成立せず、せいぜい過失傷害罪が成立するにすぎない。

なお、暴行による傷害のばあいは、はじめは単に暴行を加える意思で暴行を加えたところ、その暴行で相手方がケガをしたときも、はじめからケガをさせる意思で暴行を加えケガをさせたときも、傷害罪が成立する。

〔1〕

▼教員の体罰は暴行か

Bさんの長男C君は忘れ物をしたり、授業中に騒いだために、C君の担任のA教諭に直径三センチほどの太い竹の棒でなぐられ、頭にコブができたり、手で頭をかばおうとして打たれ、手から血がでるほどのケガをした。

〔2〕

▼性転換手術は傷害か

Aは、某医院で産婦人科を担当していた医師であるが、男娼B・C・Dから性転換手術をたのまれ、この手術を引き受けて、Bらの睾丸を摘出し、陰茎を切除し、大腸を使って人工膣を造る手術を行なった。

傷害は、違法なばあいにのみ処罰の対象となるものであることはいうまでもない。そこで教員の児童に対する殴打は、懲戒権の行使として行なわれたものであっても違法性を阻却しないから、殴打は違法な暴行にあたり、その結果、児童をケガさせたときは、傷害罪を構成する。

被害者の承諾があったばあいの傷害については若干問題がある。被害者の承諾があれば処罰されないとする見解もないわけではないが、被害者の承諾があれば傷害は一律に違法でなくなると解すべきではなく、具体的ばあいについて、その傷害が社会一般の良識からみてゆるされるものであるかどうかによって決定すべきであろう。たとえば、給血者の承諾をえて適当な量の血液を輸血用に採取することは違法ではないが、不義理をゆるしてやるかわりとして小指一本を切り落とすことは、相手方が承諾していたとしても違法である。ところで、性転換手術の事例であるが、右の事例〔2〕とほぼ同じ事件について、東京地検が傷害罪としては起訴せず、優生保護法二八条違反として起訴したことからもわかるように、社会問題としてはかなり微妙な点を含んでいるが、理論的には、性転向症を治療するためといった特別の事情がないかがり、相手方がたのんだものであっても違法であって、傷害罪にあたるといえようか。なお、性交中その快感を増すために、相手方の承諾をえてその首を締める行為は、違法性を阻却し、暴行罪の成立する余地がないから、その結果、相手方が死亡したとしても、傷害致死罪は成立せず、過失致死罪がみとめられるにすぎないとした判例がある（大阪高判昭二九・七・一四裁判特報一・四・一三三）。

▼喧嘩している二人に「もっとなぐれ」とけしかける（傷害現場助勢罪）

> BとCとが道路上で、お互に顔から血を流しながらはげしいなぐり合いの喧嘩をしてるのを、大勢の見物人にまじってみていたAは、「もっとやれ、もっとなぐれ」などと大声でけしかけた。

右の事例のばあい、Aは、自分では傷害行為に加わらなくても、けしかける行為をしただけで、**傷害現場助勢罪**（二〇六条）で処罰される。この罪は、いわゆる野次馬的行為を処罰しようとするものであるから、Aが、BかCかのいずれかを応援したときは、傷害罪（ないしは傷害致死罪）の従犯となるし、Aがもし自分も傷害行為に加わったときは、傷害罪として処罰される。

なお、右の事例で、喧嘩をみていたD・E・Fが興奮してなぐり合いに参加して、B・Cになぐりかかり、このなぐり合いでB・Cは数ヵ所をケガしたが、B・Cのケガは、だれの暴行によって生じたものかわからないばあい、また、軽重のあるいくつかのケガのうち、どのケガはだれの暴行によって生じたかがわからないばあいでも、二〇七条の規定によって、なぐり合いに参加した者全部が傷害罪で処罰されることになる。この二〇七条は、こうしたばあいの立証の困難さを救うために設けられた規定であるが、個人責任を原則とする刑法では例外の規定である。

▼職場交渉中、身辺で大太鼓・鉦を打ち鳴らすと暴行罪になる

> A・B・Cらは、会社の部課長と職場交渉をするにあたり、共同して部課長らの身辺近くで、ブラスバンド用の大太鼓・鉦などを連打し、そのため、部課長らは頭脳の感覚がにぶり意識もうろうとした気分になったり、脳貧血を起こしたりした。

暴行という言葉は、刑法では、公務執行妨害罪・騒擾罪・職権濫用罪・強盗罪などいろいろな箇所で用いられているが、それぞれの犯罪の性格のちがいから、かなりちがったニュアンスをもっている。**暴行罪の暴行**は、人の身体に対する有形力の行使を意味する。そこで、なぐる、ける、引きたおす、組みつくといった

人の身体に対する直接的な攻撃がその適例であるが、人の身体にふれることは必要でないから、あてる意思はなく、人に向けて石を投げること、人の身近かで大太鼓を強く連打すること、同意なしに催眠術をかけることも暴行である。なお、暴行罪は、はじめから単に暴行の意思で暴行を加え、予期していたように人を傷害しなかったばあいだけでなく、傷害の意思で暴行を加えたが傷害するに至らなかったばあいをも含むものである。

第二〇八条の二【凶器準備集合】①二人以上の者他人の生命、身体又は財産に対し共同して害を加ふる目的を以て集合したる場合に於て兇器を準備し又は其準備あることを知て集合したる者は二年以下の懲役又は五〇〇円以下の罰金に処す
②前項の場合に於て兇器を準備し又は其準備あることを知て人を集合せしめたる者は三年以下の懲役に処す

▼三派系の学生と革マル系の学生が数十名角棒をもってにらみ合う（凶器準備集合罪を適用）

昭和四一年九月二二日午後三時五〇分ごろ、Aらの属する都学連派（三派全学連系）の学生が清水谷公園で集会しているときに、全学連派（革マル系）の学生がその場に参集して対抗しようとしたので、これを実力で排除するため、都学連派の学生約五〇名が全学連派の学生の身体に対し共同して害を加える目的で、それぞれ角棒を携行して集合した際に、Aらは同様の目的のもとに、長さ一メートル前後の角棒各一本を所持してこれに加わった。

二〇八条の二の規定は、やくざのなぐり込みなどをその前の段階で押えて大事に至らないようにする目的で設けられたものであるが、最近では、過激派の学生団体の集団的違法行動にも適用されている。右の事例について、最高裁の昭和四五年一二月三日の決定（刑集二四・一三・一七〇七）は、本条にいう「集合」とは、通常は、二人以上の者が他人の生命・身体または財産に対し共同して害を加える目的をもって凶器を準備し、またはその準備がしてあることを知って一定の場所に集まることをいうが、すでに一定の場所に集まっている二人以上の者が、その場で凶器を準備し、またはその準備がしてあることを知ったうえで、他人の生命・

身体または財産に対し共同して害を加える目的を有するに至ったばあいも「集合」にあたると解するのが相当であり、長さ一メートル前後の角棒は、その本来の性質上人を殺傷するために作られたものではないが、用法によっては人の生命・身体または財産に害を加えるに足りる器物（いわゆる**用法上の凶器**）であるから、「凶器」にあたると解すべきであるとして、凶器準備集合罪の成立を肯定している。なお、凶器には、鉄砲・ピストル・日本刀といった性質上の凶器ばかりでなく、使用方法によっては凶器になるもの、すなわち、用法上の凶器も含まれるものとされている。用法上の凶器としては、鉄棒・ハンマー・鎌などが典型的なものであるが、右の判例は角棒も用法上の凶器であるとしたが、いわゆる飯田橋事件についての昭和四六年三月一九日の東京地裁判決は、プラカードも用法上の凶器にあたるとしている。

▼**相手方が襲撃してきたら応戦する目的で集合しても**
（凶器準備集合罪）

某市内に縄張を有するやくざ通称A一家の親分Aは、Bを首領とする通称B一家との間に紛争を生じ、決闘寸前の緊迫した状態に立ち至ったので、身内の幹部C・Dらと共謀のうえ、昭和三五年一月四日の夕刻ごろ、B一家の者がA方に襲撃してきた際には、これを迎撃し、共同して殺傷する目的で、約四〇名の身内の者を付近に集合せしめ、その際、日本刀、三八式歩兵銃、拳銃、実包等の凶器を準備し、あるいは集合した身内の者らに準備させた。

凶器準備集合罪の「共同して害を加ふる目的」とは、人の生命・身体・財産に対する加害行為を共同して実行しようとする目的であるが、この加害の目的は、積極的にみずから進んで害を加える目的である必要はなく、相手方が襲撃してきたばあいには、これを迎撃し、共同して相手方を殺傷しようとする受動的な目的でもよい。したがって、右にあげた事例において、集合したA一家の身内の者には、凶器準備集合罪が成立し、Aは、これらの者を集合せしめた者として、凶器準備結集罪（二〇八条の二第二項）の罪責を負う（最決昭三七・三・二七刑集一六・三・三二六）。

第28章

過失傷害の罪

第二〇九条【過失傷害】①過失に因り人を傷害したる者は五〇〇円以下の罰金又は科料に処す
②前項の罪は告訴を待て之を論ず
第二一〇条【過失致死】過失に因り人を死に致したる者は一〇〇〇円以下の罰金に処す
第二一一条【業務上過失致死傷・重過失致死傷】業務上必要なる注意を怠り因て人を死傷に致したる者は五年以下の懲役若くは禁錮又は一〇〇〇円以下の罰金に処す。重大なる過失に因り人を死傷に致したる者亦同じ

刑法では過失による行為が処罰されることは例外であるが（三八条一項）、あやまって人を傷つけたり死亡させたりすると、民事上の損害賠償だけでは、すまず、刑法上も犯罪として処罰される。もっとも、その刑は、故意に人を殺したり、傷害したりしたときと比べて、はるかに軽い。

ところで、今日のように、技術文明が高度に発達した社会では、たとえば、大工場の経営とか大規模な土木建設工事とか、飛行機・汽車・電車・自動車など高速度交通機関の運行といった、人々の生命や身体に対する侵害の危険をはらんだ事業が数多く存在し、これにともない人身事故が多発している。昨今、自動車による人身事故が大きな社会問題となっており、新聞などで自動車について「走る凶器」という表現を用いていることなどは、その一例を示すものといえよう。こうした事情を反映して、業務上(重)過失致死傷罪は、昭和四四年では、全有罪判決中の約二七%、実数で四三万八六八五件を占めるに至っている。しかも、今日の人身事故で特徴的なことは、その被害が大きく、一度に数百人の人々がその生命を失ったり重傷を負ったりする事例がすくなくないことである。このことは、

桜木町や三河島の電車事故、大阪の地下鉄工事のガス爆発事故などを思い出せば、すぐわかることであるが、故意の殺人のばあいには、一〇人も一度に殺せば大変で、めったにないことであろう。なお、ここで注意しなければならないことは、この過失致死傷罪の大半が、自動車による人身事故に関するものであることである。今日のように、だれでもが自動車を運転している社会では、だれでも人身事故を起こす可能性、すなわち、窃盗とか強盗とか殺人とかいった故意による犯罪では、一般の市民は、被害者として犯罪と関係をもつだけであるが、過失致死傷ということになると加害者として関係する可能性が大きいものといえよう。

さて、**過失**とは、不注意、いいかえると、ある行為をするにあたって守らなければならない注意を怠ることである。そこで、過失致死傷罪が成立するためには、不注意な行為によって人を死亡させたり、傷を負わせたりしたこと（不注意な行為と死傷の結果との間に因果関係が存在すること）が必要である。行為と死傷の結果との間に**因果関係**がないときには、それだけで過失致死傷罪が成立しないこともちろんである。最近では、この因果関係があるかどうかが争われている事例もすくなくない。たとえば、サリドマイド裁判ではサリドマイド睡眠剤の服用と奇型児の出生との間の因果関係、イタイイタイ病裁判では、カドミウムを含んだ工場廃水の排出とイタイイタイ病の発生との間の因果関係が争われていることは周知のところである。もし、この因果関係の存在が証明できないと、過失致死傷罪は成立しないこととなる。なお、種痘の予防接種をうけた生後六ヵ月の赤ちゃんが、せきずい炎を起こして下半身が麻痺したので、赤ちゃんの親が、予防接種をした保健所の医師と同保健所長とを業務上過失傷害で告訴したが、検察庁は取調の結果、「容疑なし」として不起訴処分にした事件があったが、これなども、種痘の予防接種とせきずい炎による下半身麻痺との間の因果関係を明確にできなかったということが、検察庁が不起訴にふみ切るきめ手となったものといえよう。

過失による致死傷は、過失傷害罪・過失致死罪・業務上過失致死傷罪・重過失致死傷罪に分かれる。過失傷害罪は、罰金・科料、過失致死罪は罰金と、刑がきわめて軽いが、これに比べて、業務上過失致死傷罪・

重過失致死傷罪は、五年以下の懲役・禁錮または一〇〇〇円（五万円）以下の罰金と、その刑はかなり重い。なお、過失傷害罪は、被害者側から犯人を処罰してくれという告訴がないと処罰されない（親告罪）。

▼きびしすぎた教育ママ、長女をせっかん（過失傷害）

A子は、長女Bちゃんが来年幼稚園へ入るため、せめて自分の名前ぐらいは読めるようにしたいと、ひら仮名を教えこもうとした。が、Bちゃんが遊びたがって言うこと聞かず、外へ飛び出て行こうとしたので、腕をつかまえて、頭を一、二回ぶったところ、あたりどころがわるく、思いかけずケガをさせてしまった。

混雑している駅の階段のところで、前の人が邪魔だからと押しのけたところ、相手がころんでケガをしたようなときには、ケガをさせる気がなかったものであるので、普通には「あやまってケガをさせた」ということになろうが、刑法的には、過失傷害ではなく傷害罪が成立する。というのは、右のばあいには、傷害の結果が押しのけるという暴行から生じたものだからである。すなわち、過失傷害罪・過失致死罪が成立するためには、暴行という前提なしに傷害・死亡の結果が生じたことが必要である。たとえば、人通りに面した二階の窓を修理中あやまって持っていた鉄のスパナを落としたところ、窓の下を歩いていた通行人にあたってケガをさせたといったばあいなどが、まさに過失傷害罪にあたるものである。もっとも、傷害の原因となった暴行が違法なものでないときには、傷害罪ではなく過失傷害罪になるというのが一般である。右の事例のように、母親が自分の子供に勉強をさせるためにちょっと頭のところをぶったところ、あたりどころがわるく、思いがけずをケガさせてしまったようなばあいには、過失傷害ということになろう。もっとも、過失傷害罪は親告罪だから、この母親が処罰されるということはまずなかろう。

▼狩猟中あやまって人をケガさせたら（業務上過失傷害罪）

東京都発行第七七六七号乙種狩猟免許状をもつAは、Bと東京都北多摩郡田無町のS製薬工場東側にある雑木林で狩猟をしていたが、南方約一〇メートル先に小寿鶏一羽が飛び出したので、Bに合図もせずに、その方向に猟銃を発砲した。その結果、発砲地点より一七、八メートル離れた雑草の中にいたBに弾丸を命中させ、全治約二週間のケガをさせた。

〔1〕

▼レジャードライブ中に、事故でケガをさせたら（業務上過失傷害罪）

〔2〕

Aさんは休日を利用してドライブのためレンタカーを借り、友人BさんとCさんを同乗させて山道を走行中運転を誤って自動車を崖下に転落させ、BさんCさんに重傷を負わせた。

業務上必要な注意を怠って人を死亡させたり、ケガをさせたりすると、普通の過失で人を死亡させたり、ケガをさせたりしたばあいよりも、はるかに重く罰せられることは前述したとおりである。列車の衝突事故とかガス爆発事故を思い浮べてもすぐわかるように、業務上の不注意によってひきおこされる被害は、一般の人の不注意によってひきおこされる被害よりもはるかに大きいことが多い。そこで、人の生命や身体に対する危険をともなう仕事に従事している者に、重い注意義務を課し、それを怠って人身事故をひきおこしたときには、重い刑事責任を負担させることによって、一般の人よりも一層の注意をつくさせるために重い刑罰が規定されているとされている。

ここから、**業務上過失致死傷罪における業務**は、人の生命や身体に危険をおよぼすおそれのある仕事であることが必要である。そして、それは、その行為の性質上、人の生命・身体に対する危険をつくり出す仕事のほか、人の生命・身体の危険を防止することを義務内容とする仕事も含まれる。たとえば、汽車・電車・自動車の運転、爆発物などの危険物の製造・運搬・保管・販売などが前者にあたり、プールの水泳教師の仕事などが後者にあたる。なお、危険性の程度が低いものは危険な仕事にはあたらない。そこで、たとえば、商店の配達係が自転車で商品を配達中にあやまって人に衝突し、ケガをさせたばあいには、業務上過失傷害罪ではなく、単なる過失傷害罪が成立する。

さらに、業務といえるためには、社会生活上の地位にもとづいて、くりかえし継続して行なうものであることが必要であるとされている。たとえば、料理屋の店主が不注意にも腐敗した材料を使用した料理を客に出して食中毒を起こさせたときには、業務上過失傷害罪が成立するが、母親が不注意にも腐敗した材料を使用した食事を子供達に食べさせて食中毒にかからせたときは、業務上過失傷害罪ではなく単なる過失傷害罪が成立する。これは、料理店の店主のばあいは、それが社会生活上の地位にもとづくものであるのに反して、母親の場合は、それは育児・家事の一部としてまったく個人的な生活活動に関するものだからである。

なお、日常常識からみると業務とは考えられないものでも、裁判では、業務上過失致死傷罪の業務にあたるとされていることに注意する必要がある。たとえば、会社の役員が毎年一回、娯楽のため狩猟に行き、猟銃の取扱上の不注意から人を傷つけたときでも、また会社員が日曜にドライブに行き、自動車の運転をあやまり人を傷つけたときでも、業務上過失傷害罪にあたるとしている。今日、オーナードライバーが多いので、念のために述べておくと、タクシー・トラックの運転手が、その他に雇われているタクシー会社や運送会社その他に雇われているタクシー・トラックの運転手が、本来の仕事とは無関係に自動車を運転しても、業務にあたるとされている。すなわち、自動車の運転者としての地位にもとづいて自動車の運転をくりかえし続けていれば、それが生活の手段であるとなかろうと、報酬をえているものであろうとなかろうと、適法であろうとなかろうと（無免許で自動車を運転しても入る）、業務にあたると解されている。

▼赤信号無視の歩行者をはねても運転手は無罪
（注意義務違反なし、信頼の原則を適用）

タクシーの運転手Aさんは、午後〇時半ごろ、大阪市南区灘波新地三番町、千日前交差点内の市電軌道敷内を走っていたとき、市電を降りた女工員Bさんが赤信号なのに電車の後ろから小走りに飛び出した。Aさんは急ブレーキをかけたが間に合わず、Bさんに三ヵ月の大ケガをさせた。

業務上必要な注意といっても、その内容は業務の種類によっていろいろと異なるし、また、具体的な状況によってもちがってくるので、ある業務を行なうにあたって、どのような注意をしていれば、注意を怠ったことにならないかは、具体的な事件ごとに判断するほかはない。法令で一定の義務が課せられているばあいには、これに違反すれば一応、業務上必要な注意を怠ったものといえよう。たとえば、トラックの運転手が、踏切直前での一旦停車義務を怠って、一旦停車をせずにそのまま鉄道線路内にトラックを進め列車と衝突したときには、特殊な事情のないかぎり、この運転手に過失があるといえる。しかしながら、注意義務は、具体的なばあいばあいによって千差万別であるので、法令に規定された義務を守ったからといって、それだけで注意義務をつくしたものであるとはいえないこともちろんである。

ところで、最近、交通事故に関して、自動車を運転する者の過失を認定するにあたって、信頼の原則といふことがいわれている。従来は、自動車の運転手が人身事故を起こしたばあいには、被害者にかなりひどい落度があったときでも、運転手が注意義務を怠ったものとして業務上過失致死傷罪で有罪とされるのが通例であった。しかし、今日のように、自動車の数がおどろくべきほど増加し、そのスピードも高速化した事情のもとで自動車を運転する者に過度の注意義務を要求すると、かえって交通が混乱してしまう結果を招来することになる。そこで、自動車を運転する者の注意義務を適正に認定するために、自動車を運転する者は、他の交通関与者も交通法規を守った行動をとるであろうことをあてにして適切な行動をとれば十分であるとする原則が主張されている。これが**信頼の原則**といわれるものである。

最高裁が交通事故について信頼の原則をみとめた最初の判例として、昭和四一年一二月二〇日の判決（刑集二〇・一〇・一二一二）がある。この判決は、交通整理の行なわれていない交差点で、右折の途中、車道中央付近で一時エンストを起こした自動車が、また始動して時速約五キロの低速で発車進行しようとするときには、この自動車を運転する者は特別の事情のないかぎり、右側方からくる他の車が交通法規を守って自分の車との衝突をさけるために適切な行動にでることを信頼して運転すれば十分であって、あえて交通法規に違反し、自分の車の前面を突破しようとする車がありうることまで予想して、右側方に対する安全をたしかめて、事故の発生を未然に防止すべき業務上の注意義務はないと述べ、衝突事故につき自動車運転者に過失がないとして無罪を肯定している。

もっとも、この信頼の原則がどのようなばあいに適用されるかは、個々のケースに即して具体的に決定するほかはないが、制限速度を超過して、あるいはセンターラインをこえて車を運転していたばあいのように、自分自身が交通法規に違反して車を運転しそのために事故をひきおこしたばあいとか、住宅地や商店街の歩道と車道との区別もないせまい道路で、子供が道傍で遊んでいたり、歩行者が道路の中央付近を歩いていたりして、不注意な行動に出ることが多いことが予想されるところで車を運転するばあいには、信頼の原則は適用がないものといえよう。

なお、最近の裁判の実情をみると、自動車が歩行者に衝突して人身事故をひきおこしたばあいには、なかなか信頼の原則が適用されていないが、車と車とが衝突したばあいには、かなりひろい範囲で信頼の原則が適用されている。右にあげた事例について大阪高裁（大阪高判昭四二・一〇・一七高刑集二〇・五・六二八）は、信頼の原則を適用して運転手Aさんに過失がないとして無罪を言い渡したが、これなどは、歩行者との関係で信頼の原則の適用があるばあいの一例といえよう。

▼閉め切った車に赤ん坊を置き去りにして死なせた母親（重過失致死罪か）

Aさんは午後三時ごろBちゃん（当時二歳）を軽乗用車に乗せ、T市の美容院へ行った。が、Bちゃんは寝ていたので、後部座席においたまま、パーマをかけにゆき、同五時ごろ車に帰ったらBちゃんはぐったりしており、近くの病院に運んだがすでに死んでいた。なお、当日、T市の気温は三一度をこえ、車内の温度は四〇度以上であった。

業務によるばあいでなくても、不注意の程度がいちじるしいと重過失ということになり、業務上過失致死傷罪と同じ重い刑で処罰される。重大な過失か通常の過失かは、結局のところ程度の差であるが、ほんのわずかの注意をすれば事故の発生を防止することができたのに、それをしなかったときに重大な過失がみとめられる。たとえば、自動車の運転免許をもっていない男が酒を飲んで酔ったあげく、初めて自動車を運転し、前方をろくに見もしないで人混み中に車を突込んで通行人に傷害をあたえたといったばあいは、重過失致傷の典型的な事例といえよう。なお、右にあげた事例においてAさんには重過失がみとめられようか。

第29章 堕胎の罪

第二一二条【堕胎】 懐胎の婦女薬物を用ひ又は其他の方法を以て堕胎したるときは一年以下の懲役に処す

第二一三条【同意堕胎】 婦女の嘱託を受け又は其承諾を得て堕胎せしめたる者は二年以下の懲役に処す。因て婦女を死傷に致したる者は三月以上五年以下の懲役に処す

第二一四条【業務上堕胎】 医師、産婆、薬剤師又は薬種商婦女の嘱託を受け又は其承諾を得て堕胎せしめたるときは三月以上五年以下の懲役に処す。因て婦女を死傷に致したるときは六月以上七年以下の懲役に処す

第二一五条【不同意堕胎】 ①婦女の嘱託を受けず又は其承諾を得ずして堕胎せしめたる者は六月以上七年以下の懲役に処す

②前項の未遂罪は之を罰す

第二一六条【不同意堕胎による死傷】 前条の罪を犯し因て婦女を死傷に致したる者は傷害の罪に比較し重きに従て処断す

第二次大戦後、わが国では、優生保護法による適法な人工妊娠中絶(堕胎)がきわめてゆるやかに運用され、その数は昭和二八年から三六年までは、年間一〇〇万件をこえ、昭和四五年度は七三万件といわれ、さらに、それほどゆるやかに運用されている優生保護法にもとづく届出すらしない非合法な人工妊娠中絶(堕胎)も、届出のある人工妊娠中絶の半数ぐらいはあるといわれている。こうして、現在では堕胎(人工妊娠中絶)が処罰されるほど悪いことだという意識が国民の間でほとんど消失しており、また、非合法な堕胎でも起訴され処罰されたという例はほとんどないといってよかろう。そこで、堕胎罪の規定は、今日、ほとんど死文化している。

しかし、堕胎罪の規定は削除されたわけではないから、その内容について簡単にふれておこう。まず堕胎

罪で刑が一番軽いのは、妊娠している女性が自分で堕胎することであるが、自分で薬を飲んだり、器具を使ったりして子供をおろしたばあいだけでなく、医者とか産婆にたのんで子供をおろしてもらったときも二一二条で処罰される。次は、妊娠している女性以外の者が、その女性にたのまれたり、同意をえて子供をおろしてやる罪で、医師・産婆・薬剤師・薬屋がおろしてやったとき(二一四条)は、それ以外の者、たとえば、恋人とか母親がおろしてやったとき(二一三条)よりも刑が重い。一番刑が重いのは、妊娠している女性が堕胎を承知しないのにおろすことで、このばあいは未遂でも処罰される(二一五条)。たとえば、大学生AはB子と遊びのつもりで交際していたところ、妊娠したB子が子供を産みたがって子供をおろすことをどうしても承知しないので、B子に睡眠薬を飲ませて、B子がねているうちに、隣室に住んでいた友人のインターンCに事情を話して中絶手術をしてもらったばあいには、AとCはこの罪で処罰される。このばあい、中絶手術の際に、B子に傷害をあたえたときには、六月以上一〇年以下、あやまってB子を死亡させたときには二年以上の有期懲役で処罰される。

◇優生保護法◇

優生保護法は、優生上の見地から不良子孫の出生を防止し、母性の生命・健康を保護することを目的として、昭和二三年に制定・施行された法律である。同法は、次の事由があるときには、指定医師は、本人および配偶者の同意をえて人工妊娠中絶を行なうことができるとしている(同法一四条一項)。

① 本人または配偶者が精神病、精神薄弱、精神病質、遺伝性身体疾患または遺伝性奇型を有しているもの
② 本人または配偶者の四親等以内の血族関係にある者が遺伝性精神病、遺伝性精神薄弱、遺伝性精神病質、遺伝性身体疾患又は遺伝性奇型を有しているもの
③ 本人または配偶者が癩疾患に罹っているもの
④ 妊娠の継続または分娩が身体的または経済的理由により母体の健康を著しく害するおそれのあるもの
⑤ 暴行もしくは脅迫によってまたは抵抗もしくは拒絶することができない間に姦淫され妊娠したもの

なお、最近のおびただしい人工妊娠中絶は、④の理由によるものがほとんどである。

第30章　遺棄の罪

第二一七条【遺棄】 老幼、不具又は疾病の為め扶助を要す可き者を遺棄したる者は一年以下の懲役に処す

第二一八条【保護責任者による遺棄】 ①老者、幼者、不具者又は病者を保護す可き責任ある者之を遺棄し又は其生存に必要なる保護を為さざるときは三月以上五年以下の懲役に処す

②自己又は配偶者の直系尊属に対して犯したるときは六月以上七年以下の懲役に処す

第二一九条【遺棄による死傷】 前二条の罪を犯し因て人を死傷に致したる者は傷害の罪に比較し重きに従て処断す

〔1〕

▼ひき逃げは保護責任者遺棄罪

軽乗用車を運転していたAは、旧中仙道交差点を横断中のBをはね、重傷を負わせた。AはBを病院へ運ぶふりをして車に乗せ、現場から約三キロ離れた県道に放り出して逃げた。

人をひくと保護する責任がある

〔2〕

▼二号関係にある泥酔者を路上に放置し、凍死させる（保護責任者遺棄罪）

Aは、二号関係にあったB子と一緒に酒を飲んだが、B子が酒に酔って、正体がなくなったので、B子をその家に連れて行こうとしたが、路上に坐り込んで動こうと

しないので、酔をさませるため順次衣類をはぎとりながら引きずって行ったが、全裸にしても動こうとしないので、遂に、B子をたんぼの中に放置して、自分だけ帰宅してしまったところ、冬の寒い夜であったため、B子は凍死してしまった。

遺棄罪における「遺棄」とは、老齢・幼少・不具・病気のために人の助けをかりなければ自分では日常生活に必要な動作をすることができない者を保護されない状態におとし入れて、その生命・身体を危険にさらすことである。たとえば、自分の家の門のところに倒れている行路病者を、かかわりあいになるのをおそれて、自分の自動車に乗せ、郊外の人目のすくない野原に運び、そこに置いて帰ってきたばあいがこれにあたる。

条文で「扶助を要すべき者」としているが、これは、人の助力をかりなければ日常生活に必要な動作をすることができない者を意味するもので、生活のための資産があるかどうかは関係がない。たとえば、中風で全身不随の老人は大金持でも「扶助を要すべき者」にあたるが、一文なしで生活に困っていても五体健全の青年はこれにあたらない。そこで、たとえば、夫が妻を捨てて蒸発したとしても、その妻が健康であれば、貧困のためにその日の生活に困っていたとしても、遺棄にはならない。

また、法律は、扶助を必要とするようになった原因を、老令・幼少・不具・病気にかぎっているので、泥酔して日常生活に必要な動作ができない者が含まれるかどうかについて問題がないことはないが、泥酔も一時的な病的状態と解しうるから、泥酔して日常生活に必要な動作をすることができない者を、町はずれの人通りのない河原にかかえて行って、そこに置いてくれば、遺棄罪にあたるといえよう。

なお、遺棄罪は、老人・幼児・不具者・病人を保護する責任のある者が行なうと重い刑で処罰される。この保護責任は、たとえば、親子関係とか、夫婦関係とかのように、法律の規定にもとづくばあいだけでなく、契約にもとづくばあい、さらには、社会生活上の条理からみとめられるばあいもある。たとえば、夫に蒸発されて、幼児と二人で暮していた妻が、生活にいやけがさし、幼児をひとり家に置いて家出をしてしまったばあい、子守りに雇われた女子が赤ん坊を公園のベンチに置き去りにして実家に帰ってしまったばあい、友人と一緒に登山に出かけたところ、その友人が山中で急病にかかり動けなくなったので友人をそこに放置して下山してしまったばあい、神社の境内で棄て児をみつけ、かわいそうに思って自宅に連れてかえり、二、三日養育していたが面倒になったので、また、神社の境内の元の場所に置いてきたばあいなどは、保護責任者による遺棄罪が成立する。さて、右にあげた事例〔1〕のばあいは、Aは自分の過失でBに重傷を負わせたのであるからAにはBを保護する責任が条理上みとめられるし、また事例〔2〕のばあいは、B子はAの二号であり、Aと一緒に酒を飲んで泥酔したのであるからAには条理上B子を保護する責任があるといえよう。したがって、いずれの事例も保護責任者による遺棄罪にあたる（もっとも、事例〔2〕のばあいは、B子が死亡しているので、遺棄致死罪が成立する）。

遺棄罪が成立するためには、遺棄された者の生命・身体が危険にさらされたことが必要であるが、そのばあい、具体的な危険が発生したことが必要であるか、それとも抽象的にでも危険が発生すれば足りるかについては見解が分かれているが、判例（大判大四・五・二一刑録二一・六七〇）は、後者の立場に立っている。この立場からは、老人を養老院の門のまえに置いてきても、遺棄罪が成立することになる。

なお、老人・幼児などを保護する責任のある者は、遺棄しなくても、いいかえると、被害者と一緒に住んでいても「生存に必要な保護をしない」と二一八条で処罰される。判例によると、たとえば、養子としてもらってきた二歳の子供に、幼児の食事としては適当でない食物を少量あたえるだけで、夏にもかやをつらせず、屋外の土間の犬のそばに寝かせ、ひどい栄養障害にかからせたばあいなどがこれにあたるとされている（大判大五・二・一二刑録二二・一三四）。

なお、遺棄した結果、被害者を死亡させたり、傷害を負わせたときには、二〇五条（致死のばあい）、二〇四条（致傷のばあい）の法定刑と二一七条または二一八条の法定刑とを比較して重い方にしたがって処断される。もっとも、はじめから被害者を殺すつもりか傷害を負わすつもりで遺棄したり、生存に必要な保護をしなかったときは、殺人罪か傷害罪だけが成立する。

第31章 逮捕および監禁の罪

第二二〇条【逮捕・監禁】①不法に人を逮捕又は監禁したる者は三月以上五年以下の懲役に処す
②自己又は配偶者の直系尊属に対して犯したるときは六月以上七年以下の懲役に処す

第二二一条【逮捕・監禁による死傷】前条の罪を犯し因て人を死傷に致したる者は傷害の罪に比較し重きに従て処断す

▼意思に反してオートバイの荷台に乗せ疾走するのは監禁罪

〔1〕
Aは、顔見知りのB子を強いて姦淫しようと企て、B子が帰宅途中「家まで乗せて行ってやる」といって、B子をオートバイの荷台に乗せ、時速約四〇キロで疾走した。B子の家のまえまできたとき、B子が「降ろして！車を止めて！」と言ったが、そのまま同速度で走りつづけ、B子の家から約一キロの地点で、カーブのためスピードを落したとき、B子はとび降りて倒れ、全治五日の擦過傷を負った。

恐怖心を利用するのも監禁

▼漁船に女性を一昼夜乗せ、沖合に漂う（監禁罪）

〔2〕
漁船の船長Aは、瀬戸内海の島に帰るのに連絡船に乗りおくれたB子から、便乗させてくれとたのまれ、漁船に乗せたが、船が沖合に出たところでB子を強姦した。そのあと、Aは、船を沖合にとめ、B子を船に乗せたまま翌朝まで数時間熟睡した。

逮捕・監禁罪は、人を逮捕したり、監禁したりして、人の行動の自由を奪うことを内容とする犯罪である。そこで、生まれたばかりの嬰児のように全然行動できない者に対しては本罪は成立しない。しかし、責任能力を欠く者、意思能力を欠く者、たとえば、五、六歳の幼児、精神病者でも、行動できるかぎり本罪の客体となりうるから、これらの者を逮捕・監禁すれば本罪が成立する。行動の自由はかならずしも現実に存在する必要はなく、その可能性があれば足りるから、泥酔者・睡眠中の者を逮捕・監禁して、本人が意識を回復するまえに解放したばあいにも本罪の成立がある。なお、第三者の扶助または器具その他の機械の助けがなければ行動できない者でも本罪の客体となりうるから、たとえば、両足を失った者が義足をはずして室内のベットで寝ているのを、その者をそこから脱出できないようにする目的で、その義足を持ち去ったばあいも監禁にあたるものといえよう。ところで、人の行動の自由に制限を加えれば本罪は成立するから、たとえば、長い鎖でしばったばあい、その鎖の長さの範囲で被害者が行動できても逮捕罪が成立するし、また、広大な邸宅に幽閉すれば、たとえその邸宅内では被害者に行動の自由を許していたとしても監禁罪が成立する。

逮捕とは、直接人の身体を拘束することで、たとえば、ロープで被害者の手足をしばったり、あら縄で人を庭木にしばりつけたり、人の両手をつかんではなさなかったりすることが、これにあたる。もっとも、逮捕といえるためには、人の行動の自由が奪われている状態が多少継続することが必要であるから、ほんの一瞬間だけ人の身体を拘束しただけでは、まだ逮捕とはいえない（暴行ということになろう）。

監禁とは、人が一定の場所から出ることをできなくするか、いちじるしく困難にすることで、その方法はいろいろである。部屋にとじこめて出入口に鍵をかけるとか、物置に押しこんで戸を外から釘づけにするとかいったばあいが監禁にあたることもちろんであるが、かならずしも有形的方法で脱出できなくする必要はなく、たとえば、被害者を自宅に連れてきて、「もし逃げたら片輪にしてやる」とおどし、おそれた被害者がそこから逃げ出そうとしなかったときも監禁になる。これは恐怖心を利用した監禁の例であるが、羞恥心を利用する監禁の例として、入浴中の婦人の脱衣を全部もち去って婦人を浴場から出れなくするばあいがあげられる。右にあげた事例〔1〕のばあいは、B子をだましてオートバイに同乗させて疾走したものであるから、被害者の錯誤と恐怖心とを利用した監禁にあたるといえよう（最決昭三八・四・一八刑集一七・三・二四八）。なお、この事例からもわかるように、監禁される場所はかならずしも、かこまれた場所である必要はない。たとえば、海中に孤立した瀬標に被害者を無理にあがらせ、これを置き去りにして船で帰り、被害者を約一時間半ばかりそこから立ち去ることができなくさせた事例について監禁罪の成立をみとめた下級裁判所の判例がある（長崎地判昭三七・七・三第一審刑集一・七・九九四）。

なお、事例〔2〕について、弁護側は、船長Aは強姦のあと翌朝まで数時間熟睡していたのであるから、B子は泳いで逃げようと思えば逃げられたはずであるから監禁罪は成立しないと主張したのに対して、裁判所は、B子が上陸しようとすれば岸まで泳いで行くほかには方法がないだけでなく、時刻は深夜でもあり、強姦による恐怖の念がまだ継続していたであろうと考えられるので、B子がAの漁船から脱出することはいちじるしく困難なことであるから、監禁罪が成立するとした（最判昭二四・一二・二〇刑集三・一二・二〇三六）。監禁罪が成立するためには、一定の場所から被害者が脱出することが不可能でなくても、脱出することがいちじるしく困難であれば足りるとするのが、通説・判例である。

▼**実子の非行を矯正するためでも、両手を針金でしばり十数時間押入れ内にとじこめれば、監禁罪が成立**

> Aは、息子B（九歳）が学校で友達の弁当を盗みぐいしたり、先生の金を盗んで買いぐいしたり、また近所の家から食物を盗みぐいしたりするので、その非行を矯正するため、Bの両手を針金でしばり、板戸のある押入れ内に入れ、敷居に釘を打ちつけて、その戸が開かないようにして、用便・食事の時以外は、両手をほどかず、夜昼十数時間以上も押入れ内に閉じこめておいた。

人を逮捕したり監禁したりしても、それが適法に行なわれたときは犯罪を構成しない。たとえば、現行犯人を逮捕するばあいが逮捕罪にならないこともちろんであろう。なお、親は子供をしつけるために懲戒権をもっているので、親が素行のわるい子供をしつけるために押入れに入れても、それが適切な懲戒行為とみとめられるものであれば、監禁罪にはならない。もっとも、その範囲を逸脱したようなばあいには、親の子供に対する懲戒行為でも違法である。右にあげた事例などは、まさに懲戒権の範囲を逸脱したもので、違法な監禁にあたる（東京高判昭三五・二・一三下級刑集二・二・一一三）。

なお、最近では労働争議に関連して、逮捕・監禁の違法性が問題とされることが多い。これは、団体交渉の過程において、労働者側の者が使用者側の者の身体・行動の自由を拘束することが多く、そうした逮捕・監禁の行為が正当争議行為として違法性を阻却するかどうかが問題となるからである。この問題は、結局のところ、そうした使用者側の者の身体・行動の自由を拘束する行為が、具体的事情のもとで社会的に許容されるものかどうかによって判断するほかはなかろう。解雇撤回要求を貫徹するため、執務中の課長を強いて広場まで連れ出し、約三時間四〇分にわたって数百名の組合員が円陣を作って取り囲み、その脱出を不可能にさせた事例について、監禁罪の成立をみとめた判例がある（最決昭三三・一二・二四刑集一一・一四・三三四九）。

人を逮捕したり、監禁した結果、被害者を死亡させたり、傷害を負わせたときは、逮捕・監禁致死傷罪ということになり、二〇五条（致死のばあい）または二〇四条（致傷のばあい）の法定刑と二二〇条の法定刑とを比較し、重い方にしたがって処断される。もっとも、人を監禁し、その機会に被害者に暴行を加え、これを死亡させたり、傷害を負わせたばあいでも、その暴行が、被害者の逃亡を防ぐ手段としてなされたものではなく、たとえば麻薬のかくし場所を白状させるためとかいった別の動機原因から加えられたものであるときは、監禁罪と傷害罪ないし傷害致死罪との併合罪となる。

なお、はじめから人を殺すつもりで、被害者を山小屋に監禁し、これを放置し餓死させたようなばあいには、この監禁は殺人の手段であるから、殺人罪が成立するだけである。

第32章　脅迫の罪

第二二二条【脅迫】①生命、身体、自由、名誉又は財産に対し害を加ふ可きことを以て人を脅迫したる者は二年以下の懲役又は五〇〇円以下の罰金に処す
②親族の生命、身体、自由、名誉又は財産に対し害を加ふ可きことを以て人を脅迫したる者亦同じ
第二二三条【強要】①生命、身体、自由、名誉若くは財産に対し害を加ふ可きことを以て脅迫し又は暴行を用ひ人をして義務なき事を行はしめ又は行ふ可き権利を妨害したる者は三年以下の懲役に処す
②親族の生命、身体、自由、名誉又は財産に対し害を加ふ可きことを以て脅迫し人をして義務なき事を行はしめ又は行ふ可き権利を妨害したる者亦同じ
③前二項の未遂罪は之を罰す

▼出火見舞もばあいによっては脅迫罪になる

奈良県下の天満村の根成柿地区では、橿原市に合併するか高田市に合併するかで、橿原市派と高田市派とに分かれて対立抗争をつづけていたが、その抗争がいよいよはげしさを増してきた時期に、橿原市派の中心人物であったAは、当時出火の事実などなかったのに「出火御見舞申上げます、火の元に御用心」と書いた郵便ハガキを高田市派の中心人物であるB・Cにあて発送し、これを受領させた。

脅迫とは、たとえば、「つべこべ言うなら、お前の腕をへし折ってやる」といったように、人がこわがるようなことを告げて相手方をおどかすことである。人をおどかすばあいに、それによって、なにかを無理やりにさせたり、金を出させたりするということが多い。こうしたばあいには、強要罪・恐喝罪、おどしかたがひどければ強盗罪が成立し、これらの罪のほかに脅迫罪にとわれることはない。すなわち、脅迫罪は、ただ人をおどかすにすぎないときに成立する。

脅迫は、人がこわがるようなことを告げることであるが、脅迫罪の脅迫は、二二二条によって、その内容が被害者またはその親族の生命・身体・自由・名誉・財産に対する害悪であることが要求されている。そこで、たとえば、「お前の生命をもらうぞ」「お前の浮気をばらしてやるぞ」「お前の家に火をつけてやる」といったおどしでも、「お前の女房をいたみつけてやる」「お前の娘をきずものにしてやる」といったおどしでもよいが、「お前のガールフレンドの顔に傷をつけてやる」といったときは、被害者またはその親族の身体に対する害悪の告知ではないから、脅迫罪にはならない。なお、一定の地域（部落、町内など）に居住する住民が結束して特定人を共同生活から除外し、絶交する旨を決議して通告する、いわゆる村八分は、被絶交者の人格をきづつけ、その名誉を毀損するもので、名誉に対する害悪の告知にあたるとされている（大判昭九・三・五刑集一三・二一三）。

また、脅迫といえるためには、相手方に告げる害悪の内容が、人のこわがるようなものでなければならない。単に「いやがらせ」の程度では、まだ脅迫とはいえない。どのようなものであれば、人をこわがらせるのに足りるものといえるかは、結局のところ、社会通念によってきめるほかはないが、具体的な状況を考慮に入れて判断することが必要である。右にあげた事例において、出火見舞の葉書それ自体は別に人をこわがらせる性質のものではないが、両派の抗争がはげしくなっている時期に、現実に出火もないのに、一方の派の中心人物の宅に、出火見舞の葉書が舞込めば、火をつけられるのではないかとおそれをいだくのが通常であるから、こうした具体的状況を考慮すれば、出火見舞の葉書を出すことは、脅迫にあたるものといえよう（最判昭和三五・三・一八刑集一四・四・四一六）。さて、相手方に告げた害悪の内容が、一般の人をこわがらせるに足りるものであれば、たまたま相手方が肝玉（きもたま）の大きな人であったために、すこしもこわがらなかったとしても、脅迫罪は成立する。

▼警告しただけでは脅迫罪にならない

共産党員Aは、同党出雲地区委員会事務所の階下を使用していた在日本朝鮮連盟および在日本朝鮮民主青年同盟の各出雲支部が解散を命ぜられ、その命令の執行にきた県庁吏員および警察官と朝鮮人らが事務所で相対峙しているのをみて、二階の窓から表街路を見下ろし、集合していた県庁職員および警察官らに対して、「諸君は今日罪もない朝鮮人らに対して暴行を加えた。しかし、革命は目前に迫っているのだ。人民政府が組織されたら、今日こんなことをした諸君は全部人民裁判にかけられ、絞首台上にあがらねばならないぞ」と語気するどく叫んだ。

脅迫に際して告げられる害悪は、脅迫者自身がみずから直接加えるものであると、第三者を通じて加えさせるものであるとをとわない。しかし、第三者を通じて害を加えさせることを告知するときには、脅迫者がその第三者の加害行為の決意に影響をあたうる立場にあるものとおもわせるように告げることが必要である。たとえば、「あんたもあまり物わかりが悪いと、うちの若い連中がだまってはいませんぜ」とか「俺は新聞社に知人も多く顔もきくからお前のスキャンダルを新聞に公表させてやろう」といっておどかすのがその例である。もっとも、このばあい、脅迫者が実際にはその第三者に影響を及ぼしえないばあいでも、相手方に影響力があるものとおもわせるように告知すれば足りる（大判昭一〇・一一・二二刑集一四・一二四〇）。なお、相手方に告げた害悪の内容が、実現される可能性がなくても、脅迫者におどしの内容を本当に実行する意思がなくても、脅迫罪は成立する。

そこで、行為者の支配の範囲外にある害悪の告知は、脅迫とはならない。たとえば、人相見や易者が、「あなたには女難の相が出ている」とか「あなたの顔には不吉の相がある。近い将来に不幸が訪れるであろう」とかいっても、これは、自分の力でその災難を相手方にふりかからせるように告げたわけではないから脅迫とはならない。もっとも、祈禱師が「自分の言うことを信じないなら、神に祈って神罰が下るようにしてやる」といったとすれば、これは脅迫したということになろう。ところで、右にあげた事例について、裁判所は、Aの発言は、害悪である断頭台上に裁かれることがA自身においてまたはAの左右しうる他人を通じて可能ならしめられるものとして通告されたものと解することはできず、むしろAは警告を発したものと解するのが妥当であろうとして、脅迫罪の成立を否定している（広島高松江支判昭二五・七・三高刑集三・二・二四七)。なお、A子は、共産党提唱にかかる市会リコール運動に署名してくれとたのんだところ、これを拒絶したB子さんに対し、「覚えていらっしゃい。貴女のような人は、人民政府が出来たら真先に絞首台に上げてやる」といったという事案につき、同じ裁判所が脅迫罪の成立をみとめている(広島高松江支判昭二五・一一・二九判決特報一三・一四二)。

▼警察を利用して映画の自主上映を妨害(脅迫罪)

映画館主Aは、隣村の青年団員Bらが小学校で上映を計画中の映画「懐しのブルース」が自館の上映予定のものであったので、その上映を断念させようとして、警察署に電話で映画会社の契約にもとづいて右フィルムを没収するため若い者三〇名ほどを連れて右小学校に行く旨を通知した。その旨を警察署から聞いた青年団員BらがAに面会をもとめたが、Aはこれを拒絶した。

害悪を告げる方法は、口頭によると、文書によると、態度・動作によるとをとわないし、また行為者が自分で相手方に通告しても他人を介して間接的に通告してもよい(最判昭二六・七・二四刑集五・八・一六〇九)。文書によるばあいは、架空の名前を使った手紙・匿名の手紙を出してもよいし、落し手紙をしてもよい。

さて、脅迫または暴行を手段として、相手方に義務のないことをさせたり、その権利を妨害すると、強要罪が成立する。義務のないことをさせた例としては、一三歳の子守の少女を叱責する手段として、水のはいったバケツ、二斗醤油樽などを数時間、胸の辺または頭の上に支持させたばあいがあり、行なうべき権利を妨害した例としては、新聞記者を告訴しようとしている料理店の営業者に対して、もし、告訴するなら、その料理店にとって不利益な記事を自分の新聞に掲載するぞとおどして、告訴をおもいとどまらせたばあいがある。

強要罪は、脅迫・暴行を原因として相手方が義務のないことを行ないまたはその権利を妨害されたことが必要である。そこで、脅迫を加えたところ、相手方はそれで別におそれを感じなかったが、わずらわしいので、義務のないことをしてやったというようなばあいは、強要罪の未遂が成立するにすぎない。

第33章 略取および誘拐の罪

第二二四条【未成年者の略取・誘拐】未成年者を略取又は誘拐したる者は三月以上五年以下の懲役に処す

第二二五条【営利誘拐】営利、猥褻又は結婚の目的を以て人を略取又は誘拐したる者は一年以上一〇年以下の懲役に処す

第二二五条の二【身代金目的の略取・誘拐】①近親其他被拐取者の安否を憂慮する者の憂慮に乗じて其財物を交付せしむる目的を以て人を略取又は誘拐したる者は無期又は三年以上の懲役に処す

②人を略取又は誘拐したる者近親其他被拐取者の安否を憂慮する者の憂慮に乗じて其財物を交付せしめ又は之を要求する行為を為したるとき亦同じ

第二二六条【国外移送目的の略取・誘拐、人身売買】①日本国外に移送する目的を以て人を略取又は誘拐したる者は二年以上の有期懲役に処す

②日本国外に移送する目的を以て人を売買し又は被拐取者若くは被売者を日本国外に移送したる者亦同じ

第二二七条【誘拐の援助など】①第二二四条、第二二五条又は前条の罪を犯したる者を幇助する目的を以て被拐取者又は被売者を収受若くは蔵匿し又は隠避せしめたる者は三月以上五年以下の懲役に処す

②第二二五条の二第一項の罪を犯したる者を幇助する目的を以て被拐取者を収受若くは蔵匿し又は隠避せしめたる者は一年以上一〇年以下の懲役に処す

③営利又は猥褻の目的を以て被拐取者又は被売者を収受したる者は六月以上七年以下の懲役に処す

④第二二五条の二第一項の目的を以て被拐取者を収受したる者は二年以上の有期懲役に処す。被拐取者を収受したる者近親其他被拐取者の安否を憂慮する者の憂慮に乗じて其財物を交付せしめ又は之を要求する行為を為したるとき亦同じ

第二二八条【未遂】第二二四条、第二二五条、第二二五条の二第一項、第二二六条並に前条第一項乃至第三項及び第四項前段の未遂罪は之を罰す

第二二八条の二【解放による刑の減軽】 第二二五条の二又は第二二七条第二項若くは第四項の罪を犯したる者公訴の提起前被拐取者を安全なる場所に解放したるときは其刑を減軽す

第二二八条の三【身代金目的の誘拐の予備】 第二二五条の二第一項の罪を犯す目的を以て其予備を為したる者は二年以下の懲役に処す。但実行の着手前自首したる者は其刑を減軽又は免除す

第二二九条【親告罪】 第二二四条の罪、第二二五条の罪及び此等の罪を幇助する目的を以て犯したる第二二七条第一項の罪、同条第三項の罪並に此等の罪の未遂罪は営利の目的に出でざる場合に限り告訴を待て之を論ず。但被拐取者又は被売者犯人と婚姻を為したるときは婚姻の無効又は取消の裁判確定の後に非ざれば告訴の効なし

略取・誘拐罪は、人をその従来の生活環境から引きはなして自分または第三者の実力的支配のもとに移すことを内容とする犯罪で、暴行・脅迫を手段とするばあいが略取罪、だましたり、甘い言葉でまどわしたりすることを手段とするばあいが誘拐罪である。略取・誘拐罪で重要なものは、未成年者の略取・誘拐罪、営利・わいせつ・結婚目的の略取・誘拐罪、身代金（みのしろ）目的の略取・誘拐罪であろう。

▼子供ほしさに乳母車から連れ出す（略取誘拐罪）

〔1〕

B子さんは、市場の向い側の道路に長男のCちゃん（六月）をうば車に残して、市場に買物に入った。ちょうど、そこを通りかかったA子は、うば車にひとりいるCちゃんをみて、かねてから子供がほしかったので、Cちゃんを抱きあげ、そのまま自宅に連れてかえった。約一〇分後、B子さんが市場から出てきて、Cちゃんがうば車から消えているのをみてびっくりし警察に届け出た。警察は誘拐事件とみて捜査をはじめたところ、約二時間後、A子はCちゃんを連れて警察に行き「子供ほしさにわたくしが誘拐した」と泣きくずれて自供した。

▼離婚のさい子供の養育を夫にまかせた妻がその子供をつれ出すと未成年者誘拐罪

〔2〕

A子は、Bと結婚して子供Cを産んだが、数年後、夫婦仲が不和となり、遂に夫Bと協議離婚した。その際、Cの親権者はBに決まりBがCを養育することになったので、A子はCをBの家に置いて家を出て、ひとりマンションに住んでいた。しかし、A子はCのことが忘れられず、ある日、幼稚園の前でCを待ちうけ、Cに「ママと一緒に行きましょう」といって、Cを自動車に乗せて、自分のマンションに連れて帰った。

未成年者の略取・誘拐は、右にあげた事例〔1〕のよ

うに、子供のいない女性が子供ほしさに他人の子供を連れ去るといったようなことが往々にしてある。このばあい、すぐ子供をかえしても二二四条の罪は成立する。なお、A子は「わたしが誘拐した」といっているが、このばあいは法律的には略取である。公園で遊んでいる子供(七歳)に、チョコレートをあげるから一緒においでといったところ、子供がついてきたので、子供を自分の家まで連れて行ったばあいなどが誘拐にあたる。さて、右の事例〔2〕であるが、このばあい、A子はCの生みの親であるし、Cもよろこんで母親について行ったものであるから、一向かまわないようにみえるが、これは、Cの親権者であるBに無断でCを連れ出したところに、親権者の子供に対する保護監督権を侵害したものとして、未成年者誘拐罪が成立する。もっとも、未成年者略取・誘拐罪は親告罪であるので、被害者が犯人を処罰してくれという告訴がないと処罰されない。このばあい、未成年者本人でも、その保護・監督者でも、被害者として告訴することができる。なお、犯人が略取・誘拐された未成年者と婚姻してしまうと、まず民事上の訴訟で、裁判所にその婚姻の無効確認または取消を請求して、それが裁判でみとめられたあとでないと、告訴しても、告訴としての効力を生じない(二二九条)。

▼謝礼金をもらう目的で娘をだまして連れ出すと営利誘拐

Aは、ストリップ劇団を経営しているBからストリッパーになる娘を連れてきてくれれば謝礼金を出すといわれ、博多のダンスホールで知り合ったC子さん・D子さんを言葉たくみにだまして、博多から大阪まで連れ出し、B方に連れて行き、二人をストリッパーとして引き渡し、謝礼金を含め旅費等の名のもとに現金を受領した。

成年者に対する略取・誘拐は、営利・わいせつ・結婚の目的、身代金目的、国外移送目的でなされたばあいにのみ処罰される。未成年者に対してこうした目的で略取・誘拐がなされたときは、二二四条の罪ではなく、それぞれ二二五条・二二五条の二・二二六条の罪が成立する。

営利の目的とは財産上の利益をうる目的であるが、たとえば、地方の女子工員をだまして都会に連れ出し、トルコ風呂にミストルコとして住み込ませ、その前借金を手に入れるといったように、誘拐された者の負担によって直接利益をうるばあいだけでなく、右にあげた事例のように、誘拐行為に対して第三者から報酬をもらう目的でなされたときも、営利誘拐罪が成立する（最決昭三七・一一・二一刑集一六・一一・一五七〇参照）。

わいせつの目的とは性欲を満足させるような行為をする目的をさすが、たとえば、幼児を遠くに連れ出し、人のいないところで陰部にいたずらをしようとすることとか、姦淫の目的で女子を連れ出すことなどが、わいせつ目的の略取・誘拐罪にあたる。なお、こうした目的で略取・誘拐すれば、それだけでこの犯罪は完成し、もし、犯人が実際に陰部にいたずらをしたり、姦淫したりしたときは、本罪のほかに、強制わいせつ罪（一七六条）、強姦罪（一七七条）が成立する。

結婚の目的とは、略取・誘拐された者を犯人自身または第三者と結婚させる目的をさす。なお、この結婚の目的には、法律上の婚姻をする目的だけでなく、事実上の夫婦生活をする目的も含まれる。

営利の目的のばあいは親告罪ではないが、わいせつ目的、結婚目的のばあいは親告罪である。なお、犯人と略取・誘拐された者とが法律上の婚姻をしてしまったばあいの特例は、未成年者略取・誘拐罪のばあいと同様である（二二九条）。

未成年者略取・誘拐罪、営利・わいせつ・結婚目的の略取・誘拐罪は、いずれも未遂が処罰される（二二八条）。二二五条の二の身代金略取・誘拐罪が新設されるまえの事件であるが、いわゆる島津貴子夫人事件に関して、判例は、身代金をとる目的で島津夫人を拉致しようとして、日本刀などを持って島津家に接近し、侵入するために裏木戸を開こうとしたところ、突如番犬が吠えたため、やめて引き返したばあい、同家の裏木戸前付近に行ったとき、たまたま婦人が通りがかり不審気な気配を示したので警察に通報されることをおそれて引き返したばあい、単身で自動車を運転して外出した島津夫人を、自動車で、約七キロ、約二〇分の間、一〇メートルないし三〇メートルの間隔で追尾したばあい、いずれもそれだけでは略取罪の着手があったものとはいえないとしている（東京高判昭三九・一二・一五東高刑時報一六・三・七一）。略取・誘拐罪の未遂といえるためには、略取・誘拐の手段としての、暴行・

脅迫・欺罔（だますこと）・誘惑（甘い言葉でまどわすこと）が開始されたことが必要であろう。

▼甘言で未成年者を妾として周旋する（営利誘拐罪）

Aは、家出をしたB子（一六歳）が、静かな素人（しろうと）の家へ女中奉公に住み込みたいから周旋してもらいたいとたのんできたのに乗じて、B子を仲居か外妾に周旋して利益をえようと考え、B子には希望どおりの奉公先があるかのようによそおって自宅に置き、その間に、素人の家に奉公したのでは給料は安いが、仲居奉公か外妾になれば給料が多額であるとしきりに素人の家に奉公することの不利なことをいい聞かせ、かつ、しばしば男と関係し、その意にしたがえば着物も出来て有利なことを告げてこれを誘惑し、このため、遂にB子はCの外妾となり、同時にD方に仲居奉公をすることを承諾したので、その周旋をして利益をえた。

誘惑は、甘い言葉で人をまどわしその判断をあやまらすことであるので、相手方の判断能力が誘惑を手段とする誘拐罪の成否に微妙に影響する。右にあげた事例について、判例は、それ自体うそではないが、甘言によって未成年者であるB子をまどわしその判断をあやまらせたものであるから、営利誘拐罪にあたるとしている（大判大一二・一二・三刑集二・九一五）。

▼幼児を誘拐し、身代金受取の後、殺す（身代金誘拐殺人——吉展ちゃん事件）

昭和三八年三月三一日、村越さんの長男吉展ちゃんがアメリカ製の大型水鉄砲を持ったまま行方不明になった。それから、約二四時間後、犯人から五〇万円の身代金要求があり、指定の場所に置いて渡したが、犯人を捕えることはできなかった。その後、約二年三ヵ月の捜査の末、犯人小原保が捕ったが、吉展ちゃんは死体で発見された。

身代金目的の略取・誘拐、すなわち、略取または誘拐された者の安否を気づかう近親その他の者の不安の念につけこんで、金品を提供させる目的で人を略取または誘拐することは、きわめて悪質な犯罪である。雅樹ちゃん事件や事例にあげた吉展（よしのぶ）ちゃん事件で、当時、多くの人々が心を痛め、犯人に対する憤激の世論がいかに大きいものであったかは、なお記憶に新しいところである。そこで、こうした悪質な犯罪に対しては、無期または三年以上の懲役といった重い刑罰が科せられることになっている。

身代金目的の略取・誘拐罪は、こうした目的で人を略取または誘拐すれば、それだけで既遂となり、金品を要求することも金品の交付をうけることも必要でない。本罪の未遂は、略取・誘拐そのものが未遂に終わったばあいに成立する。本罪は、未遂が処罰されるほか、その予備も処罰される（二二八条の三）。これは、本罪が前に述べたように、きわめて悪質な犯罪であるので、犯罪の実行に着手するまえの準備行為をも処罰することによって、犯罪を未然に防止しようとする趣旨によるものといえよう。略取・誘拐の準備行為としては、たとえば、被害者に関する情報を集めること、被害者を連れ去るために使うピストルを用意したり、麻酔薬を入手すること、被害者を連れ去るための自動車を用意すること、被害者を現実に待伏せること、などがある。なお、身代金目的の略取・誘拐の準備行為をしても、実行に着手するまえに自首すると、かならずその刑が軽減されるか免除される。これは、犯人が略取・誘拐の行為に出るのをできるだけ防止しようとする政策的考慮によるものである。

また、はじめから身代金をとる目的ではなく別の動機から人を略取・誘拐した者が、略取・誘拐された者の安否を気づかう近親その他の者の不安の念につけこんで、金品を交付させたり、これを要求する行為をしたときは、身代金目的の略取・誘拐罪と同様に、無期または三年以上の懲役で処罰される。なお、身代金を要求する行為があればそれだけで本罪は既遂になるので、たとえば、犯人が身代金を要求する手紙を出せば、それが相手方に到着しなかったときでも、身代金要求罪が成立する。身代金をとる目的で人を略取・誘拐した者が、身代金を要求したときには、包括して二二五条の二にあたる一罪が成立することになる。

身代金目的の略取・誘拐罪、身代金要求罪を犯した犯人が、起訴されるまえに、略取・誘拐された者を安全な場所に解放したときには、その刑がかならず減軽される（解放減軽）。これは、自暴自棄または証拠隠滅のために犯人が被害者を殺害してしまうような事態を防止するために設けられたものである。

なお、略取・誘拐罪は、右に述べたもののほか、国外移送目的の略取・誘拐罪、人身売買罪、国外移送罪（二二六条）、略取・誘拐された者の収受罪、収受者の身代金要求罪（二二七条）がある。

第34章 名誉に対する罪

第二三〇条【名誉毀損】 ①公然事実を摘示し人の名誉を毀損したる者は其事実の有無を問はず三年以下の懲役若くは禁錮又は一〇〇〇円以下の罰金に処す

②死者の名誉を毀損したる者は誣罔に出づるに非ざれば之を罰せず

第二三〇条の二【事実の証明】 ①前条第一項の行為公共の利害に関する事実に係り其目的専ら公益を図るに出でたるものと認むるときは事実の真否を判断し真実なることの証明ありたるときは之を罰せず

②前項の規定の適用に付ては未だ公訴の提起せられざる人の犯罪行為に関する事実は之を公共の利害に関する事実と看做す

③前条第一項の行為公務員又は公選に依る公務員の候補者に関する事実に係るときは事実の真否を判断し真実なることの証明ありたるときは之を罰せず

第二三一条【侮辱】 事実を摘示せずと雖も公然人を侮辱したる者は拘留又は科料に処す

第二三二条【親告罪】 ①本章の罪は告訴を待て之を論ず

②告訴を為すことを得可き者が天皇、皇后、太皇太后、皇太后又は皇嗣なるときは内閣総理大臣、外国の君主又は大統領なるときは其国の代表者代りて之を行ふ

今日の社会において、表現の自由が尊重されなければならないことはもちろんであるが、このことが不当に誇張されて、個人の名誉をきずつけるような事実やプライバシーにわたる事実が、どんどん新聞・週刊紙その他の出版物・テレビ・ラジオに公表されることになると、個人の基本的人権の一つである名誉がはなはだしくそこなわれる事態が発生する。最近のわが国における一部の週刊紙などをみると、こうした傾向がないとはいえない。しかし、そうかといって、名誉を必要以上に保護すると、今度は、表現の自由に大幅な制

限が加えられることになる。そこで、名誉に対する罪の立法や解釈にあたっては、個人の名誉の保護と表現の自由の保障とをどのように調和させるかを念頭におかなければならないが、これは、なかなかむずかしい問題である。

　さて、名誉に対する罪として、刑法は、名誉毀損罪と侮辱罪とを規定している。この両罪のちがいについて、通説・判例（大判大一五・七・五刑集五・三〇三）は、両罪とも、人の人格的価値に対する社会の評価（外部的名誉といわれる）を保護法益とする点では同じであるが、名誉毀損罪は、たとえば、「Aは会社の金を横領した」とか、「Bは自分の会社の女子事務員に手をつけた」とか、いったように、具体的な事実を指摘して人の名誉をきずつける罪であるのに対して、侮辱罪は、ただ「馬鹿野郎」とか「間抜け」とかいうだけで具体的な事実を指摘しないで人の名誉をきずつける罪であるとしている。これに対して、名誉毀損罪は、人の人格的価値に対する社会の評価を低下させるもので、侮辱罪は、人の名誉感情をきずつけるものであるとする反対説も有力である。もっとも、現行刑法は、両罪とも「公然」と行なわれることを要件としているので、具体的な適用に関しては、通説・判例と反対説との間にはそれほどの差異はないといってよかろう。ただ、通説・判例では、名誉感情をもたない、幼児とか精神病者とか、会社・財団・組合といった法人、法人格をもたない団体に対しても侮辱罪が成立しうるが、反対説では、これらの者に対しては、侮辱罪は成立しえないことになる。

　なお、名誉毀損・侮辱の行為によって被害者の名誉が現実に害されたことは必要でないとされているが、これは名誉が現実に害されたかどうかを裁判所が認定することが困難であるということによるものである。

▼株主総会で口論、「前科者め、など」と連呼
（名誉毀損罪をみとめる）

〔1〕

Aは、B銀行株主総会でCと口論し、株主五、六〇人およびB銀行重役らの面前で、Cに対し、「黙れ前科者め、お前はこのごろも監獄に行き保釈を許されている刑事被告人ではないか。また金でももらおうと思い会社に余計な提灯をもつのだろう。この会社ごろ、前科者め」と連呼した。

株主総会の場は「公然」といえる

▼放火の被害者が確証もなく、某だと近所の人にいいふらす（最高裁は「公然」をみとめる）

Aは、確証もないのに、Bが自宅の庭先の菰に放火したものと思い込み、自宅で、Bの弟Cおよび火事見舞にきた村会議員Dに対し、また、B方で、Bの妻E、長女FおよびGの近所のG・H・Iらに対し、問われるままに、「Bの放火を見た」「火が燃えていたのでBをつかまえることはできなかった」と述べた。

〔2〕

名誉毀損罪は、公然と事実を指摘して人の名誉を毀損する罪である。そこで、まず、名誉毀損は、「公然」と行なわれなければならない。公然とは、不特定の人かまたは多数の人が認識することができる状態をいうとするのが通説・判例である。そこで、右にあげた事例〔1〕のように、特定会社の株主・役員といった、特殊な関係によって限定された範囲に属する人のまえであっても、五、六〇人といった多数の人のまえであれば、公然といえる（大判昭六・六・一九刑集一〇・二八七）。また、少人数でも不特定の人に対してなされたものであれば、公然といえるから、右の事例〔2〕のばあいも公然といえよう（最判昭三四・五・七刑集一三・五・六四一）。いいかえると、特定少数の人しか認識できない状態のばあいでは、公然といえない。たとえば、自宅の玄関内で、被害者のほか、自分の母と妻が居合せたところで、被害者をののしっても、公然性がないものといえよう（最決昭三四・一二・二五刑集一三・一三・三三六〇参照）。

▼名誉毀損罪ではなく、侮辱罪がみとめられたばあい

Aは、「左の者は売国奴につき注意せよ。B地区C巡査」と白紙に二行にわたって墨書した壁新聞を町内に掲示した。

つぎに、名誉毀損は、「事実を摘示し」てなされることが必要である。この事実の指摘は、特定の人の名

誉が害される可能性がある程度に具体的になされることが必要である。そこで、右にあげた事例のように、ただ相手方の人格を蔑視する自分の抽象的判断を示すにすぎないものは、名誉毀損罪とはならず、侮辱罪を構成するにすぎない。人の名誉を低下させるおそれのある具体的な事実を指摘するのに、その指摘される人の氏名が明示されていることはかならずしも必要でなく、その表現その他の事情から、だれのことをいっているのかが相当多数の人に推知できるものであればよい。たとえば、新聞や週刊紙の記事で仮名が用いられていたとしても、それがだれをさすのかを多数の読者が推知しうるものであればよい。判例によると、「こら綿鍋久良喜智貴様はそれでも社会事業家か」とあて字を使って未亡人の貞操を奪ったという名誉毀損記事を書いたばあいでも、一部読者をして容易にそれがK市社会福祉協議会副会長、市議渡辺蔵吉に関する事項であると推知させるに十分であるときには、被害者の特定に欠くるところはないとして、名誉毀損罪の成立がみとめられている（仙台高判昭二九・一〇・一九裁判特報一・八・三七九）。また、事実の指摘は、行為者が自分で直接見聞したものとして表示するばあいだけでなく、「これこれの風評がある」というように表示したばあいでも、「これこれの噂があるが、人の噂であるから真偽のほどはわからない」という表現を用いたばあいでも、さらには、事実を婉曲に表現したり、演劇の登場人物の言動・漫画・漫文に託したばあいでもよい。

▼モデル小説を名誉毀損罪とみとめた例

Aは、「幹事長と女秘書」と題する小説を、月刊雑誌「面白倶楽部」に掲載したが、この小説は、「自民党の幹事長後藤大作のもとに、ある日純真ではあるが奔放なアプレ型の若い女性が現われて強引に秘書に居すわる。後藤幹事長はかの女に引きずり回され、政務を忘れてかの女と交際するうちに案外な楽しさを感じはじめる。かの女と銀座や渋谷の路地をうろついたり、金魚の葬式に花輪を送ったり、はてはホテルの一室で焼酎をのんで添寝するが、その翌日かの女はひそかに地方の学校の教師になって幹事長のもとを去っていく。幹事長は安心と未練の感情をいだきながらかの女をなつかしむ」という筋のもので、主人公の後藤大作は、作品中の住居や家族関係や政界における地位などの描写から、架空の名は用いていても、一見して実在の人物である佐藤栄作をさすものと推知させるに十分であった。

ここでとくに問題を生ずるのは、いわゆる**モデル小説**である。モデル小説のばあいには、その作品のフィクション性の面から、現実の特定人の名誉を低下させるような事実の指摘といえるかどうかが問題とされなければならない。右にあげた事例は、実際にあった事件で、裁判において、被告人Aは、汚職に疲れ果て政争と政権に執着する政治家がふと現われたアプレ女性の純真さにふれて素直な心を取りもどし、みずからの魂の故郷にかえるという過程を描いたもので、作者のフィクションであると主張したが、東京地裁は、「本件作品を全体としてみると、……実在の特定人がモデルになっていることが明らかであって、個々の材料が作者の創作力によって充分に料理されておらず、完全なフィクションになりきっていない場合には、ただ単に小説という文学形式をとったからといって、特定人の名誉を害する表現が許されるいわれはな〔い〕」として、名誉毀損罪の成立を肯定している(東京地判昭三二・七・一三判時一一九・一)。

「名誉」とは、前に述べたように、人の人格的価値に対する社会一般の評価であるが、その評価の対象となるものは、人の品性・知能・技量はもちろん、職業・容貌・家柄・血統など、およそ社会生活において なんらかの価値があるとされているものならば、なんでもよい。人の経済的な支払能力および支払意思に対する社会一般の評価も広い意味では名誉の一種であるが、これは「信用」として信用毀損罪(二三三条)で保護されているので、ここにいう名誉には含まれない。

なお、社会一般による評価は、その人の本当の価値と合致しないこともありうる。すなわち、社会的評価としての名誉が、その人の本当の価値にふさわしくない虚名であることもある。しかし、このようなものであっても名誉であることにはかわりがない。そこで、たとえば、社会事業家として人望をえている人が、裏でひそかに悪らつな高利貸しをして多数の貧乏人を泣かしているのを知り、その事実をあばいて新聞に公表したばあいでも、後述する二三〇条の二にあたるばあいをのぞいて、名誉毀損罪が成立する。

さて、名誉毀損は、事実が指摘されたときに、不特定の人または多数の人が認識することができる状態であれば、既遂となり、現実に相手方がその内容を知ったことは必要でなく、いわんや、その事実の指摘によって、人の人格的価値に対する社会の評価が現実に低下したことは必要でない。

▼公務員への批判も純然たるプライバシーや身体の不具を暴露するのは名誉毀損

旬刊新民報の編集兼発行人であったAは、町会議員Bが自警廃止論から存置論に変節したのを批判するにあたって、Bに片手のないことと結びつけて、同紙上に「二、三日のわずかの期間内での朝令暮改の無節操振りは、片手落の町議でなくては、よもや実行の勇気はあるまじく、肉体的の片手落は精神的の片手落に通ずるとか？石田一松ではないがハハ呑気だねとお祝詞を申し上げておく」と執筆掲載して読者に頒布した。

名誉毀損罪は、死者の名誉毀損のばあいをのぞき、指摘した事実が真実であっても成立する。しかし、公共の利益のために真実の事実を指摘して多くの人々に知らせることが必要であるばあいもすくなくない。民主主義の要請である表現の自由は批判の自由をその核心としており、公正な批判こそ社会の発展に資するところが大である。ところが、事実が真実であろうとなかろうと処罰されるのでは、表現の自由は重大な制限をうけ、公正な批判は窒息してしまうこととなろう。ここに、二三〇条の二のいわゆる事実証明の規定が設けられた理由があるのであって、この規定は、人格権としての個人の名誉の保護と憲法二一条による正当な言論の保障との調和をはかったものということができる。

二三〇条の二の第一項によると、名誉毀損行為は、公共の利害に関する事実にかかり、その目的がもっぱら公益を図るためであったとみとめられるときは、事実の真否を判断し真実であることの証明があったときは処罰されない。すなわち、指摘された事実が公共の利害に関するもので、その公表がもっぱら公益を図る目的でなされたものであることがみとめられると、裁判所は、その事実が真実かどうかを判断しなければならない。そして、その取調の結果、指摘された事実の重要な部分について、それが真実であることが証拠上積極的に証明されると、行為者は処罰されない。これに反して、取調が真否不明のままに終ったときは行為者は有罪ということになる。なお、「公共の利害に関する事実」については、第二項に特別の解釈規定があって、指摘された事実が「まだ公訴が提起されない人の犯罪行為に関する事実」であるときには、公共の利害に関する事実とみなされる。これは、犯罪事実が公益に重大な関係をもつものであり、起訴前の犯罪事実を公表することは、あるいは犯罪捜査に端緒をあたえてこれに協力するものであり、あるいは、不当な捜査怠慢、不当な不起訴に対して公の批判を喚起するものであるので、その公共性を立法的に解決したものである。また、第三項は、名誉毀損行為が、公務員または公選による公務員の候補者に関する事実については、その事実の真否を判断し、真実であることの証明があれば、公共の利害に関する事実であるかどうか、公益を図る動機から出たかどうかをとわず、これを罰しないとしている。これは、公務員の全体の奉仕者としての性格から、それに対する批判が真実であれば、直接には公共の利害に関しない事実でも、また行為者が公益を図るためになしたばあいでなくても、結局、公務員の適性の検討に役立つものであるところからこのように規定されたものであろう。そこで、公務員に関することであるといっても、公務員の職務・資質・品位などにまったく関係のない、純然たるプライバシーや身体が不具であることを暴露することは、第三項の設けられた趣旨をこえるもので、そのようなばあいには事実の真否をとわず名誉毀損罪が成立するものと解すべきであろう（最判昭二八・一二・一五刑集七・一二・二四三六）。

▼真実と誤信したことに相当の理由があれば無罪（新聞記者の行為）

「夕刊和歌山時事」を発行していたAは、同紙に「吸血鬼Bの罪業」と題して、Bまたは同人の指示のもとに同人経営の和歌山特だね新聞の記者が、和歌山市役所土木部の某課長に向かって「出すものを出せば目をつむってやるんだが、チビリくさるのでやったるんや」と聞こえよがしの捨てぜりふを吐いたうえ、今度は上層の某主幹に向かって「しかし魚心あれば水心ということもある。どうだ、お前にも汚職の疑いがあるが、一つ席を変えて一杯やりながら話をつけるか」と凄んだ旨の記事を掲載し、和歌山市内の定期講読者等に配達・郵送した。なお、右の記事内容は真実であることの証明ができなかった。

人の名誉をきずつけるような事実を行為者が真実であると確信して公表したところ、それが真実ではなかったとか、裁判でその事実が真実であることを積極的に証明することができなかったばあい（事実の真実性についての錯誤）、行為者の罪責はどうなるか。この問題は、二三〇条の二の法的性格をどのように把握するかということ、および錯誤についてどのような見解をとるかということに関連して、理論的にむずかしい問題である。この点について、最高裁は、右にあげた事例に関して、「たとい刑法二三〇条の二第一項にいう事実が真実であることの証明がない場合でも、行為者がその事実を真実であると誤信し、その誤信したことについて、確実な資料、根拠に照らし相当の理由があるときは、犯罪の故意がなく、名誉毀損の罪は成立しないものと解するのが相当である」（最判昭四四・六・二五刑集二三・七・九七五）と述べているが、この結論は、多くの学説の支持するところである。

死者に対する名誉毀損のばあいは、その事実の摘示が「誣罔（ぶもう）」に出でたことが必要である。誣罔に出るとは虚偽の事実を摘示することをいうが、この虚偽の事実はかならずしも行為者が自分ででっちあげたものであることを要しない。そこで、死者に対する名誉毀損罪の成立には、摘示された事実が虚偽であり、行為者がその虚偽であることをはっきり知っていたことが必要である。

「侮辱」とは、人に対する軽蔑の表示をいう。その表示の方法は、口頭によると文書・図画によると、さらに姿態・動作によるとをとわない。たとえば、不浄の物のように塩をまくことなども侮辱にあたる。もっとも、単なる無礼の行為は侮辱とはいえない。なお、上述したように、事実を摘示しても、その事実が具体的でなく抽象的判断を示すにすぎないときは、名誉毀損罪でなく侮辱罪を構成するにすぎない（大判大一五・七・五刑集五・三〇三）。

名誉毀損罪および侮辱罪は、被害者の告訴がなければ処罰されない（親告罪）。被害者が、天皇・皇后・太皇太后・皇太后・皇嗣であるときには、首相が代わって告訴をし、外国君主・大統領であるときは、その国の代表者が代って告訴をする。この首相が代わって告訴を行なうという「代りて」は、代理の意味ではなく、首相が天皇その他の皇族の意思とは無関係に公益的見地から判断して告訴を行なうという趣旨である。

第35章 信用および業務に対する罪

第二三三条【信用毀損・業務妨害】虚偽の風説を流布し又は偽計を用ひ人の信用を毀損し若くは其業務を妨害したる者は三年以下の懲役又は一〇〇〇円以下の罰金に処す

第二三四条【威力業務妨害】威力を用ひ人の業務を妨害したる者亦前条の例に同じ

信用毀損罪は、虚偽の風説を流布したり、または偽計を用いて、人の信用をきずつける罪である。「人の信用」とは、人の支払意思または支払能力に対する社会一般の評価であるが、本罪は、こうした人の信用を実際に低下させたという結果が生じなくても、信用が低下する危険をつくり出せば成立する。たとえば、「某信用組合は不良貸出のため破産寸前だ」といったデマをまきちらせば、それだけで本罪は成立し、それを聞いた人達がそれを信じたかどうかは問題にならない。

信用毀損罪は、その手段が、虚偽の風説を流布することと偽計を用いることとにかぎられているので、それ以外の方法で人の信用をきずつけても本罪は成立しない。「虚偽の風説の流布」とは、不特定の人または多数の人にうその噂を広めることである。このばあい、たとえば、うその噂を新聞に掲載したり、大勢の人が集っているところで、うその噂を大声でしゃべったりするように、行為者が直接、不特定または多数の人にうその噂をつげるばあいだけでなく、ある特定の人にうその噂を話しても、その人の口を通じてだんだんと多くの人に噂が広まって行くことを予期していたときは、虚偽の風説を流布したことになる。偽計とは、人をだましたり誘惑したり、または他人の思いちがいや不注意を利用することであるが、この手段による信用毀損は実際にはあまりなく、信用毀損の大部分は虚偽の風説の流布によるばあいである。

▼日教組大会で発煙筒をたき議場を混乱さす（威力業務妨害罪）

〔1〕

Aは、日教組臨時大会を混乱におち入らせ勤評反対闘争を阻止しようと企て、B・Cと共謀のうえ、九段会館ホールに組合員約一〇〇〇名を召集して会議開催中の日教組臨時大会内の三ヵ所で持参した黒色発煙筒に点火して燃焼させ、同大会を大混乱におとし入れ、約二時間にわたり会議を中止するのやむなきに至らしめた。

▼警察官の公務は業務ではない

〔2〕

労働争議に関連して、検挙にやってきた警察官が工場正門前にトラックで到着したとき、A・Bらは、警察官に対してなんら積極的な抵抗はせず、ただ工場正門前でスクラムを組み労働歌を高唱して気勢をあげた。

業務の妨害は、虚偽の風説を流布すること、偽計を用いることのほか、威力を用いたときにも犯罪となる。業務は、人が継続的に従事している仕事であれば、かならずしもそれ自体経済的性質を有するものにかぎらない。たとえば、右にあげた事例〔1〕のように労働組合が組合大会を開催して運動方針を討議することは、その組合の業務であるので、これを右にあげた手段を用いて妨害すれば、**業務妨害罪**が成立する（東京高判昭三五・六・九高刑集一三・四〇三）。公務がここにいう業務に含まれるかどうかについて、判例は、権力的・支配的な性質の公務は、ここにいう業務に含まれないが、非権力的・現業的性質の公務は含まれるとしている（最判昭三五・一一・一八刑集一四・一三・一七一三）。そこで、右にあげた事例〔2〕のばあいは業務妨害罪は成立しないが（最判昭二六・七・一八刑集五・八・一四九一）、法律上公務員とみなされる国鉄職員の行なう列車の運行その他の業務を威力を用いて妨害すれば、業務妨害罪が成立するとしている。

▼商売がたきを妨害するためうその広告を出す

〔1〕

ミシンの販売修理業者Aは、商売がたきのB会社のミシン販売を妨害するために、C商事会社という架空の名義で、B会社の販売している銘柄のミシンを実際の販売価格よりも安価で販売するといったいつわりの新聞広告をした。

▼うその注文をして商店に無益の配達をさせる（偽計業務妨害罪）

〔2〕

Aは、昆布商小倉屋本店に電話をかけ、電話口に出た店員Bに対し、Cのようによそおって塩昆布詰合せ八箱を自宅まで配達してほしいとその注文をした。Bがこれを本当にCから注文があったものと誤信して、店員DにC方まで注文の品物を配達させたところ、注文をしたおぼえのないCにその受領をことわられて持ち帰った。

〔3〕

▼キャバレーの開店日に客席で牛の内臓やニンニクを焼いて悪臭を放つ（威力業務妨害罪）

キャバレー「あかつき」の開店披露の日で、一〇〇名以上の招待客がホールや客席にいるところで、A・Bらは、二階の客席にコンロを持ち込み炭火で牛の内臓やニンニクを焼いて悪臭を発せさせ、ついで、コンロを階下の客席にも持って行ってホール内に悪臭を充満させたり、二階からホールに向かって大声で呼びかけたり、焼いた牛の内臓のきれや火のついた煙草を二階からホールに向かって投げたりした。そのため、ほとんどすべての客が退散してしまった。

業務妨害の手段である、虚偽の風説の流布、偽計の意義については、前述したところを参照されたい。右にあげた事例〔1〕は、虚偽の風説を流布して業務を妨害したばあいの一例であり（広島高松江支判昭三〇・二・二八高刑集八・二・一二六）、事例〔2〕は、偽計を用いて業務を妨害したばあいの一例である（大阪高判昭三九・一〇・五下級刑集六・九＝一〇・九八八）。なお、偽計による業務妨害のやや特殊な例としては、漁場の海底に障害物を沈めて漁網がひっかかるようにしておき、漁網の破損によって漁業を行なうのを不可能にしたばあいがある（大判大三・一二・三刑録二〇・二三二二）。威力を用いるとは、人の自由意思を制圧するに足りる勢力を示すことで、暴行・脅迫を加えることはもちろん、物をこわすこと、さらに、社会生活においてしめている優勢な地位を利用することも含まれる。右にあげた事例〔3〕は、威力を用いて業務を妨害したばあいの一例であるが（広島高岡山支判三〇・一二・二二裁判特報二追録

実力行使は威力業務妨害

三四二)、そのほかにも、デパートの食堂の配膳部に向かってしま蛇二〇匹をまきちらして、折から満員中の食堂を大混乱におとし入れたばあい（大判昭七・一〇・一〇刑集一一・一五一九）も、威力業務妨害罪にあたる。

威力による業務妨害は、労働争議に関連して問題となることが多い。労働争議行為は多数の労働者が団結して実力手段を行使して経営者を圧迫するものとして、それ自体威力による業務妨害の要素を含んでいる。しかし労働の団体交渉その他の団体行動をする権利は憲法によって保障されており（憲法二八条）、ストライキその他の争議行為が、業務妨害罪の構成要件にあたるものであっても、正当な争議行為とみとめられるかぎり違法性を阻却し本罪を構成しない。争議行為が正当なものといえるかどうかは、その争議行為によって達成しようとする目的の正当性、その手段の相当性を基準として判断しなければならない（なお、三七頁参照）。

なお、業務妨害罪は、実際に業務の遂行を不可能にしたり、困難にしたりするという結果を発生させる必要はなく、業務を妨害するに足りる行為があれば十分である（最判昭二八・一・三〇刑集七・一・一二八）。

「公害工場へ送電させぬ」と電柱を切倒す
――切り倒した公害追放委員長は威力業務妨害？

鉛粉や亜硫酸ガスをまき散らしながら操業を続けている京都府亀岡市の鉛再生工場に「でていけっ」と運動を続けている地元民代表が、工場へ送電している木の電柱一本をノコギリで切り倒してしまった。代表は亀岡署に自首。同署は電気事業法違反、器物損壊、威力業務妨害の疑いで調べはじめた。

同工場は、昭和四四年八月から操業をはじめ、自動車の古バッテリーなどから鉛を再生しているが、同四五年春ごろから工場周辺の松林が枯れたり、峠の下の地区に悪臭が流れるなどでのどや目を痛める人が続出、操業反対運動が起こった。府衛研の汚染調査でも、硫酸ミトスが煙のなかに、鉛分が廃液にまじり、近くの川に捨てられた古バッテリー廃液から希硫酸による汚染もでていることが明らかとなった。府と同市は四五年秋、即時操業中止を行政指導の形で通達した。しかし工場側は、これを無視して現在も操業を続けている。

（昭和四六年三月一三日　朝日新聞夕刊）

第36章 窃盗および強盗の罪

本章から四〇章までの各罪に規定されている犯罪は、いずれも他人の財産権を侵害することを内容とする犯罪で、財産罪といわれる。本章に規定されている窃盗罪・強盗罪は、他人の占有する財物をその意思に反して奪う点で共通しており、盗罪とよばれる。

さて、財産罪の客体は、財物または財産上の利益である。財物を客体とするものを財物罪、財産上の利益を客体とするものを利得罪という。窃盗罪・横領罪はつねに財物罪であるが、強盗罪・詐欺罪・恐喝罪は、客体のいかんによって、あるときは財物罪、あるときは利得罪である。

窃盗罪・強盗罪をはじめとする財物罪の客体である「財物」とは、財産権、ことに所有権の目的とすることができるような、物理的に管理が可能なものをいうとされている。古くは、財物は、有体物（固体・液体・気体）にかぎられるとする見解（有体性説）が支配的であったが、明治三〇年代に、電気を盗用した事件について、それが窃盗罪にあたるかどうかで争われ、判例は、電流のような無体物でも人が管理できるものは、それに対する侵害から保護しなければならないから、電流の盗用は、他人の所有物を窃取したものとして窃盗罪を構成するとした（大判明三六・五・二一刑録九・八七四）。そして、その後は、物理的に管理が可能なものは、無体物でも財物にあたるとする見解（管理可能性説）が通説になっている。現行刑法には、電気は財物とみなすとする規定（二四五条・二五一条）があるが、これは、無体物でも財物となりうることを例示したものと解され、電気以外でも、電気と性質上同視できる人工冷気・人工暖気・水力など自然力の利用によるエネルギーは財物であるとされている。もっとも、放送電波は、エネルギーの一種ではあるが物理的に管理できないから、財物に含まれない。したがって、ラジオやテレビの受信料を支払わずに聞いたり見たりしても窃盗罪にはならない。

▼花一輪をとっても窃盗罪にはならない

Aは、散歩の途中、B方の庭先に美しく咲き乱れているバラの花をみて、欲しくなり、その一輪を折って自宅に持ち帰えり、花瓶に挿しておいた。

次に、財物といえるためには、価値のあるものでなければならない。財物は、金銭的な交換価値を有するのが一般であるが、交換価値がなくても、それをもっている者にとって主観的ないし感情的に価値があるとされる物は、社会観念からみて刑法で保護するに値するとみとめられるかぎり、財物に含まれるとされている。たとえば、ラブレターや恋人の写真などはなんら金銭的交換価値はなくても、その所有者にとって価値の高いものであり、刑法的保護に値するから財物にあたるといえよう。なお、財産的価値がきわめて軽微なものは、刑法的に保護する必要はないから財産罪の客体としての「財物」にはあたらないものと解すべきであろう。たとえば、右にあげた事例のように、花一輪でもまったく財産的価値がないわけではないが、その価値はきわめて軽微で、これを取る行為は刑罰を科するほどの違法性はないものとみとめられるから、花一輪は、窃盗罪の客体としての財物にあたらないと解される。ところで、阿片・麻薬・覚醒剤・ピストル・偽造通貨などのように、法律上、その所有・所持が禁止されている、いわゆる禁制品が、財物にあたるかどうかについては争いがあるが、財物にあたるとするのが一般である。そこで、たとえば、他人が所持している麻薬を盗めば窃盗罪になる。

利得罪の客体である「財産上の利益」とは、財物以外の財産上の利益をいい、債権を取得すること、債務の免除をうけること、労務の提供をうけることなどがこれにあたる。

第二三五条【窃盗】他人の財物を窃取したる者は窃盗の罪と為し一〇年以下の懲役に処す
第二三五条の二【不動産侵奪】他人の不動産を侵奪したる者は一〇年以下の懲役に処す
第二四二条【自己の物】自己の財物と雖も他人の占

有に属し又は公務所の命に因り他人の看守したるものなるときは本章の罪に付ては他人の財物と看做す

第二四四条【親族相盗】①直系血族、配偶者及び同居の親族の間に於て第二三五条の罪、第二三五条の二の罪及び此等の罪の未遂罪を犯したる者は其刑を免除し其他の親族に係るときは告訴を待て其罪を論ず

②親族に非ざる共犯に付ては前項の例を用ひず

第二四五条【電気】本章の罪に付ては電気は之を財物と看做す

〈窃盗罪〉

窃盗罪は、他人の占有する財物をその意思に反して取り去ることを内容とする犯罪である（二三五条）。窃盗は、デパートで店員のすきをねらって商品を盗む万引、家人の不在中の他人の家から金品を盗み出す空巣、電車内で乗客の財布をすりとるスリ、公衆浴場で入浴中の人の衣類を盗む板の間かせぎなど、その手口は多種多様である。また、被害額の点からも、スーパーマーケットでかんづめの一個を盗むといったものもあれば、宝石泥棒などのように被害額が数千万円から数億円にのぼるといったものもある。刑法は、これらすべてを一つの構成要件にまとめて、他人の財物を窃取した者を窃盗罪とし、一〇年以下の懲役で処罰することとしている。

▼譲渡担保にとってその所有権を取得した者でも、債務者が引き続き使用しているトラックを無断で運び去ると、窃盗罪

Aは、B株式会社に対する貸金の譲渡担保として、同会社所有のトラック一台の所有権を取得した。そのトラックは会社がひきつづき使用していたが、B会社は会社更生手続開始決定をうけ、管財人三人が選任され、この三人が会社の事業経営、財産の管理処分権をもつようになり、三人は、右トラックを会社の所有物として運転させていた。ところが、Aは、運転手のいないあいだに、Cに道路上にあったトラックを運転させて、自分の倉庫まで運ばせた。

窃盗罪の客体は、他人の占有する財物である。それは原則として、他人の所有に属する財物である。なお、自己の財物でも、他人の占有に属しまたは公務所の命により他人が看守しているものは、他人の財物とみなされる（二四二条）。たとえば、質屋に質物として差し入れた自分の時計を盗んだり、強制執行によって執行

官が差し押えて第三者に保管させている自分の物を持ち出すと窃盗罪ということになる。ところで、ここで問題となるのは、「他人の占有に属し」の「占有」の意義である。すなわち、ここにいう「占有」は、質権・賃借権などの本権にもとづく占有、いいかえると、適法な原因にもとづいてその物を占有する権利のある者の占有にかぎられるとする見解と単なる事実上の占有で足りるとする見解とが対立している。これは、窃盗罪の保護法益を、財物に対する他人の所有権その他の本権であるとする本権説と他人の財物に対する占有（事実上の所持）それ自体であるとする占有説との対立にもとづくものである。窃盗罪は、窮極的には所有権その他の本権を保護しようとするものであるが、今日のように財産関係が複雑に入りくんでいる社会においては、財物についての事実上の利用関係が成立しているばあいには、その財物の占有が適法な原因にもとづくかどうかをあきらかにすることはむずかしいから、民事上の適法な原因がなくても、そこに成立している平穏な占有を保護することが財産的秩序を保護するために必要であるから、ここにいう占有はかならずしも適法な占有である必要はなく、平穏な占有で足りると解すべきであろう。右にあげた事例について、判例は窃盗罪の成立をみとめているが（最判昭三五・四・二六刑集一四・六・七四八）、同様に趣旨に出たものと解することができよう。

〔1〕

▼下宿していた学生の腕時計を猫ばばする（窃盗罪成立）

学生Bは、一週間ほど前から、その腕時計を見失っていた。ところが、Bの下宿先の女中AがBの部屋を掃除していたところ、本箱の後に落ちてたBの時計を発見し、Bがなくしたと話していた時計と気づいたが、これを猫ばばした。

〔2〕

▼迷い込んできた近所の飼犬を捕え、殺して食べる（飼主の占有を侵害した窃盗）

A・Bらは、A方にたまたま、近所のCさんが飼っていたポインター種猟犬一頭が入ってきたので、これを殺して食べようと企て、A方の入口をしめて逃げられないようにしたうえ、犬を捕まえて殺し、その皮をはぎ、その肉を食べた。なお、右猟犬は八年間も訓練され毎日運動のため放してやると夕方にはC方の庭に帰ってきたものであった。

帰る習性のある犬は飼主の占有にある

▼ほんのちょっとの間、置き忘れたカメラを持ち去る（占有離脱物横領でなく窃盗）

〔3〕

Bは昇仙峡行のバスを待つ間に身辺の約三〇センチのところにカメラを置き、行列の移動につれて改札口の方へ進んだが、改札口の手前まで来たとき、カメラを置き忘れたことに気づき直ちに引き返したが、そのカメラはすでにAに持ち去られていた。なお、行列が動きはじめてから、Bがその場所に引き返すまでの時間は、約五分ぐらい、カメラをおいた場所とAが引き返した点との距離は約二〇メートルにすぎなかった。

窃盗罪の客体は、「他人の占有」する財物であることが必要である。「占有」とは、財物に対する事実上の支配をいう。民法上の占有と比べて、より現実的な内容をもつ概念であるので、学者によっては概念の混同をさけるために、「所持」とか「管理」とかいう表現を用いている。事実上の支配とは、財物を管理・支配する意思をもって事実上財物を管理し支配することであるが、具体的ばあいに、財物がある人の事実上の支配にあるかどうかは、その財物に対する支配意思、財物の性質・形態を考慮して社会通念にしたがって決定するほかはない。

刑法上の占有が財物に対する事実上の支配を意味するといっても、財物をみずから手にもっているとか、眼の前に置いて直接監視しているとかいうことはかならずしも必要でない。たとえば、旅行や買物のために外出して不在でも、住宅内にある家具その他の物は、その家人が占有しているものであるし、道路上に自動車を一時駐車し、車を降りて店内で買物をしている者にその自動車の占有があることもちろんである。また、右にあげた事例〔2〕のように、飼主のところに帰ってくる習性をもっている動物は、一時飼主のところからはなれても、その習性を失っていないかぎり、飼主の占有にある（最判昭三二・七・一六刑集一一・七・一八二九）。さらに、所有者または所持者がその財産を一時見失っても、それが自宅内にあるかぎり、まだその物に対する占有は失われていない。そこで、右にあげた事例〔1〕のばあい、その時計の占有はBにあるからAの行為は窃盗である。なお、右にあげた事例〔3〕について、判例は、置き忘れた物でも、その場所が置き忘れた者の実力的支配の及ぶ範囲内にあるかぎり、その者の占有に属するとして、窃盗罪の成立をみとめている（最判昭三二・一一・八刑集一一・一二・三〇六一）。また、震災や火災の際に避難者が家財道具などを道路に運び出し、あとで取りにくるつもりで、危難をさけるため一時その場を立ち去ったとしても、その物に対する占有は失われていない。

▼自動車のガソリンを抜き取ると窃盗

Aは、B石油会社のタンクローリー車の運転手として、同社傘下のガソリンスタンドにガソリンを供給しに行く途中、自分の運転するタンクローリー車のガソリンタンクからガソリン一〇ガロンを抜き取って、知合いのCに売却した。

次に、窃盗罪の客体は、「他人」の占有する財物でなければならず、行為者自身が占有している他人の財物を領得すれば、横領である。ところが、その財物の占有が行為者自身にあるのか他人にあるのかが問題となるばあいがある。まず第一は、たとえば、商店で商品の販売に従事している店員が商品を猫ばばした行為は、その商品の占有が店主にあれば窃盗であるし、店員にあれば横領である。このように、いわゆる上下主従の関係にある者の間の占有に関しては、刑法の占有は上位者に属し、下位者は単なる看視者ないし占有補助者にすぎないと解するのが一般である。そこで、たとえば、倉庫の在庫品を看守している倉庫番が在庫品を無断で持ち出す行為、国鉄の列車乗務員が乗務中の貨物列車に積載されていた貨物を抜きとる行為は、いずれも窃盗罪を構成する。

▼縄がけ梱包した行李を保管中、勝手に中の衣類をとると窃盗罪

〔1〕

Aは、同じアパートに住んでいたBから、衣類の入っている縄掛け梱包をした行李一個をあずかって保管中に、質草にするために、勝手に梱包をほどいて、行李から女物合オーバー等を持ち出して、質入れした。

▼**自室に保管中の他人の施錠のないタンスの中の衣類をとると**（横領罪でなく窃盗罪）

〔2〕

Aは、アパートに入居する際に、前借主Bが和だんす・三面鏡・冷蔵庫などを置いたままの状態で借り受け入居した。その際、Bから「これらの物品は近く搬出する予定である。三面鏡だけは使用してよい」旨告げられていたが、施錠のない和たんすの中から勝手に女物お召単衣ほか衣類七点を抜き取った。

第二は、封緘・施錠などによって容易に開けることができないようにした包装物が委託されたばあい、その占有は委託した者にあるか委託された者にあるかの問題である。判例は、包装物の全体については委託された者が占有を有するが、内容物については委託した者が占有を有すると解している（大判明四四・一二・一五刑録一七・二一九〇）。しかし、このように解すると、たとえば、郵便集配人が配達のために占有している現金入りの現金書留そのものを領得すると横領罪になり、その封筒を開けて中から現金を抜き取ると窃盗罪になるが、これでは、包装物全体を領得すると横領罪になり、内容物を抜き取ると窃盗罪になるという妙な結論になる。そこで、学説では、包装物全体についても内容物についても委託した者に占有があり、委託された者が包装物全体を領得したばあいも内容物を抜き取ったばあいも窃盗罪が成立すると解する見解が有力である。なお、右にあげた事例〔2〕は、たんすが施錠されていなかったばあいであるが、横領罪でなく窃盗罪の成立がみとめられている（東京地判昭四一・五・二五判時四六九・六四）。

▼**殺人犯人が殺害直後被害者の金品をとる**（窃盗罪）

Aは、B子さんを人家のない草地に引張りこんで暴行を加え、その反抗を抑圧してB子さんを強姦し、その直後、犯行の発覚をおそれて、その場に倒れているB子さんの首を強くしめて窒息死させた。ついで、穴を掘ってB子さんの死体をその中に埋めたが、その際B子さんの腕から腕時計一個をもぎとって逃走した。

右にあげた事例のように、人を殺してから、被害者の所持していた金品をとる気になり、死体から金品を取り去るといったことはしばしばみられるところであるが、このばあい、死者は財物を占有することはできないから、死体から金品をとっても窃盗罪にはならないと解するのは妥当でない。むしろ、被害者の生前に有していた財物に対する占有が、被害者を死に致した犯人に対する関係では、被害者の死亡と犯人の領得行為とが時間的・場所的に近接した範囲内にあるかぎり、なお継続しているものと解し、殺人犯人が殺害直後、その現場で被害者が所持していた金品を奪取する行為は窃盗罪にあたると解すべきであろう（最判昭四一・四・八刑集二〇・四・二〇七）。したがって、被害者の殺害とその遺品の奪取との間にかなりの時間的な間隔が生じたばあいには、窃盗罪でなく占有離脱物横領罪の成立をみとめるべきであろう。もっとも、同棲中の情婦を殺して死体を海岸に遺棄した後、同棲先に立ちもどって情婦の指輪・腕時計・ネックレスなどを持ち出した事案において、死亡と奪取との間に三時間ないし八六時間の経過があったばあいについて窃盗罪の成立をみとめた判例があるが（東京高判昭三九・六・八高刑集一七・五・四四六）、これは同棲中の家屋内に遺留されたものであることが考慮されたものであろう。なお、Aが、B女を人里はなれた山中におびき出して、これを殺害して立ち去った直後、たまたまそこを通りかかったCが、B女の死体を見つけ、その死体から腕時計を取り去ったばあいには、占有離脱物横領罪が成立するにすぎない。

窃盗罪の客体は、他人の占有する「財物」である。財物の意義については、二七四頁参照。なお、窃盗罪の客体としての財物は、動産にかぎるか、不動産をも含むかについては争いがあるが、この論争は、不動産侵奪罪（二三五条の二）の新設によって実質的意味を失ったものといえよう。

▼女事務員の紙袋をひったくる（窃盗罪）

〔1〕 Aは、銀行から出てきた女事務員B子さんに近づき、背後からいきなり、B子さんがかかえていた一〇万円入りのハトロン製紙袋をひったくって逃走した。

▼磁石でパチンコ機械から玉をとると（窃盗罪）

〔2〕 Aは、Bパチンコ店で、パチンコをしていたが、打玉が当り穴に入らず、「アウト」穴に入る瞬間に、持ってきた磁石を使って、その外れ玉を当り穴に誘導し、パチンコ玉約一五〇個を取った。

窃盗罪の行為は「窃取」である。窃取とは、暴行・脅迫によらないで、占有者の意思に反して、その占有を侵害し、自己または第三者の占有に移すことである。「窃取」の「窃」は「ひそかに」の意味であるから、文字どおり解釈すると、窃取はひそかに取るばあいだけを指すようにみえるが、ひそかではなく占有者の目前で取っても窃取にあたるばあいもある。たとえば、「かっぱらい」や「ひったくり」（もっとも、ひったくりはその態様によっては強盗になりうるばあいもある）がこれにあたる。なお、右にあげた事例〔2〕は、窃取の特異な方法の一例である（最決昭三一・八・二二刑集一〇・八・一二六〇）。

▽室内で目的物のある方へ行きかければ窃盗未遂（判例）

Aは、電気器具商B方の店舗内において、窃盗の目的で持ってきた懐中電燈を使用して暗黒な店内を照らし、電気器具類が積んであることはわかったが、なるべく現金を盗みたいので、左側にみとめた店内煙草売店の方に行きかけたところで、外出中のBが帰宅したため、窃盗の目的を達成することができなかった。

いつ窃取行為の着手があったといえるかは、予備が処罰されない窃盗罪にとって、とくに重要である。窃取行為の着手時期は、他人の占有を侵害する行為が開始されたときであるが、いつ、その侵害行為が開始されたといえるかは、客体である財物の性質・形状および窃取行為自体の状況などを考慮して具体的に判断するほかない。たとえば、住居侵入窃盗のばあいは、目的物のある部屋に入っただけでは足りないが、目的物に手をふれる必要はなく、目的物を物色したときに着手がある（大判昭九・一〇・一九刑集一三・一四七三）。右にあげた事例について、判例は窃盗の着手をみとめている（最決昭四〇・三・九刑集一九・二・六九）。また、「スリ」のばあい、スリの犯人が周囲を目で物色している段階はもちろん、ねらいをつけた相手のポケット内に財布が入っているかどうかをたしかめるため、ポケットの外側に手をふれてみる、いわゆる「あたり行為」をしただけでは、窃盗の着手があるとはいえないが、他人のポケット内にある財布をとろうとして、そのポケットの外側に手をふれたときは、窃盗の着手があったといえる（最決昭二九・五・六刑集八・五・六三四）。

窃盗行為の既遂時期については見解が対立しているが、通説・判例は、他人の占有を侵害して財物を自己または第三者の事実的支配のもとに移したときに既遂に達すると解している（最判昭二三・一二・四刑集二・一三・一六八五）。そこで、他人の占有する財物を自己または第三者の事実的支配に移した以上、さらに、自由に処分できるような安全な場所に持ち去ったことまでは必要でない。たとえば、書店内で書棚から書物一冊を万引し、持っていた週刊紙にはさんで片脇にかかえたときには、まだその店を出なくても、窃盗の既遂となる。また、家人が外出中の住宅にしのび込み、座敷のたんすから衣類をとり出し、持参した南京袋につめ麻ひもで荷造し、勝手口まで持ち出せば、この段階で窃盗は既遂となる。なお、鉄道線路の地理や現場の事情にくわしい鉄道員が、共犯者を現場付近に待機させ、進行中の貨物列車から積荷を突き落したばあいには、その突き落したときに既遂となるとする判例がある（最判昭二四・一二・二二刑集三・一二・二〇七〇）。

▼肥料船を乗りすてる（「不法領得の意思」をみとめる）

〔1〕

強盗傷人の犯行後追跡されたA・B・Cは、船で対岸にわたって逃走しようとして、海岸に繋留してあったD所有のモーターつき肥料船に乗り込み、竿を使って約半丁ばかり漕ぎ出したところ、竿が泥の中につきささって動かなくなったので、仕方なく船を乗り捨て元の陸にあがったところを逮捕された。

▼あとで返すつもりで他人の自動車を無断で乗りまわす（窃盗罪）

〔2〕

Aは、前につとめていたパチンコ遊戯場の経営者であるBさんの自動車を一日無断借用して鎌倉までドライブしようと思い、某日午前七時ごろ、路上に駐車してあったBさんの自動車のドアーを合鍵を使って開けて乗り込みこれを運転してドライブに出かけたが、翌日午前一時ごろ緊急逮捕された。

▼返すつもりでも医薬品を無断で持ち出すと（窃盗罪）

〔3〕

A子は、B会社の診療所に看護婦として勤務中、会社の医薬品を持ち出してデモに参加し、デモ隊員中に負傷者があればこれを使用し、なければそのまま持ち帰ってもとの場所にかえそうと考え、診療所主任Cに無断で、ほう帯・ガーゼ・綿花・油紙・ばんそうこう・アルコール・マーキロ等を荷造りし、これを携帯してデモに参加した。

▼釣堀で指定された以外の方法で鯉をとると窃盗罪
（「不法領得の意思」をみとめる）

Aは、屋内釣堀において、料金を支払って釣りをはじめたものであるが、看板に掲示された注意書を読んで、

〔4〕

「口以外に釣針がかかったものは無効である。針にかかった魚は糸をつまんで引き上げ、あみですくったり、手でつかんだりすると無効である」旨の規約を知りながら、口以外に釣針がかかった鯉または口にかかった鯉を水槽に手を入れてつかみ上げ、これを持ち去った。

指定外の釣は不法領得の意思ありとされる

窃盗罪の成立に、主観的要件として**不法領得の意思**を必要とするかどうかについては見解が分かれ、窃盗罪の保護法益について占有説をとる学者は不法領得の意思は不要であるとしているが、通説・判例はこれを必要としている。判例は、不法領得の意思とは、権利者を排除し他人の物を自分の所有物と同様にその経済的用法にしたがって利用・処分する意思であるとしている（最判昭二六・七・一三刑集五・八・一四三七）。これに対して、学説では、不法領得の意思を他人の財物について所有者としてふるまう意思と解し、かならずしも経済的用法にしたがって利用・処分する意思は必要でないとする見解が有力であるが、具体的事案についての解決をみると、最近の判例は、実質的にこの見解に近づいているものといえよう。

さて、他人の物を無断で一時使用するばあいは、不法領得の意思がないから窃盗罪にならないという主張がなされている。しかし、右にあげた事例〔1〕〔2〕〔3〕について、判例は、いずれも不法領得の意思をみとめ窃盗罪の成立を肯定している（最判昭二六・七・一三刑集五・八・一四三七等）。一時的にでも完全に権利者を排除して自分の所有物であるかのようにふるまうときには、不法領得の意思がみとめられている。したがって、自動車・自転車の「乗り逃げ」「乗り捨て」のばあいはもちろん、あとでもとの場所に返しに行くつもりで自動車を一時借用して乗りまわしても、それが相当長時間にわたれば窃盗罪がみとめられよう（最決昭四三・九・一七判時五三四・八五）。もっとも、友人の自動車や自転車をごく短い時間無断で使用し、もとの場所にもどしておいたようなばあいは、処罰に値するほどの違法性がないから、窃盗罪にはならない。なお、右にあげた事例〔4〕について、不法領得の意思をみとめ窃盗罪の成立を肯定した判例がある（福岡高判昭四四・四・九月報一・四・三七九）。

▼使用貸借終了後であっても、その土地を事実上占有しているばあいには、勝手に小規模の増築をしても不動産侵奪にならない

〔1〕

Aは、Bとの使用貸借にもとづき家屋に居住していたが、右使用貸借が終了し、使用貸借上の権利が消滅した後においても、なお、その家屋に居住し、家屋およびその敷地を事実上占有していた者であるが、土地管理者の承諾をうることなく、既存家屋（建坪三一・三五平方メートル）に接続して小規模の増築（建坪約一〇・九平方メートルの木造スレート葺平家建）をした。

▼空地に勝手に建築材料の倉庫をつくる（不動産侵奪罪が成立）

〔2〕

三方は板塀にかこまれ上部はトタン板でおおわれて小屋状のBさん所有の空地が使用されずに放置されていたので、隣地の建築業者Aは、その空地を勝手に建築材料などの置場として使用していた。Bさんもこれを黙認していた。ところが、その後、台風でその板塀が倒壊すると、Aは、Bさんの工事中止の申入を無視して、その土地の周囲に高さ二・七五メートルのコンクリートブロック塀を作り、その上をトタン板でおおい、建築材料などを置く倉庫としてしまった。

前にもふれたように、不動産に対する窃盗がみとめられるかどうかについては学説上争いがあるが、実務の上では、不動産窃盗がみとめられた事例はなかった。ところが、第二次大戦後、他人の土地を勝手に占拠してバラックを建てて住みついたり、店舗を作って営業したりする例が続発し、しかも、こうした事例のばあい、被害者に対する民事的救済がきわめて不十分であったので、大きな社会問題となった。そこで、こうした行為を取り締るため昭和三五年に新しく規定されたのが、**不動産侵奪罪**（二三五条の二）である。本罪の客体は、他人の占有する他人所有の不動産である。なお、本罪にも二四二条が適用される。

「侵奪」とは、不動産に対する他人の占有を排除して、これを自己または第三者の事実的支配に移すことである。たとえば、他人の土地に無断で建物を建てたり、境界をこえて他人の土地を取り込んだり、他人の

空家に勝手に入って住みついたりすることなど、いずれも侵奪にあたる。また、他人の土地を自分の土地だといつわって、情を知らない第三者に貸しつけ、第三者がそこに家を建てたようなばあいは、間接正犯の形式による侵奪といえよう。しかし、「侵奪」には、他人の占有を排除することが必要であるから、賃貸借期間が満了して借地権や借家権がなくなり所有者から立退き要求をうけながら、これに応じないで居坐っているばあいのように、従来からの占有をそのまま継続しているにすぎないばあいには、侵奪があったとはいえない。右にあげた事例〔1〕は、占有の状態を変更したにすぎないもので他人の占有をあらたに奪取したものではないから不動産侵奪罪を構成しない（大阪高判昭四一・八・九高刑集一九・五・五三五）。しかし、事例〔2〕のばあいは、占有の態様がまったく変わってしまっているから、あらたにBの占有が排除されたとみられるので、不動産侵害罪が成立する（最決昭四二・一一・二刑集二一・九・一一七九）。

　なお、たとえば、他人の空屋にしのび込んで一夜をすごすとか、他人の空地に無断でテントを張って一両日間演劇会を開催するとかいったように、短い時間使用するために他人の不動産を占拠したばあいには本罪にあたらないと解する。

　窃盗罪・不動産侵奪罪およびこれらの罪の未遂罪が、直系血族・配偶者および同居の親族の間で犯されたときには、犯人に対しその刑を免除し、それ以外の親族の間で犯されたときには、被害者の告訴がなければその犯人に対して公訴を提起しない（二四四条）。これを**親族相盗例**という。親族内部のことであるので、国家が積極的に干渉するよりは親族間の処分にまかせた方が適当であろうという考慮から設けられた規定である。

▼間借りしていた「いとこ」の金を盗む
（「同居の親族」にあらずとされた）

　Aは、自分の家に間借りをしていた従兄弟Bの金銭を盗んだ。ところで、Bは、Aから母屋と土間をへだてたところにあった機織工場を居間に改造した部屋を一ヵ月二〇〇円で借りうけ、その部屋で、炊事・起居その他についてAとはまったく別個の生活を、その妻子とともにしていたものであった。

犯人と被害者とが直系血族・配偶者・同居の親族で

あるときは、刑が免除される。「直系血族」には血縁によるものだけでなく、養子のような法定血族も含まれる。「配偶者」には内縁関係は含まれないから、たとえば、夫が妻のへそくりを勝手に持ち出して競輪などに費消してしまっても、その刑は免除されるが、内縁関係であるときには、その刑は免除されない。「同居の親族」とは、同一の住居で日常生活を共同にしている親族をいう。そこで、右にあげた事例のばあいは、同居の親族にあたらないから、その刑は免除されない（東京高判昭二六・一〇・三高刑集四・一二・一五九〇）。「其他の親族」のばあいには、被害者の告訴がなければ起訴されない（親告罪）。

〔1〕

▼貴金属商が保管中の母親のオパールを盗む――刑は免除されない

Aは、自分の母Bが、細工を依頼して貴金属商Cにあづけておいたオパールを、母のものだから盗んでも刑が免除されるとおもい、C方からこれを盗み出し、Dに売却してその代金を遊興費に費消した。

▼父親があずかっている他人の物を盗む――刑は免除されない

〔2〕

Aは、画商をしている自分の父Bが、画家Cから売却方をたのまれてあずかり、自宅に保管中の油絵一枚をひそかに持ち出し、これをDに売却して、その代金を遊興費に使った。

さて、親族相盗例における親族関係は、犯人と窃盗罪・不動産侵奪罪の客体である財物・不動産の所有者および占有者の双方との間に存することが必要であると解すべきである。犯人と直接の被害者である目的物の占有者との間に所定の親族関係が存すればよいとする見解もあるが（最判昭二四・五・二一刑集三・六・八五八参照）、本条の設けられた趣旨からみて妥当でなかろう。そこで、右にあげた事例のばあいはいずれも本条の適用はないと解すべきである。なお、親族としての身分は、犯罪のときに存すれば足り、その後、親族でなくなっても本条の適用がある。

親族でない共犯者については、刑の免除とか親告罪という特例はみとめられない（二四四条二項）。たとえば、AとBとが共謀してAの父Cの金品を盗んだばあい、Aは刑が免除されるがBは刑が免除されない。親族相盗例は**一身的処罰阻却事由**といわれるが、これは、特別の一身的な身分関係の故に処罰されないものだからである。

第二三六条【強盗】①暴行又は脅迫を以て他人の財物を強取したる者は強盗の罪と為し五年以上の有期懲役に処す
②前項の方法を以て財産上不法の利益を得又は他人をして之を得せしめたる者亦同じ

第二三七条【強盗予備】強盗の目的を以て其予備を為したる者は二年以下の懲役に処す

第二三八条【準強盗―事後強盗】窃盗財物を得て其取還を拒き又は逮捕を免れ若くは罪跡を湮滅する為め暴行又は脅迫を為したるときは強盗を以て論ず

第二三九条【準強盗―昏酔強盗】人を昏酔せしめて其財物を盗取したる者は強盗を以て論ず

第二四〇条【強盗致死傷】強盗人を傷したるときは無期又は七年以上の懲役に処す。死に致したるときは死刑又は無期懲役に処す

第二四一条【強盗強姦・致死】強盗婦女を強姦したるときは無期又は七年以上の懲役に処す。因て婦女を死に致したるときは死刑又は無期懲役に処す

第二四三条【未遂】第二三五条乃至第二三六条、第二三八条乃至第二四一条の未遂罪は之を罰す

〈強盗罪〉

強盗罪は、暴行・脅迫を加えて他人の財物を強取すること、または財産上不法の利益をえ、もしくは他人をしてこれをえさせる犯罪である（二三六条）。強盗罪は重い犯罪であるので、未遂が処罰されることはもちろん（二四三条）、その予備も処罰される（二三七条）。強盗予備罪は強盗の目的でその準備をすることであるが、たとえば、辻強盗を共謀して、それに使用するために、出刃包丁・刺身包丁・ジャックナイフ・懐中電燈を買いもとめ、これをもって徘徊する行為（最判昭二四・一二・二四刑集三・一二・二〇八八）などがこれにあたる。

強盗罪の客体は、他人の占有する財物および財産上の利益である。これらの意義については、本章の前注および窃盗罪の客体で述べたところ（二七五、二七六頁）を参照。

行為は、暴行・脅迫をもって、財物を強取すること、または財産上の不法の利益をえ、もしくは他人をしてえさせることである。

▼老婆と娘だけが住む家に押入り、老婆の口をふさぐ（強盗未遂）

A・B・Cは強盗を共謀し、四月上旬の午後七時すぎごろ、お婆さんと娘さんだけが住んでいるD方に侵入し、Aが同家の土間に出てきた老婆Dの口元を手で押えようとしたところ、Dおよびその娘Eが叫声をあげたので、そのまま逃走した。

強盗罪の手段としての暴行・脅迫は、相手方の抵抗を抑圧するに足りる程度のものであることが必要で、暴行・脅迫がその程度にまで達しないときは恐喝罪となる。ところで、暴行・脅迫が抵抗を抑圧するに足りる程度であるかどうかは、単に被害者の主観のみによるべきではなく、具体的事案について、犯人および被害者の年令、男女の性別、性格、体格や犯行の時刻・場所、凶器使用の有無など具体的事情を考慮したうえで、客観的見地から判断しなければならない。右にあげた事例において、Aの加えた暴行は、昼間人通りの多い町角で成年男子に加えられたものであるならば抵抗を抑圧するに足りる暴行とはいえないが、具体的事情のもとでは抵抗を抑圧するに足りる暴行といえよう（最判昭二三・一〇・二一刑集二・一一・一三六〇）。また、ハンドバッグや紙袋を手にして通行中の婦人の背後から、自動車や自転車・オートバイに乗って近づき、いきなりハンドバッグや紙袋をひったくって走り去る、いわゆる「ひったくり」は、一般的には窃盗罪である。しかし、夜間、人の通行がまれな人家からはなれた村道上を自転車で通行中の女性の背後から、モーターバイクで追いこす際に、その女性が右手で自転車のハンドルとともに提げ手のバンドをにぎっていたハンドバッグをひったくろうとする行為は、もし同女がわずかでも抵抗すれば両車の接触により同女の転倒を招き、その生命・身体に重大な危害を生ずる可能性のあるきわめて危険な行為であるから、同女の抵抗を抑圧するに足りる暴行にあたるとして、強盗罪をみとめた判例がある（東京高判昭三八・六・二八高刑集一六・四・三七七）。なお、暴行・脅迫は、かならずしも直接財物の所有者・占有者に対して加えられることは必要でない。

「強取」とは、暴行・脅迫により、相手方の意思に反してその財物を自己または第三者の占有に移すことである。犯人が被害者のもっている金品を奪い取るのが通常であるが、暴行・脅迫によって反抗を抑圧されてしまった被害者が差し出した金品を受け取ったばあいも強取にあたる。強取があったといえるためには、犯人の暴行・脅迫によって相手方の反抗が抑圧された結果、その意思に反して財物の占有が移されたことが必要である。そこで、相手方の抵抗を抑圧するに足りる暴行・脅迫が加えられたが、被害者が豪胆な男であったのでぜんぜん恐怖心を生ぜず、ただ犯人の境遇に同情して財物を交付したばあいは、強取したとはいえないから、強盗未遂ということになる。

▼事務所に押し入り、荷造りをして持ち出そうとしたときに逮捕（強盗は既遂）

A・B・C・Dは、E会社の事務所に押し入り、居合わせたFほか男女の事務員に暴行・脅迫を加えて全員をしばりあげ、まったく抵抗できず、奪われた物を取りかえすことができない状態にしたうえで、そこにあった洋服類を着込み、その他の物は荷造りして持ち出すばかりにしたところへ、警察官に踏み込まれて逮捕された。

本罪の実行着手の時期は、財物強取の目的で暴行・脅迫が開始されたときである。強盗の意思で財物を奪取し、ついで被害者に暴行・脅迫を加えて財物の占有を確保したばあいは、その暴行・脅迫を開始したときが着手である。また、いわゆる居直り強盗、すなわち、他人の財物を窃取した後に、居直ってさらに他の財物を強取したばあいには、居直って暴行・脅迫をはじめたときに強盗の着手がある。本罪の既遂時期は、窃盗罪と同じく、財物についての被害者の占有を排除し、自己または第三者の占有に移したときにあると解すべきである。したがって、右にあげた事例は強盗の既遂である（最判昭二四・六・一四刑集三・七・一〇六六）。

▼無銭飲食のあと代金支払を免れるために暴行すると強盗利得罪、それでケガをさせれば強盗致傷罪

Aは、焼鳥屋Bで酒を飲んだり焼鳥を食べたりしたあと、代金を払わずに食い逃げしたが、それから二時半ばかり後、道路上で偶然、B子さんに出会い、B子さんから代金の請求をうけたので、B子さんに暴行を加えて債務の請求を免れようとして、B子さんを横路の暗がりにつれこみ、殴るける等の暴行を加え、その反抗を抑圧して右債務の請求をできなくして、その債務の支払を免れた。なお、その際のAの暴行でB子さんは約一カ月のケガをした。

「不法利得」、すなわち、財産上の不法の利益をえ、

または第三者にえさせるとは、たとえば、暴行・脅迫を加えて、被害者に労務を提供させたり、債務免除の意思表示をさせることなどである。もっとも、暴行・脅迫と不法利得との間に因果関係があればよく、かならずしも被害者に意思表示ないし処分行為をさせることは必要でない（最判昭三二・九・一三刑集一一・九・二二六三）。そこで、たとえば、タクシーの乗客が運転手の首をしめて料金の請求ができない状態におとし入れて、そのまま逃走したばあいのように、支払の請求ができない状態におとし入れて事実上その支払を免れれば、強盗利得罪（二三六条二項）が成立し、もしそのために運転手が死亡したら強盗致死罪（二四〇条）が成立する（大判昭六・五・八刑集一〇・二〇五参照）。右の事例は、代金支払を免れるために暴行を加えたもので、その支払を免れているので、強盗利得罪に該当し、その暴行で傷害をあたえているので、結局、強盗致傷罪が成立する（札幌高判昭三一・六・二五高刑条一〇・五・四二三）。

▼追跡されているときに暴行を加えれば、事後強盗となる

〔1〕

A・B・Cは、D機械工場から機械部品を盗んで工場裏付近の路上にはこび出し、リヤカーにのせて運搬しはじめた直後、巡回夜警中の守衛Eに発見されたので、その追跡尾行を警戒しながら、二〇〇メートル余のところまで運んだところ、そこで追跡尾行してきた守衛Eの姿をみとめ、その逮捕を免れ、罪跡をくらますため、突如、Eにおそいかかり、こもごも殴るけるの暴行を加えて、Eに全治数カ月のケガをさせた。

▼犯行時と近接していても、犯行と無関係なパトロール中の巡査への暴行は事後強盗にはならない

〔2〕

Aは、B方から米二俵を盗み出し、B方から約二〇〇メートルはなれた道路上まで達したところ、Aの犯行とは無関係にパトロール中の巡査Cから呼びとめられ、職務質問をされそうになったので、逮捕を免れるために、Cに暴行を加えた。

強盗の基本的形態とは、ややことなるが、強盗として取り扱われるものとして、事後強盗と昏酔強盗とがある。この両者は、法定刑の点だけでなく、すべての点について強盗罪と同じように取り扱われる。

事後強盗罪は、窃盗犯人が、盗んだ財物を取りかえされるのをふせぐため、または、逮捕を免れもしくは罪跡をくらますために、暴行・脅迫をすることによって成立する（二三八条）。たとえば、深夜、他人の家にしのび込み金品を物色中に、その物音に目をさました家人に捕えられそうになったので、犯人がもっていた匕首を突きつけて家人がひるんだすきに逃走したとったばあいである。本罪の主体は、窃盗犯人であるがその窃盗の未遂・既遂はとわない。窃盗が未遂のばあいは強盗の未遂をもって論ぜられる。本罪の暴行・脅迫は、強盗罪（二三六条）の暴行・脅迫と同じ程度のもの、すなわち、相手方の抵抗を抑圧するに足りる程度のものであることが必要であり、しかも、窃盗の機会、すなわち、窃盗の現場および引き続き追跡されているばあいになされることを要する。そこで、右にあげた事例〔1〕のばあいは事後強盗罪にあたるが（仙台高秋田支判昭三三・四・二三刑集一一・四・一八八）、事例〔2〕のばあいは事後強盗罪は成立しない（東京高判昭二七・六・二六判決特報三四・八六）。なお、暴行・脅迫は、かならずしも窃盗の被害者に対して加えられることを必要としないから、たとえば、通行中の女性からそのハンドバッグをひったくって逃走しようとしたところ、その女性の叫び声を聞いた通行人が追いかけてきて捕えられそうになったので、これを突きとばして逃走したばあいも事後強盗罪となる。

昏酔強盗罪は、人を昏酔させてその財物を盗取することによって成立する（二三九条）。「昏酔させる」とは、たとえば、酒を飲ませて酔いつぶすとか、麻酔薬・睡眠薬をあたえたり、催眠術をほどこしたりして、人の意識を失わせることである。

▼侵入強盗が追跡する家人を入口付近で殺害　（強盗殺人罪）

〔1〕

Aは、B・Cらと、D方に押し入ることを共謀し、某夜、D方に侵入し、DおよびDの息子E・Fに凶器を突きつけて脅迫し金を強奪しようとしたが、Dが救いをもとめて戸外に脱出し、Dの妻Gなどがさわぎたてたため、なにもとらず、まずBらが逃走した。Aもこれを追って逃走しようとしたところ、D方の表入口付近で追っかけてきたE・Fに捕えられそうになったので、持っていた日本刀でE・F両名の下腹部を突き刺し、両名を死亡させた。

▼前夜岡山県下で強取した品物を神戸で陸揚げ中、逮捕を免れるため警察官を傷害　（強盗罪と公務執行妨害・傷害罪）

〔2〕

A・Bらは、四月一三日午前二時ごろ、岡山県下の専売局の出張所に侵入し、守衛・宿直員にピストルを突きつけ、同人らをしばりあげ、ピース二万本入木箱一七箱を強奪した。そして、これを船に積み込んで神戸に向かい、翌一四日午前四時半ごろ神戸市の海岸でひそかに陸揚げ中、C巡査に発覚されその場で逮捕されそうになったので、これを免れるため、C巡査におそいかかり、殴るけるなど袋叩きにして、傷害をあたえた。

強盗致死傷罪は、強盗犯人が、強盗の機会に、人を傷害したり、死亡させたばあいを重く処罰する強盗罪の加重類型である（二四〇条）。本罪の主体は、強盗犯人であるが、その強盗が未遂であるか既遂であるかはとわない。強盗致死傷罪は、たとえば、強盗の目的で通行人におそいかかり鉄パイプでその頭部を乱打し、重傷を負ってその場に倒れた被害者から所持金を奪ったというばあいのように、致死傷の結果が、強盗の手段としての暴行・脅迫から生じたばあいだけでなく、致死傷の原因となる行為が強盗の機会に行なわれたものであれば本罪が成立するとするのが、通説・判例である（最判昭二三・三・九刑集二・三・一四〇）。右にあげた事例〔1〕は、強盗の機会になされたものであるから強盗致死（殺人）罪になるが（最判昭二四・五・二八刑集三・六・八七三）、事例〔2〕のばあいは、強盗の機会になされたものとはいえないから、強盗致傷罪ではなく、強盗罪と公務執行妨害罪・傷害罪ということになる（最判昭三二・七・一八刑集一一・七・一八六一）。なお、強盗行為の被害者であることが多いが、かならずしもそれにかぎられず、たとえば、逮捕しようとした警察官を死傷させたばあいでも、また、銀行強盗がピストルを乱射してたまたま来店中のお客が死傷したばあいでも、強盗致死傷罪が成立する。

強盗致傷罪は、強盗犯人が、傷害の故意をもっていたばあいだけでなく、傷害の故意がなかったばあいにも成立する。ところで、強盗犯人が殺意なしに死亡の結果を生じさせたばあいに、強盗致死罪が成立することについては問題がないが、強盗犯人が殺意をもって人を殺したばあい、その適用条文がどうなるかについては見解がわかれている。この点について、通説および最高裁の判例（大審院の後の見解にしたがったもの）は、強盗致死罪は、強盗罪と傷害致死罪との結合犯（狭義の強盗致死罪）および強盗罪と殺人罪との結合犯（強盗殺人罪）の両方を含んでいるから、強盗犯人が殺意をもって人を殺したばあいにも、二四〇条後段だけを適用すれば足り、さらに殺人罪の規定を適用する必要はないとしている（最判昭三二・八・一刑集一一・八・二〇六五、大判大一一・一二・二二刑集一・八一五）。なお、強盗致死傷罪は未遂処罰の規定があるが（二四三条）、通説・判例の立場からは、強盗そのものの既遂・未遂をとわず死傷の結果が発生すれば、二四〇条の既遂が成立し、二四〇条の未遂は、強盗犯人が殺意をもって人を殺そうとして、その殺人が未遂に終わったばあいにのみ成立するということになる。

財物を奪ってから人を殺しても、人を殺してから財物を奪っても、強盗致死罪が成立する。後者のばあいについては死者は財物を占有することができるかという観点から疑問がないわけではないが（二八〇頁参照）、殺してから財物を奪うというばあいは、殺害から奪取までの一連の行為によって被害者の生前に有していた財物の占有が侵害されると解すべきであろう。

▼盗みに入り、他人の妻をしばり姦淫（強盗強姦罪）

〔1〕

Aは、Bさん方に空巣に入り、金品をさがしているところへ、Bさんの妻C子さんが帰宅し、発見されたので、さわがれてはまずいと思い、C子さんにおそいかかって、両手をしばりあげ、さるぐつわをかまして押入れに入れたが、押入れ内に横たわっているC子さんの姿態をみて、にわかに劣情を催し、右押入れ内で畏怖していたC子さんの上に乗りかかり、強いて姦淫した。

▼強姦後、財物を強取すると（強姦罪と強盗罪の併合罪）

〔2〕

Aは、早朝、海岸の小屋を掃除していたところ、小屋の前を通りかかったB子さんをみて、B子さんを強姦しようとして、四丁ほどあとをつけ、人家もなく通行人もいないところで、B子さんにおそいかかり、暴行を加え、強いて同女を姦淫した。そして、B子さんが畏怖しているのに乗じて「金をもっているか、その金をよこせ」といって、B子さんの所持金一万円を奪った。

強盗強姦罪は、強盗犯人が女子を強姦することによって成立する。その結果、女子を死亡させたときは、強盗強姦致死罪として刑が加重される（二四一条）。強盗犯人が強盗の機会に、抵抗を抑圧された女子を強姦する事例はすくなからずみられるところであるし、さらに、その際、被害者を死亡させる事例もまれではない。本罪は、こうしたきわめて悪質な犯罪を独立の加重類型としたものである。

強盗強姦罪の主体は、強盗犯人であり、強盗そのものの既遂・未遂をとわず強姦がなしとげられれば本罪の既遂となる。強姦行為が未遂にとどまったばあいのみ本罪の未遂が成立する。強姦は強盗の機会になされることが必要である。なお、強姦犯人が女子を強姦した後に、強盗の故意を生じて、被害者が畏怖しているのに乗じて、その金品を奪取したときは、強盗強姦罪でなく、強姦罪と強盗罪との併合罪である（最判昭二四・一二・二四刑集三・一二・二一一四）。強盗強姦致死罪は、結果的加重犯であるから、殺意のないばあいにかぎられるとするのが通説である。強盗犯人が女子を強姦し、殺意をもって殺害したばあいについて、通説・判例は、強盗強姦罪と強盗殺人罪との観念的競合であると解している（最判昭三三・六・二四刑集一二・一〇・二三〇一）。

◇ハイジャック処罰法◇

いわゆる「よど号事件」をきっかけとして、ハイジャックを重く処罰する法律として、「航空機の強取等の処罰に関する法律」が昭和四五年五月一五日制定、同年六月七日施行され、航行中の航空機を強取する罪をとくに重く処罰する規定、航空機強取等致死罪、同予備罪、航空機の運行阻害罪があらたに設けられた。

航空機の強取等の処罰に関する法律

第一条（航空機の強取等）①　暴行若しくは脅迫を用い、又はその他の方法により人を抵抗不能の状態に陥れて、航行中の航空機を強取し、又はほしいままにその運航を支配した者は、無期又は七年以上の懲役に処する。

②　前項の未遂罪は、罰する。

第二条（航空機強取等致死）　前条の罪を犯し、よって人を死亡させた者は、死刑又は無期懲役に処する。

第三条（航空機強取等予備）　第一条第一項の罪を犯す目的で、その予備をした者は、三年以下の懲役に処する。ただし、実行に着手する前に自首した者は、その刑を減軽し、又は免除する。

第四条（航空機の運航阻害）　偽計又は威力を用いて、航行中の航空機の針路を変更させ、その他その正常な運航を阻害した者は、一年以上一〇年以下の懲役に処する。

第37章 詐欺および恐喝の罪

本章の表題は、「詐欺および恐喝罪」であるが、本章に規定されている罪は、詐欺罪・恐喝罪および背任罪である。

第二四六条【詐欺】 ①人を欺罔して財物を騙取したる者は一〇年以下の懲役に処す
②前項の方法を以て財産上不法の利益を得又は他人をして之を得せしめたる者亦同じ
第二四八条【準詐欺】 未成年者の知慮浅薄又は人の心神耗弱に乗じて其財物を交付せしめ又は財産上不法の利益を得若くは他人をして之を得せしめたる者は一〇年以下の懲役に処す

〈詐欺罪〉

▼寸借詐欺

〔1〕
Aはタクシーに乗り「娘の結婚式で結納品をとりにきたが金が足りない。待っていてくれれば家に帰ってからすぐ返す」と運転手から八〇〇〇円を借り、タクシーを待たせたまま姿を消した。

▼地面師による詐欺

〔2〕
Aらは、航空写真で都内の高級住宅街の中から適当なサラ地をいくつか見つけ出し、登記済み権利書・住民登録証・印鑑証明など土地の売買に必要ないっさいの公・私文書を偽造し、準備が整ったところで買い手を見つけ、「地主が売り急いでいるから安い」などとふれこみ、時価の六割から八割の値段にして買い気をそそり、さっそく手付金を受けとるというやり方で、Bさんほか二四名の人から手付金をだましとったが、その被害総額は一億二五〇〇万円にものぼっている。

詐欺罪は、犯人が相手方を欺罔し、そのために錯誤におち入った相手方が金品を交付したり、債務を免除するといった財産的処分行為をなし、その結果、犯人が財物または財産上の利益をうることによって成立する（二四六条）。詐欺は、右にあげた事例〔1〕のように、金や品物を「一寸貸してくれ」とだまして金品を交付させる寸借詐欺、倒産寸前で支払能力も支払う意思もないのに、不渡手形を濫発して大量に商品を買い込む取り込み詐欺、保険金詐欺、無銭飲食、さらには八百長競技による詐欺などその態様もいろいろで被害額もわずかなものから、右にあげた事例〔2〕のように数億円にのぼるものもある。詐欺罪は、個人の財産を保護法益とするものであるから、たとえば、妻子のある男が独身だといつわって若い女性をだまし、これと結婚して同棲する、いわゆる結婚詐欺、虚偽の申告をして税金の支払を免れる脱税は、詐欺罪にはならない。

▼国鉄公傷年金証書をだまし取っても詐欺罪

Aは、Bに国鉄公傷年金証書を担保として差し入れて一〇万円を借りた。それから三カ月後、Aは、Bの妻Cに対し、返済の意思がないのに「国民金融公庫から年金証書を持参するよう通知がきた。明日返すから一寸貸してくれ」とうそをいって、Cをだまして右年金証書を取りもどした。なお、国鉄公傷年金証書を担保に供することは法律上禁止されており、借金の担保としては無効であるので、Bは、右年金証書を占有する正当な権利をもっていなかった。

詐欺罪の客体は、他人の財物および財産上の利益である。これらの意義については、三六章の前注（二七四頁）および窃盗罪の客体のところ（二七六頁）を参照。なお、本罪の客体たる財産には、不動産がふくまれる。

ところで、本罪の客体である財物は、他人の占有する他人の財物であることが原則であるが、窃盗罪と同じく、自己の財物でも、他人の占有に属しまたは公務所の命によって他人が看守しているものは、他人の財物とみなされる（二四二条・二五一条）。この「他人の占有に属し」の「占有」が、かならずしも適法な占有である必要はなく、平穏な占有で足りると解すべきであることは、窃盗罪と同じである（二七七頁参照）。右にあげた事例について、判例は、詐欺罪の成立をみとめている（最判昭三四・八・二八刑集一三・一〇・二九〇六）。

▼店員のすきをみて時計を持ち去る（詐欺ではなく、窃盗）

Aは、B時計店に入り、時計を買いにきたようによそおい、店員Cに陳列棚にある時計をみせてくれといい、Cがお客とおもい時計をみせるため手渡したところ、これをみるふりをしながら、Cのすきをうかがい、これをもって逃走した。

詐欺罪の行為は、欺罔と騙取・不法利得である。「欺罔」とは、人を錯誤におとし入れること、いいかえると、人をだますことである。もっとも、だますといっても、詐欺罪における「欺罔」は、相手方に財産的処分行為をさせるための手段でなければならない。そこで、たとえば、留守番をしている母親に、子供さんが表通りで自動車にひかれたといってだまし、母親があわてて飛び出して行った隙に、屋内に入り財物を取ったばあい、たしかに、だます行為はあるが、これは母親に財産的処分行為をさせる手段としてなされたものでないから、詐欺罪の実行行為としての「欺罔」にあたらず、したがって、このばあいは詐欺罪ではなく窃盗罪となる。右にあげた事例も同様の理由から、詐欺罪ではなく窃盗罪である（東京高判昭三〇・四・二裁判特報二・七・二四七）。

▼抵当権つきであることを告げずに土地を売る（不作為による欺罔）

> Aは、自分の所有地を担保としてB銀行から金を借り、B銀行のために抵当権の設定およびその登記をしたが、Cが右の土地が抵当権の負担のないものと誤信しているのに乗じて、右の事実をわざと告げずに、その土地をCに売却してその代金を受け取った。

「欺罔」の手段・方法には制限がないから、言語によると、動作・態度によると、作為によると、不作為によるとをとわない。欺罔は、積極的にうそをつくことでなされることが多いが、本当のことを告げない不作為によるばあいもある。たとえば、五千円札を出して三〇〇〇円のセーターを買ったら、店員が一万円札を受け取ったと思いちがいをして、七〇〇〇円のおつりを出したのを、知りながらだまってそのまま受け取るのは、不作為による詐欺罪になる（**つり銭詐欺**）。もっとも、不作為による詐欺がみとめられるためには、その事実を告げる法律上の義務のある者がわざとだまっていたということが必要である。この法律上の告知義務は、直接、法令の規定からみとめられるばあいにかぎらず、契約上、慣習上、あるいは条理上みとめられるばあいでもよい。ところで、ある程度の沈黙は取引上のかけひきとして一般に是認されているので、具体的なばあいに、その事実の不告知が不作為による欺罔にあたるかどうかは、取引の実情を考慮して慎重に判断する必要があろう。抵当権付の不動産を抵当権付でない不動産に相応した価格でその売却を申し出ているときは、抵当権設定登記済の事実の不告知は不作為による欺罔と解してよかろう（大判昭四・三・七刑集八・一〇七参照）。これに反して、たとえば、地下鉄の敷設、新駅の開設など地価高騰の情報をキャッチした者が、その情報を知らない地主から、この事実を黙秘してその土地を時価で買い取ったばあい、その黙秘は、不作為にたる欺罔とはいえず、したがって詐欺罪を構成しないと解する。

▼無銭飲食は詐欺

> Aは所持金がなく、代金を支払う意思もないのに、食堂に入り、五〇〇円相当のものを飲食し、店員のスキをみて裏口から逃走した。

右にあげた無銭飲食の事例は、金のないことをかくしているという面があるので、不作為による欺罔とみる見解もないわけではないが、むしろ、だまって飲食物を注文する行為は、代金を支払う意思および能力のあることをよそおう積極的な欺罔手段とみるべきであろう。そして、このばあいは、飲食物の提供をうければ、その段階で、詐欺罪は既遂となる。

▼登記官吏をだまして所有権移転登記をさせても詐欺罪にならない

> Aは、Bの土地をだまし取ろうと企て、土地所有者B名義を冒用して登記申請書関係書類を偽造したうえ、これを地方法務局出張所の登記官吏Cに対し、真正に作成された文書のようによそおうてこれを提出し、これによって欺罔されたCに土地登記簿原本にその土地の所有権移転登記をさせた。

欺罔は、かならずしも財産上の被害者を相手としてなされることは必要でなく、だまされる者と財産上の被害者とが同一人でないばあいもある。たとえば、拾った銀行預金通帳と印鑑を使って銀行員をだまして他人名義の預金を引き出すばあい、だまされたのは銀行員であり、財産上の損害をうけるのは預金者である落主であるが、このばあいが詐欺罪になることもちろんである。なお、裁判所をだまして間違った勝訴判決をさせ、これにもとづいて財物をとるのも詐欺罪となる（**訴訟詐欺**）。もっとも、だまされる者と財産上の被害者とが同一人でないときには、だまされる者は、詐欺の目的となった財物または財産上の利益について処分することができる権限をもっているか、または処分することができる事実上の地位にあることが必要である。そこで、右にあげた事例のように、登記官吏を欺罔して所有権移転登記をさせても、登記官吏はその不動産を処分しうる権限、地位を有しないから、詐欺罪は成立しない（東京高判昭四三・八・二二高刑集二一・四・三〇四。なお、最決昭四二・一二・二二刑集二一・一〇・一四五三参照）。

▼さくらを使ったたたき売りは詐欺罪になるか

Aらは商品の販売に際し、新聞の折込広告によって指定の場所に集まった数十名の客に対し、売場の正面に「お知らせ」と題し、「買上値段の一割ないし五割のサービスまたは同程度の景品を与える。見切品は五割以上割引する場合がある。」等と記載した貼紙を出し、割烹前掛、サロン前掛、オーバー等について、五〇円、三〇円、一〇〇円等と付け値して売り出し、多数の客が買うと一斉に手をあげると整理がつかないとして、一挙に付け値を二、三〇倍につり上げ、その値で買ったさくらに「買い振りが気に入った、まけてやる」ともとのつけ値に値引する等の方法を数回くり返した。こうして、次第に一般の客に自分のばあいも同様に値引してもらえるものと誤信させて高価でせり落させ、その値で品物を売りつけた。なお、Aらは、その値段が品質からいって市価に比べ不当に高いものであることを知っていた。

商品の広告・宣伝におけるある程度の誇張は、日常生活において経験ずみのことである。取引上のかけひきとしてゆるされている範囲での広告・宣伝が「欺罔」にあたらないことはもちろんであるが、その範囲をこえた広告・宣伝が、ただちに、「欺罔」にあたるかというとかならずしも、そうとはいえない。軽犯罪法一条三四号（虚偽広告）、宅地建物取引業法三二条（誇大広告）、薬事法六六条（誇大広告）にふれることがあっても、まだ、詐欺罪の「欺罔」とはいえないばあいがある。そこで、その限界が問題となるが、取引におけるる重要な事項について具体的事実をいつわったばあ

詐欺は「欺罔」の意思があったかどうかが問題

いには、詐欺罪における「欺罔」になるといえよう。たとえば、遠隔の別荘予定地の通信販売に関連して代金を払い込ませてこれを騙取する目的で、取引上重要な事項について具体的事実をいつわった内容のダイレクト・メールを発送したときには、詐欺罪の着手があったとみてよかろう。なお、右にあげた事例は、第一審では詐欺罪にならないとして無罪とされたが、第二審は、欺罔の意思がなかったとはいえないとして、これを破棄差戻しているように、限界的事例といえよう（福岡高判昭三一・四・一三判時一一一・二五）。

▼当りくじを空くじだとだまし、捨てたのを拾う（財産的処分行為）

> Aは、Bさんが所持していた当りくじの宝くじを空くじだとだましてくず箱に捨てさせ、あとでこれを拾った。

「騙取」とは、錯誤にもとづく相手方の財産的処分行為によって財物の占有を取得すること、一般的には、相手方がだまされて渡す金品を手に入れることである。

なお、右にあげた事例のように、人を欺罔して財物を放棄させ、これを拾得するばあいについては、窃盗罪、あるいは占有離脱横領罪にあたるする見解もあるが、財物を捨てるということも財物的処分行為であるから、詐欺罪と解すべきであろう。

▼電気計量器の指針を逆転させて電気料金の支払を免れる（詐欺利得罪）

> Aは、自宅に設置されてある電気会社の電気計量器に逆転用コードを取りつけて計量器の指針を逆回転させて、検査員Bにその指針に応じた検針をさせ、実際の使用量よりもすくない電気料金を支払い、その差額の支払を免れた。

「不法利得」とは、相手方の錯誤にもとづく財産的処分行為によって不法に財産上の利益をうることである。たとえば、錯誤におち入った相手方に債務を免除する旨、支払請求を延期する旨の意思表示をさせて、その分の財産上の利益をうることである。右にあげた事例も不法に財産上の利益をえた一例である（大判昭九・三・二九刑集一三・三三五）。

▼無銭宿泊は詐欺罪

〔1〕

Aは、所持金もなく、代金を支払う意思もないのに、そうでないようによそおって、B料亭に二晩宿泊し、その間三回飲食し、三日目に、自動車で帰宅する知人を見送るとうそをいって、B料亭を出て、そのまま逃走して代金の支払を免れた。

▼キセル乗車は詐欺か

〔2〕

Aは、東京から鎌倉まで行くつもりで、東京駅で三〇円区間の乗車券を買って、これで改札口を通って電車に乗り、鎌倉駅まで乗車し、鎌倉駅で、かねて所持していた鎌倉・大船間の定期券を利用して改札口を通過した。

事実上なんらかの利益をえても、それが相手方の財産的処分行為にもとづくものでないときには詐欺罪にはならない。たとえば、はじめから無銭飲食をする意思ではなく、はじめはちゃんと代金を支払う意思で飲食店に入り酒食を注文して飲食してから、財布を忘れてきたことに気づき、食い逃げしようという気になり、トイレに行くようなふりをして裏口から逃走したばあいには、飲食店の者の財産的処分行為がないから、詐欺罪にはならない。

ここで、問題となるのは、だまされた相手方が、ただ債務の履行を督促ないし請求しなかったことによって債務の履行を一時免れたというばあいのすべてにおいて、相手方の財産的処分行為があったかどうかである。右にあげた事例〔1〕について、判例は、このようなばあいに、債務の支払を免れたといえるためには、相手方に債務免除の意思表示をさせることが必要で、単に逃走して事実上支払をしなかっただけでは足りないとし、具体的事実では、宿賃の支払を免れた詐欺罪の既遂ではなく、はじめから支払の意思がないのに、それをかくして宿泊・飲食した点ですでに詐欺罪は既遂であるとしている（最決昭三〇・七・七刑集九・九・一八五六）。また、事例〔2〕のいわゆる「キセル乗車」については、はじめから乗りこしをするつもりであっても、乗車駅の改札口に入るときにそのことを駅員に告げる義務はないから、だまっていても「欺罔」にあたらないし、また、下車駅の改札口を出たときに、駅員はなんら財産的処分行為をしていないから詐欺罪にあたらないとする判例（東京高判昭三五・二・二二東高刑時報一一・二・四三）と乗車駅の改札口における乗車券の呈示はキセル乗車の手段としてなされたのであって、正常な乗客をよそおった欺罔であり、その結果、駅員が改札口を通過させ電車に乗せ、目的地まで輸送するという財産的処分行為をしたもので、これによって輸送の利益という財産上不法の利益をえたことになるとして、詐欺罪の成立をみとめた判例（大阪高判昭四四・八・七月報一・八・七九五）とがある。

〔1〕

▼名士の庭石の売却に便乗して他の石を売りつける

Aは、某名士の別邸の庭園にある庭石および石燈籠の入札売却を頼まれたので、この機会に沢山の庭石や石燈籠を売ってひともうけしようと企て、石屋から運びこんでその庭においておいた庭石および石燈籠を、あたかもまえからそこにあったかのようによそおって、B・C・Dらをだまし、市価相当の価格で売りつけた。

〔2〕

▼二重抵当は詐欺罪ではなく背任罪

Aは、Bとの間に自己所有の家屋一棟について、極度額二〇万円の根抵当権設定契約をし、登記に必要な書類をBに交付した。ところが、Bがまだその登記をしないうちに、さらに、Cから二〇万円を借りるにあたって、右家屋について極度額二〇万円の根抵当権設定契約をなし、その登記を完了させた。そのために、Bの抵当権は後順位の二番抵当権になってしまった。

詐欺罪は財産罪であるから、被害者になんらかの財産上の損害が生じたことが必要である。それでは、右にあげた事例〔1〕のように、欺罔手段を用いて相手方をだまし金銭を交付させたが、それに相応する価格の品物を手渡しているばあいには、詐欺罪が成立しないことになるかというとそうではない。というのは、財物の価値に相当する対価が提供されたとしても、だまされたために財物を交付したということ、すなわち、財物を失ったということによって、被害者は、その財物を使用・収益・処分する利益を失っているので、ここに財産上の損害があるからである。ところで、右にあげた事例〔2〕のような二重抵当のばあいについて、大審院の判例は詐欺罪の成立をみとめているが（大判大一・一二・二八刑録一八・一四三一）、後の抵当権者は第一順位で抵当権の登記をうけた以上、なんら財産上の損害をうけていないから、これに対して詐欺罪の成立をみとめることは妥当でなく、前の抵当権者に対する関係で背任罪が成立するものと解すべきである（最判昭三一・一二・七刑集一〇・一二・一九五二）。

金品を取得する権利を有する者が、その権利を実現するための手段として相手方をだまして金品を交付させたばあいに、詐欺罪が成立するかどうかについて、判例は、その権利の範囲内で財物をえたのであれば詐欺罪は成立しないと解しており（大判大二・一二・二三刑録一九・一五〇二）、学説上、これに賛成する見解もすくなくないが、権利の実行であっても相手方を欺罔して財物を交付させたときは詐欺罪になるとする見解も有力である。もっとも、後者の見解においても、その欺罔手段が社会的に相当といえるときには、その違法性が阻却され処罰されない。ところで、行為が社会的に相当といえるかどうかは、追求される目的と選択された手段とをあわせて総合的に判断しなければならない。たとえば、同じ程度の詐言が用いられたとしても、それが単に相手方から財物をだましとる手段としてなされたばあいには、社会的に相当でなく違法であっても、それが、債務の弁済をうるためになされたものであるときには、社会的に相当なものとして違法でないことがありうる。

▼売春婦をだまして売春代金を払わないのは詐欺罪か

Aは、金をあまり持っておらず、代金を支払う気もないのに、売春婦Bの誘いに応じてDに売春させた後、「金を忘れてきた。明日かならずくるから、それまで待ってくれ」といつわって、Dを誤信させ、代金の支払を免れた。

不法原因給付とは、法律上許されない行為をするために金品を渡すことであるが、このばあい、手渡した者は、その金品の返還を法律上請求することができない（民法七〇八条）。そこで、麻薬を手に入れてやるとうそをいって、その代金をだまし取ったばあい、被害者はその金の返還を請求する権利はないが、だまし取った犯人は詐欺罪として処罰される。なお、右にあげた事例のようなばあいについては、売春行為は善良な風俗に反する行為で、その契約は無効で売春料債務を負担することはないから、欺罔によって売春代金の支払を免れても詐欺罪にならないとする見解と、売春料の債権は民法上保護されていないが、欺罔によってその支払を免れれば、他の不法原因給付のばあいと同じく詐欺罪として処罰するべきであるとする見解とが対立している。

▼子供の知慮浅薄につけこんで財物を交付させるのは準詐欺

Aは、一〇歳ぐらいの少年が高価なカメラをもっているのをみて、「坊や、いいカメラをもっているね、小父さんに二〇〇〇円で売ってくれないか」ともちかけ、少年が二〇〇〇円なら得だと思い、承知したので、二〇〇〇円を渡してカメラを買い取った。

準詐欺罪は、未成年者の知識や思慮の足りないことまたは人が心神耗弱の状態にあることに乗じて、財物を交付させ、または財産上不法の利益をえもしくは他人にえさせることによって成立する(二四八条)。「未成年者」とは二〇歳未満の者をいい、「知慮浅薄」とは、知識に乏しく思慮が十分でないことをいう。「心神耗弱」とは、精神の健全さを欠き、物事の判断をするのに普通人の知能をそなえていない状態をいう。「乗じて」とは、つけこむこと、利用することである。準詐欺罪は、右にあげた事例のように、欺罔手段は用いられていないが、「未成年者の知慮浅薄又は人の心神耗弱」といった誘惑にかかりやすい状態を利用して、財物または財産上の利益を取得する行為を処罰するものであるから、被害者が知慮浅薄な未成年者または心神耗弱の状態のある人でも、「欺罔手段」が用いられたときには、詐欺罪が成立し、本罪は成立しない(大判大四・六・一五刑録二一・八一八)。なお、四、五歳の幼児や狂人をだまして金品をとったばあいは、これらの者は財産的処分行為をする能力がないから、本罪は成立せず、むしろ窃盗罪にあたると解すべきであろう。

第二四九条【恐喝】 ①人を恐喝して財物を交付せしめたる者は一〇年以下の懲役に処す
②前項の方法を以て財産上不法の利益を得又は他人をして之を得せしめたる者亦同じ

〈恐喝罪〉

恐喝罪は、犯人が相手方をおどし、こわがった相手方が金品を交付したり、債務を免除するといった財産的処分行為をして、その結果、犯人が財物または財産上の利益をうることによって成立する(二四九条)。恐喝罪は、手段の点で詐欺罪とことなるだけで、その他の点ではその性質が同じであるので、詐欺罪で述べたところが恐喝罪についてもあてはまる。

▼暴行を手段として恐喝したばあい

Aは、Bが自分の情婦C子と情交関係を結んだことを種に金をゆすろうと考え、B方に行きBに対し「俺の女をとったろう」といいBの胸をつかんで前後にゆすぶり平手でBの顔面を殴打し、仲裁に入ったDに「一万円をもらいたい。それをくれなければ馬でもひいて行ってしまう」と申し向け、畏怖したBから現金一〇〇円と酒一升の交付をうけた。

「恐喝」とは、財物または財産上の利益を提供させる手段として人を畏怖させるような行為をすること、すなわち、人をおどかすことである。通常は脅迫を手段とするが、暴行を手段とするばあいも含まれる（最決昭三三・三・六刑集一二・三・四五二）。もっとも、恐喝罪は、相手方をおどし、こわがった相手方にいやいやながら財産的処分行為をさせて、その結果、財物・財産上の利益を取得する罪であるから、脅迫・暴行が相手方の抵抗を抑圧するに足りる程度のものであるときには、本罪でなく強盗罪が成立する。

▼盗みを警察に告げるぞとおどす

A・B・Cは、Dほか二名の者が専売公社の倉庫から葉煙草を盗み出すのを目撃したので、これを種にDらから金品を提供させようと相談し、翌日D方を訪ね、Dらに対し「お前らはとんでもないことをした」などといい、金品を出さなければ内密にしておけないようなことをほのめかしておどし、ついで翌日AはDを呼び出し、「自分の顔を立ててほしい」と暗に金品の提供をうながし、犯行の発覚をおそれたDがA方に現金一万円、酒一升、タバコ一五箱を届けてきたのを受け取った。

「脅迫」は、人を畏怖させるに足りる害悪の告知をいうが、脅迫罪の脅迫とはことなり、相手方またはその親族の生命・身体・自由・名誉・財産に対するものにかぎらず、もっと広いものである。いやがらせをして金を要求するようなばあいでも、そのいやがらせの程度がひどくなれば恐喝罪となる。相手方に告げられる害悪の内容は、それ自体として違法なものであることは必要でない。犯罪を警察に告げるとか、訴訟を起すとかいったことでも、それが相手方の弱味につけこんで金品をおどし取るための口実に使われるときには、脅迫にあたる（最判昭二九・四・六刑集八・四・四〇七）。

▼菓子に異物が入っていたとおどし一万円を払わせる

〔1〕

Aはたまたま歯が欠けているのを利用し、仙台の菓子店で牛乳とB社のチョコレートを買い、店先で食べはじめたが、「痛い!」といって口から血のついた脱脂綿といっしょに「こんなものが入っていた。前歯が欠けたぞ」と一センチほどの折れたヘヤーピンをロから取り出し菓子店の主人にみせた。このあと、Aは宮城県庁からB社仙台販売所へ電話で「いま、ピンを衛生部へ提出しようと県庁まできた」と伝え、かけつけた販売所長に、「大切な出張の途中なのに、商談もできない」とすごみ、一万円を払わせた。

▼ゴキブリを食事の中に入れ、見舞金を出させる

〔2〕

AとBは、和歌山県白浜温泉の良根荘グランドホテルに泊まり、芸者をあげてドンチャン騒ぎをしたあと、翌朝の食事の際に、腹巻に入れて持っていたゴキブリを酢の物といっしょに口に入れてかみくだき、大げさに吐き出して女中に「こんなもの食べさせて。医者を呼べ」と要求し、かけつけた医者に注射をさせたあと、「得意先を接待しているのにとんでもないことをしてくれた。駅や玄関にこの事実をはり出して自発的に営業停止をしろ。さもないと保健所に連絡する」とおどし、宿泊遊興費四万円を踏み倒したうえ、五万円を見舞金の名目でまきあげた。

害悪は、その実現の可能性があるかどうか、その告知事実が本当かどうか、犯人が本当にその害悪を実現しようとする意思があったかどうかは、恐喝罪の成立に関係なく、実現可能なものとして告知されれば足りる。

▼第三者による加害の告知でも恐喝罪になるばあいがある

新聞記者Aは、某女学校の校長Bと同校の女教員C子とが情交関係にあるという風評を聞き、Bと親交のあるDに対して、他の二、三の新聞記者が右の風評を聞知ってこれを新聞に掲載しようと準備中であるのを中止させておいたと告げ、その結果、D立会のもとにCと会い、その際、自分は右の風評のような事実がないことはわかったが、他の二、三の新聞記者はすでに右記事の掲載の準備をおえているから、その掲載を中止させるにはなんらかの方法をとる必要があるといって暗に金員の交付を要求し、畏怖したCから現金の交付をうけた。

また、害悪の告知は恐喝者がみずから直接害悪を加えるという告知である必要はなく、第三者による加害の告知でも恐喝者がその第三者の加害行為に対して影響をあたえうる立場にあることを感じさせるように——実際にそのような立場にあることは必要でない——告知すればいい（大判昭五・七・一〇刑集九・四九七）。なお、占いのように、単に天災地変や吉凶禍福を説いて金銭を交付させても恐喝罪は成立しない。もっとも、天災地変や吉凶禍福を説いても自分の力でそれを左右しうると信じさせ相手方を畏怖させて財物を交付させたばあいには恐喝罪が成立する（広島高判昭二九・八・九高刑集七・七・一一四九）。

また、害悪を告知する手段・方法はとわない。かならずしも明示的である必要はなく、言語や文書によるばあいのほか、動作・態度によって暗黙裡におどすことでもよい。たとえば、暴力団員・やくざ・ちんぴらといわれる連中が、そのことを知っている者に対して相手方がこわがって金品を交付するであろうということを予想して金品を要求したようなばあいには、たとえ積極的な脅迫的言辞を述べなかったとしても、恐喝行為にあたることが多いであろう。

▼従業員を脅迫して、飲酒代金を支払わず（恐喝罪）

Aは洋酒喫茶カルボーで飲食し、従業員Bから二四四〇円を請求されると、「そんな請求をしてわしの顔を汚す気か、お前は口が過ぎる、なめたことを言うな、こんな店をつぶすぐらい簡単だ」などといってBを脅迫し、畏怖したBにその請求を一時断念させて右代金の支払を免れた。

恐喝罪は、恐喝の結果、畏怖した相手方が財物を犯人に交付することによって成立するのが通常であるが、相手方が畏怖し黙認しているのに乗じて犯人がみずから財物を取ったばあいでも恐喝罪が成立する。「財産上不法の利益を得る」とは、畏怖した相手方に債務を免除する旨の意思表示をさせたり、金銭を交付する約束をさせたりして、財産上の利益をうることである。

なお、右にあげた事例のように、代金の支払を請求した者をおどし、畏怖した請求者が支払の請求を一時断念したために代金支払を免れたばあいも、財産上不法の利益をえたものといえる（最判昭四三・一二・一一刑集二二・一三・一四六九）。

▼当然の権利行使でも許容範囲をこえると恐喝罪になる

AとBは、一緒に会社を設立したが、その後、仲が悪くなり、Aはその会社を退社した。その際、Bに自分の出資額一八万円の支払をもとめたところ、BはAに一五万円を支払っただけで残金三万円を支払わなかった。そこで、Aは、C・Dらと一緒にBに対して要求に応じないときは身体に危害を加えるような態度を示し、C・Dらは「おれ達の顔を立てろ」などといっておどし、Bに残金三万円を含む六万円を出させた。

相手方から金品を取得する権利を有する者が、その権利を実現するための手段として相手方をおどして金品を交付させたばあいに、恐喝罪が成立するかどうかについては、詐欺罪のばあいと同様に見解がわかれているが、権利の実行であっても相手方をおどして財物を交付させたときは恐喝罪が成立するものと解すべきであろう。右にあげた事例について、最高裁の判例は、権利の行使のためであっても、その権利の範囲をこえ、その方法が社会通念上一般に許容される程度をこえたものであれば、その行為は全体として違法であるとして、六万円について恐喝罪の成立をみとめている（最判昭三〇・一〇・一四刑集九・一一・二一七三）。そこで、どのような方法なら、社会通念上一般に許容される限度内にあるか、いいかえると、社会的相当性の枠内にあるかが問題となるが、これは、追求される目的と選択された手段とをあわせて総合的に判断されなければならない。たとえば、同じ程度の害悪の告知がなされても、それがただ相手方から財物をまきあげるための手段としてなされたばあいには、社会的に相当でなく違法であるが、それが債務の弁済をうるためなされたものであるときには、社会的には相当なものとして違法性を阻却することがありうる。最近、日本自動車ユーザーユニオンの専務理事Aと監事で弁護士のBが、欠陥車事故を理由に本田技研に対してなした損害賠償・慰謝料の請求、示談金の要求に関連して、恐喝罪で起訴された事件があったが、請求額や要求額が正当な権利の範囲内にあるかどうか、その権利行使のために用いられた手段が、社会的相当性の枠内にあるかどうかが、犯罪の成否のきめ手になろう。

▼エロ写真を売るといつわり、ヌード写真を買わせてスゴむ

Aは、街頭で、Bにエロ写真一組を六〇〇円で買わないかともちかけ、買う気になったBから一〇〇〇円を受け取り、単にグラビヤ印刷のヌード写真をBに手渡したので、Bが代金一〇〇〇円を返してくれと請求したところ、これを拒絶し、もしあくまでその返還を請求するときにはその身体にいかなる危害を加えるかも知れない気勢を示して、Bを畏怖させ、その返還の請求を断念させた。

右にあげた事例のように、不法原因給付のために返還請求権がないばあいでも、相手方をおどして、その請求を断念させれば、恐喝罪が成立する（東京高判昭三八・三・七東高刑時報一四・三・三五）。

第二四七条【背任】 他人の為め其事務を処理する者自己若くは第三者の利益を図り又は本人に損害を加ふる目的を以て其任務に背きたる行為を為し本人に財産上の損害を加へたるときは五年以下の懲役又は一〇〇〇円以下の罰金に処す

第二五〇条【未遂】 本章の未遂罪は之を罰す

第二五一条【準用規定】 本章の罪には第二四二条、第二四四条及び第二四五条の規定を準用す

〈**背任罪**〉

背任罪は、他人のためにその人の事務を処理している者が、自分もしくは第三者の利益を図る目的または本人に損害を加える目的で、その任務に背いた行為をして、本人に財産上の損害を加えることによって成立する（二四七条）。たとえば、古物商の店員が、友人に頼まれ、そのカメラを通常の買入価格が五〇〇〇円ぐらいなのに、勝手にその倍の一万円で買い取ったばあいがこれにあたる。背任罪は、他人の信頼をやぶる財産罪として、横領罪（委託物横領罪）と共通の性格をもつものであるが、横領罪が個々の財物に対するものであるのに対して、背任罪は全体財産に対するものである点で区別される。

背任罪の主体は、「他人のためその事務を処理する者」にかぎられる（身分犯）。他人のために事務を処理する者とは、法律上の信任関係にもとづいて他人のためにその事務を処理する者をいい、その信任関係は、後見人・破産管財人・会社の代表取締役などのように法令の規定によって生ずるもの、委任・請負・雇用などの契約によって生ずるもののほか、一定の地位にもとづいて、慣習または事務管理として行なわれた行為から生じたものでもよい。そこで、たとえば、正式に収入役代理に任命されるまえに事実上収入役代理としてその事務を処理している町役場の書記も本罪の主体となりうる（大判大三・九・二二刑録二〇・一六二〇）。つぎに、他人のために処理するのは、「他人」の事務でなければならないから、たとえば、売買契約の当事者である買主が売主に代金を支払うことは、その買主の事務であるから、これを不当に怠っても債務不履行となるだけで背任罪にはならない。その「事務」は、公

的な事務であると私的な事務であるとをとわない。なお、財産的な事務にかぎられるかどうかについては見解が分かれている。

背任罪の行為は、自分もしくは第三者の利益をはかり、または本人に損害を加える目的で、その任務に背いた行為をすることである。「任務に背きたる行為」とは、信任関係をやぶるような行為をいうが、どのような行為がそれにあたるかは、処理する事務の性質・内容を検討し、信義誠実の観点から具体的に判断するほかはない。なお、任務に背く行為は、作為ばかりでなく不作為によってもなされる。たとえば、財産管理人がわざと債権を行使しないで時効にかからせるばあいなどがこれにあたる。

▼不当配当でも本人（銀行）の利益のためになされたときは背任罪にならない

> Aは、B銀行の取締役であったが、銀行がすこしも配当しないとその体面上信用を維持することができなくなるので、銀行に配当をなしうる利益がなかったのに、B銀行の信用を維持し面目を保持する目的で、不当な利益配当をした。

背任罪は、自分もしくは第三者の利益をはかる目的（利得の目的）、または本人に損害を加える目的（加害の目的）がなければならない（目的犯）。判例は、利得の目的は、かならずしも財産上の利益をはかる目的にかぎらず、身分上の利益その他すべて利益をはかる目的で足りるとしているが（大判大三・一〇・一六刑録二〇・一八六七）、ここにいう「利益」とか「損害」とかは、財産罪としての背任罪の性質からいって、財産上の利益または損害にかぎるものと解すべきであろう。それはともかく、背任罪は、利得の目的か加害の目的かのどちらかの目的がなければ成立しない。そこで、本人の利益をはかる目的で行為したときは、たとえ任務に背いた行為によって本人に財産上の損害をあたえる結果になっても背任罪は成立しない（大判大三・一〇・一六刑録二〇・一八六七）。もっとも、本人の利益をはかる目的があっても、主として自分または第三者の利益をはかる目的でなされたときには背任罪が成立する。信用組合の理事が融資希望者の利益をはかる目的で任務に背いて無担保貸付をしたが、その融資によって本人である信用組合の貸付金回収をはかる目的もあったとみとめられる事実について、判例は、主として第三者の利益をはかる目的でしたことを理由に背任罪の成立をみとめている（最判昭二九・一一・五刑集八・一一・一六七五）。

▼無担保貸付が不良債権に転化すると背任罪の既遂になる

Aは、B信用組合の理事として現金貸付の業務を担当していた者であるが、同組合の組合総会の決議で組合員に対する無担保貸付の最高限度額は五万円と定め、その定款に、無担保貸付をするときには組合員二名を保証人に立てさせることを要する旨が規定されているのに、Cの便宜をはかって、右に違反して保証人も立てさせずに無担保で組合の資金のうちから一〇〇万円をCに貸し付けた。

背任罪は、背任行為の結果、本人に財産上の損害を加えたことが必要である。財産上の損害とはひろく財産上の価値が減少することをいい、すでにある財産が減少することであると、財産増加が妨げられることであるとをとわない。たとえば、回収不能な不良貸付のばあい、貸付元本が前者の、利息が後者の損害にあたる。ところで、財産上の損害とは全財産状態の経済的価値の減少を意味するものと解すべきである。すなわち、右にあげた事例において、Cに対する貸付額だけB組合の資金は減少しているが、他方、組合はそれに応じた債権を取得しているので、法律的には、貸付段階ではまだ財産上の損害はなく現実に回収不能の事態が発生してはじめて財産上の損害が生じたということになろうが、これはあまりにも形式的である。法律上は権利（債権）として存在していても、その実行が不能ないし困難なばあいには、その経済的価値は無に帰するか低下するものであるから、こうした状態が招来されたばあいには、すでに財産上の損害があるとみるべきであろう。そこで、回収見込のない貸付をしたり、無担保貸付をしたりして、資産の一部が不良債権に転化したばあいには、資産の内容があきらかに悪化しているのであるから、この段階で、財産上の損害があるとみるべきである。

▼自己計算の浮貸しは横領罪

〔1〕

B銀行の支店長Aは、自分が保管している銀行の資金の一部を浮貸しし、これで利ざやをかせぐ目的で、正規の貸付手続をとらず、自分個人宛の借用証書を作成させたうえ、銀行利息よりも高い利率で、これをCに貸し付けた。

▼本人(村)計算の不法貸付は背任罪

〔2〕

B村村長Aは、知合いのC会社社長Dからたのまれ、C会社の利益をはかって、自分が村長として職務上保管していた村の基本財産の一部を村会の決議をへないで、同村の計算においてC会社に貸し付けた。

ところで、前に述べたように、背任罪と横領罪は、信頼関係をやぶる財産罪という点で共通の性格をもつものであるので、両者をどのように区別するか、とくに、他人のために事務を処理する者が自己の占有する他人の物を不法に処分するばあいに、背任罪になるのか横領罪になるのかが問題となる。この点については学説上見解が分かれており、判例の態度もかならずしも一貫していないが、判例の基本的な傾向としては、財物に対する処分行為が自己の計算ないし名義で行なわれたばあいは横領罪、本人の計算ないし名義で行なわれたばあいは背任罪と解しているものといえよう(大判昭一〇・七・三刑集一四・七四五)。

▼村長の税法違反のサラリーマン減税は背任罪

北海道中富良野村長Aは、助役B、税務係長Cらと相談したうえ、給与所得納税義務者三八一名に対する村民税賦課にあたり、給与所得者とそれ以外の所得者との間に生ずる税負担の実質的な不均衡を地方税の面であえて是正しようとして、地方税法および同村条例所定の課税標準算出方法にしたがわず、総収入一〇〇万円以下の者は一律三九%、それ以上の者は一律三九万円を控除して、七七三、八〇〇円過少に賦課した。

なお、右にあげた事例は、地方税法・条例の規定に違反して、サラリーマン減税を行なった村長が、給与所得納税義務者の利益をはかる目的で、任務に背いた行為をなし、村に損害をあたえたとして、背任罪の罪責にとわれ、五万円の罰金が言い渡されたものである(最判昭四七・三・四判時六五八・三)。

詐欺罪・背任罪・準詐欺罪・恐喝罪は、未遂罪が処罰され(二五〇条)、また自己の物に関する規定(二四二条)、親族相盗(二四四条)および電気に関する規定(二四五条)が準用されている(二五一条)。

第38章
横領の罪

第二五二条【横領】①自己の占有する他人の物を横領したる者は五年以下の懲役に処す
②自己の物と雖も公務所より保管を命ぜられたる場合に於て之を横領したる者亦同じ

第二五三条【業務上横領】業務上自己の占有する他人の物を横領したる者は一〇年以下の懲役に処す

第二五四条【遺失物横領】遺失物、漂流物其他占有を離れたる他人の物を横領したる者は一年以下の懲役又は一〇〇円以下の罰金若くは科料に処す

第二五五条【準用規定】本章の罪には第二四四条の規定を準用す

本章は、横領の罪として、単純横領罪、業務上横領罪と占有離脱物横領罪とを規定している。前二者は、他人から委託されて行為者が占有・保管している他人の財物を不法に領得する犯罪であって（委託物横領罪という）、他人の信頼をやぶる財産罪として背任罪と共通の性格をもち、ただ個々の財物に対するものである点で全体財産に対する罪としての背任罪と区別されるものであることは前に述べたとおりである。これに対して、占有離脱物横領罪は、だれの占有にも属していない財物を勝手に自分のものとする犯罪で、財物についての委託関係が前提とされていない点で、委託物横領罪と性格をことにするものである。

単純横領罪は、自分が占有している他人の財物を横領することによって成立する（二五二条一項）。友人から借りたカメラを勝手に売却したり（売却横領）、物品の購入をたのまれて、あずかった金銭を持ち逃げしたり（拐帯横領）、自分の用途に使ってしまったりすること（費消横領）など、横領にはいろいろの形態がある。

本罪の客体は「自己の占有する他人の物」である。自分の物でも公務所から保管を命ぜられているばあい

には本罪の客体となる（二五二条二項）。

▼他人の土地を管理している者が勝手に抵当権を設定すると横領罪

〔1〕

Aは、B寺の住職としてB寺の所有に属する土地を管理していた者であるが、自分が個人的に参画した会社の設立資金をえるためCから借金をするにあたって、その担保として、右の土地に抵当権を設定し登記した。

▼不動産の二重売買は横領罪

〔2〕

Aは、自分の所有する山林三筆をBに売却したが、その所有権移転登記の手続が未了のため、登記簿上、まだ自分の名義であるのに乗じて、右山林三筆をCに売却した。

「自己の占有する他人の物」とは、行為者自身がそれを事実上または法律上支配している他人の所有に属する財物をいう。横領罪における「占有」の重要性は、濫用のおそれのある支配力であるから、盗取行為の対象という観点から構成される窃盗罪における占有よりもひろく、事実的支配関係にあたるもののほか、法律的支配関係にあたるものも含まれる。そこで、たとえば、他人から金銭の保管をまかされた者がその金銭を銀行に預け入れたときでも、その金銭の占有は保管者にあるから、その者が銀行からその金銭を勝手に引き出して自分の用途に費消すれば、横領罪となる（大判大一・一〇・八刑録一八・一二三一参照）。土地・建物などの不動産のばあい、たとえ登記簿上の名義人が別に存在していても事実上他人の不動産を管理・支配している者は、その不動産の占有者である（大判昭七・四・二一刑集一一・三四二）。しかし、また、不動産について登記簿上の所有名義を有する者は、第三者にその不動産を処分することができる地位にあるから、その不動産の占有者となりうる。そこで、たとえば、仮装売買によって登記簿上の所有名義を取得した者がその不動産を勝手に他人に賃貸したばあい（大判明四五・五・二刑録一八・五四五）、売却した不動産をその移転登記前にさらに別の人に売り渡したばあいには（最判昭三〇・一二・二六刑集九・一四・三〇五三）、横領罪が成立する。

本罪の「占有」は、他人の信頼をやぶる財産罪としての性格からいって、物の所有者または公務所と行為者との間の委託信任関係にもとづくことが必要である。この委託信任関係は、賃貸借・委任・寄託などの契約にもとづくことが多いが、かならずしも契約によるものにかぎらず、事務管理・後見などによるものでも、さらに、慣習・条理ないし信義誠実の原則にもとづいてみとめられるものでもよい（仙台高判昭二八・一〇・一九判決特報三五・六四）。

〔1〕▼贈賄の目的で預かった金銭を領得しても横領罪

Aは、犯罪捜査に関して賄賂を収受した巡査B・Cから、その収賄事実を隠蔽する手段として、その上司である司法主任Dらを買収してくれとたのまれ、その費用として二万二〇〇〇円を受け取って保管中に、そのうち二万円を自分のモルヒネ買入代金等に使ってしまった。

〔2〕▼委託された盗品の売却代金を領得するのも横領罪

Aは、窃盗犯人Bから、窃取した自動車タイヤ一式の売却先をさがしてくれとたのまれ、Cにこれを売却することを周旋し、Cから代金を受け取り、これを保管中に、ほしいままにこれを着服した。

ここで問題となるのが、右にあげた事例〔1〕〔2〕のように、委託信任関係が不法であるために委託された物に対する返還請求権がないばあい、その委託物を領得することが横領罪を構成するかどうかである。否定説は、民法上返還請求ができない物を領得したばあいに刑法上横領罪が成立するとして刑罰を科することは、刑罰で返還を強制することになり法秩序全体の統一をやぶることになるから、横領罪の成立を否定すべきであるとしている。これに対して、肯定説は、不法原因にもとづいて委託した物について委託者は民法上返還請求権がないが、このことは、委託者がその物に対する所有権を失ったことにはならないから、その物を受託者が領得すれば横領罪が成立するとしており、判例もこの立場をとっている（最判昭二三・六・五刑集二・七・六四一、最判昭三六・一〇・一〇刑集一五・九・一五八〇）。

▼委託販売代金を着服

Aは、Bから洋服地四着分の売却方を委託され、これをCほか三名に売却したが、Cほか三名から受領した売却代金を、ほしいままに着服した。

横領罪の客体は、自分の占有する「他人」の物であるが、他人から委託された金銭については、その所有権が委託者にあるのか受託者にあるのかが問題となるが、これは、委託の趣旨にしたがって決定すべきであろう。すなわち、委託者がその使途を限定し、自由処分を禁止して委託した金銭を受託者が勝手に処分したばあいには横領罪が成立する。たとえば、製茶の買受資金として寄託された金銭を受託者がほしいままに処分したばあい（最判昭二六・五・二五刑集五・六・一一八六）、右にあげた事例のように、委託販売において特約ないし特別の事情がないのに、受託者が販売代金をほしいままに着服・費消したばあいには（最決昭二八・四・一六刑集七・五・九一五）、横領罪となる。これに反して、とくに使途が定められることなく、不特定物として委託された金銭は、受託者が、必要な時期に他の金銭に確実に代替させることができる状態で、これを一時流用しても、横領罪は成立しないものと解する。

なお、最近、割賦販売がとくに普及してきたが、月賦で品物を買い、月賦金の支払がまだ全部すまないうちに、その品物を勝手に売りとばしたり、質入れしたりすると、原則として横領罪が成立する。というのは、割賦販売のばあいは、割賦金を完全に払い終えるまでは品物の所有権は完全に売主に帰属し、その間は、買主には品物の所有権はなく、売主のために預かっている形になっている（所有権留保という）のが一般であるからである。

▼管理している他人の建物について所有権を主張して民事訴訟を起こすのは横領罪

> Aは、農業のかたわら、Bにたのまれてその建物の管理をしていたものであるが、Bが遠方に住んでおり、その監督も行き届かないところから、自分の管理占有している右建物を自分のものとしようと決意し、売渡証書を偽造し、これを利用して、Bを被告とし、右建物の所有権を主張し、その所有権移転登記をもとめる旨の民事訴訟を提起した。

本罪の行為は「横領」である。横領とは不法領得の意思を実現する行為をいうとするのが、通説・判例（大判大六・七・一四刑録二三・八八六）である（領得行為説）。横領といえるためには、単に領得の意思があるだけでは足らず、その意思を実現する行為が客観的にみとめられることが必要である。たとえば、集金人が会社のために集金中に集金した金銭の持ち逃げを決意してもまだそれだけでは横領行為に着手したものとはいえず、集金した金銭を持ったまま会社とは反対方向に行く電車に乗った段階で横領行為の着手があったといえよう。そして、横領罪はこのときに既遂となる（もっとも、実際には主として立証の便宜から、もう少し進んだ段階で横領罪の既遂をみとめている）。そこで、横領罪の未遂は実際上問題とならず、未遂処罰の規定もない。ところで、横領行為には、不法領得の意思を実現する行為であれば、費消・着服・拐帯・返還拒絶といった事実上の処分行為、売買・質入・貸与・贈与といった法律上の処分行為、さらには相手方の所有権を否定して自己の所有権を主張して所有権移転登記をもとめる民事訴訟を提起すること（最判昭二五・九・二二刑集四・九・一七五七）など一切の行為が含まれる。

なお、領得行為は違法であることを要するから、行為者の権利に属する処分行為は横領罪にならない。たとえば、質権者がその権利の範囲内において自分の債務について質物の上に、あらたに質権を設定する転質は、横領罪にならない（大決大一四・七・一四刑集四・四八四）。もっとも、あらたに設定された質権が原質権の範囲をこえるときには、その転質行為は横領にあたる。右にあげた事例のばあい、客から商品仲買人に委託証拠金の代用として有価証券を預託する行為は、根質権の設定と解すべきものであるから、Aの行為は転質行為であるが、原質権の範囲をこえるものであるので、業務上横領罪を構成する（最決昭四五・三・二七刑集二四・三・七六）。

▼転質でも原質権の範囲をこえると、横領

Aは、商品仲買人B株式会社の熊本出張所長であったが、Cほか二九名のお客から、商品先物取引の委託証拠金代用として有価証券の預託をうけて、これを保管中、同出張所の経費・営業資金等にあてるため、D信用金庫から合計三八八万円を借用するに際し、ほしいままに、その担保として、右有価証券を担保に差し入れた。

▼権限を越えた処分でももっぱら本人のためなら無罪（不法領得の意思を欠く）

農業協同組合の組合長であるAは、組合の定款に違反し、組合の総会および理事会の議決をへないで、独断で組合名義をもって貨物自動車営業を経営していたが、その営業のために組合の資金の中から約七五万円を支出した。

横領罪の成立に不法領得の意思を必要とするかどうかについては、窃盗罪と同じく見解が分かれているが、通説・判例は、不法領得の意思を必要としている。判例は、横領罪における不法領得の意思を、「他人の物の占有者が委託の任務に背いて、その物につき権限がないのに所有者でなければできないような処分をする意思」であるとしているが（最判昭二四・三・八刑集三・三・二七六）、これは、有力説のいうところの他人の物につき所有者としてふるまう意思と実質的に同じ意味といえよう。右にあげた事例について、判例は、権限を越えた処分であっても、もっぱら本人である組合自身のためになされたものとみとめられるときには、不法領得の意思を欠くものであって横領罪を構成しないと解するのが相当であるとしている（最判昭二八・一二・二五刑集七・一三・二七二一）。なお、労働争議の手段として、労働組合員が会社のために集金した現金を会社に納入しないで、一時保管の意味で、労働組合に属する個人名義で預金しておく、いわゆる「納金スト」について、不法領得の意思を欠くことを理由に横領罪の成立を否定した判例がある（最判昭三三・九・一九刑集一二・一三・三〇四七）。

業務上横領罪は、業務上自己が占有する他人の物を横領することによって成立する（二五三条）。業務上の占有者であるところから、刑が加重されている。業務とは、一般に、社会生活上の地位にもとづいて継続的に従事する仕事をさすが、業務上横領罪の「業務」は、その仕事の内容が他人の物を占有保管するものであることが必要である（たとえば、質屋・倉庫業者・クリーニング業者・一時預り業者など）。そうしたものであれば、業務は、かならずしも職務または職業としてなされるものにかぎらないし、また、生計を維持するための手段としてなされたものであることも必要でない。業務の根拠が法令によると契約によると慣習によるとをとわないし、公務であると私的な事務であるとをとわない。なお、業務上の占有は、他人の物の占有保管を主たる内容とする業務にかぎらず、業務に関して他人の物を占有保管しているばあいでもよいとされている（大判大一一・五・一七刑集一・二八二）。

▼網棚に忘れた他人のカメラを持ち去る（占有離脱物横領罪）

〔1〕 Aは、汽車旅行中、乗客Bが網棚の上にカメラを置き忘れて下車したことに気づいたが、乗務員に届け出ず、着駅で、このカメラを肩にかけて下車し、自宅に持ち帰った。

〔2〕 Aは、自宅の庭先に、ニワトリが迷い込んできたのを見つけ、これ幸いと、つかまえて殺し、料理して食べてしまった。

▼迷い込んだニワトリを食べる（占有離脱物横領罪）

占有離脱物横領罪は、遺失物・漂流物その他占有をはなれた他人の物を横領することによって成立する（二五四条）。「占有をはなれた他人の物」（占有離脱物）とは、占有者の意思によらないでその占有をはなれ、まだ何人の占有にも属していない物をいう。遺失物（おとしもの）・漂流物はその例示である。そこで、たとえば、電車・汽車内に置き忘れられた乗客の携帯品、洪水で流されてきた家財道具、逸走した家畜（トリ小屋から脱け出したニワトリなど）、あやまって配達された郵便物、風で飛ばされてきた隣家の洗濯物など、いずれも占有離脱物である。判例は、古墳内に埋蔵されている所有者が不明の宝石・鏡・剣なども、占有離脱物であるとしている（大判昭八・三・九刑集一二・二三二）。なお、占有離脱物か他人の占有に属する物かの区別について、窃盗罪の項（二七八頁）参照。本罪の行為も横領である。はじめから領得する意思でおとし物・忘れ物を拾得したときにはただちに本罪が成立する。これに反して、はじめは領得の意思なく拾得して占有している物、または風で自宅に飛んできた他人の洗濯物のように偶然の事情で自分の事実的支配内に入ってきた物については、後になって、不法領得の意思を実現する行為があったときに本罪が成立する。たとえば、拾得した場所のすぐ近くに交番があったのに届出をしないで自宅に持ち帰るとか、これを売却費消などの処分をしたときに、本罪が成立する。なお、占有離脱物を不法に領得する意思で拾得したときには、それが盗品であることを知っていたとしても、本罪が成立し、贓物収受罪は成立しない（最判昭二三・一二・二四刑集二・一八七七）。

なお、横領の罪については、親族相盗例（二四四条）の準用がある（二五五条）。

第39章 贓物に関する罪

第二五六条【贓物収受、故買等】①贓物を収受したる者は三年以下の懲役に処す
②贓物の運搬、寄蔵、故買又は牙保を為したる者は一〇年以下の懲役及び一〇〇〇円以下の罰金に処す

第二五七条【親族間の犯罪】①直系血族、配偶者、同居の親族及び此等の者の配偶者の間に於て前条の罪を犯したる者は其刑を免除す
②親族に非ざる共犯に付ては前項の例を用ひず

贓物罪は、財産罪によって取得された財物を収受・運搬・寄蔵・故買・牙保することによって成立する（二五六条）。被害物件が犯人の手をはなれて転々移動すると、被害者がその物件を回復することがむずかしくなる。そこで、被害者の被害物件に対する追求・回復を困難にするような行為を処罰することによって、被害者の財産権を保護しようとするのが本章の規定である。なお、贓物罪は、財産犯である本犯に対する寄生的犯罪としての性格をもっている。たとえば、窃盗犯人から盗品の指環をもらうといった贓物の収受は、犯罪の利益にあずかる行為としての性格をもっており、贓物の故買等は、本犯の贓物の処分を助け、財産犯を助長する性格をもっている。たとえば、泥棒が時計店から何十個という時計を盗んでも、これを買い取ってくれる者がいなければ意味がないから、こうした犯罪は行なわれなくなるのが一般である。ところが、盗品と知りながら買い取る悪徳古物商がいるために、こうした泥棒がますます行なわれることになる。

▼父親の骨とう品を古物商に売る
（盗んだ息子は刑が免除、古物商は贓物故買罪）

古物商Aは、Bがその父親の骨とう品を盗み出して売りにきたことを知りながら、Bの申出に応じてこれを買い取った。

贓物罪の客体である「贓物」とは、財産罪たる犯罪行為によって取得された財物で、被害者が法律上それを追求することができるものをいう。そこで、賄賂として受け取った物や賭博でえた金銭、密猟で捕獲した鳥獣などは、贓物ではない。また、本犯の犯罪行為は、構成要件に該当し違法な行為であれば十分で、有責であることは必要でない。たとえば、一四歳未満の子供が盗みをしても責任能力がないから処罰されないが、その盗んだ物は贓物にあたる。また、親族相盗例によってその刑が免除されるばあいでも、その盗んだ財物は贓物にあたる（最判昭二五・一二・一二刑集四・一二・二五四三）。

次に、贓物は、被害者がそれを法律上追求する権利を有するものでなければならない。そこで、たとえば、民法一九二条によって第三者が所有権を取得した物、取得時効（民法一六二条）によって被害者の返還請求権が消滅している物は、被害者にその物を追求回復する権利がないから、贓物とはいえない。もっとも、盗品・遺失物については、民法一九三条によって所有者は二年間占有者に対してその物の回復を請求することができるから、その間は、贓物である性質を失わない。

▼自転車の車輪・サドルを取りはずして他の自転車にとりつけても贓物性を失わない（贓物牙保罪）

Aは、Bが盗んできた中古婦人用自転車の車輪二本（タイヤチューブ付き）およびサドルを取りはずし、これをBが持ってきた男子用自転車の車体に取りつけて、男子用の自転車にかえて、これをCに代金四〇〇〇円で売却のあっせんをした。

民法二四六条によって加工者が所有権を取得した物は、贓物とはいえない。しかし、贓物に多少の工作を加えても、「加工」の程度に達しないときには、贓物である。判例は、右にあげた事例（最判昭二四・一〇・二〇刑集三・一〇・一六六〇）のほか、たとえば、貴金属の原形をかえて金塊としたばあい（大判大四・六・二刑録二一・七二一）、盗伐した木材を製材搬出したばあい（大判大一三・一・三〇刑集三・三八）について、贓物である性質を失わないとしている。

贓物は、本犯が犯した財産罪によって取得された財物そのものだけをさすから、たとえば、贓物を売却してえた金銭、贓物である金銭で買った品物は贓物でない。なお、判例は、贓物である通貨を両替して他の通貨としたばあいに、その他の通貨について贓物性をみとめている（大判大二・三・二五刑録一九・三七四）。

▼盗品を一時使用するために借用するのは贓物寄蔵罪

〔1〕

Aは、Bが盗んできた空気銃を、盗んできたものであることを知りながら、これを借りうけて一時使用してから、Bに返還した。

▼債務弁済として贓物を受けとる（贓物故買）

〔2〕

Bは、Cから大豆六〇俵を買いうけ、その大豆が貨物引換証持参人渡としてA運送店に着荷したので、同店の店員Dに、貨物引換証はすぐ銀行から受け取って持参するから、右大豆を引き渡し、これをE銀行支店に運んでくれといってDをだまし、右大豆のうち五〇俵をDに運搬させ、遂にその貨物引換証をA運送店に交付しなかった。このことを知ったAは、右大豆五〇俵の引渡による損害を賠償させる目的で、F料亭でBと面会し、損害賠償金として、Bが荷為替代金としてGから詐取した金員を一部を、その事情を知りながらBから受け取った。

贓物罪の行為は、贓物の収受・運搬・寄蔵・故買・牙保である。「収受」とは、贓物を無償で取得することで、贈与をうけたり、無利息消費貸借の関係にもとづいて贓物をうけとることである。「運搬」とは、はこぶこと、すなわち、贓物の所在を移転することで、有償・無償をとわない。「寄蔵」とは、委託をうけて本犯のために贓物を保管することで、これも有償・無償をとわない。なお、寄蔵は、寄託をうけるばあいのほか、質物のように担保として受け取るとか賃借するばあいも含まれる。「故買」とは、たとえば、古物商が盗品を買い取るばあいのように、贓物の所有権を有償で取得することをいうが、売買・交換による取得のほか、債務の弁済として受け取ったり（大判大一〇・一一・一八刑録二七・五）、売渡担保・代物弁済・利息付消費貸借によって取得するばあいも含まれる。「牙保」とは、たとえば、盗んできたカラーテレビを売るあっせんをするような、売買・交換・質入などの処分行為を周旋・媒介することをいう。その周旋・媒介によって利益をえたことは必要でない。

▼盗品の売買を周旋・媒介しただけで贓物牙保罪になるというのが判例

Aは、Bから同人らが盗んだ衣類二六〇余点の売却方を依頼され、それが盗品であることを知りながら、Cに右衣類を買ってくれと申し出てあっせんをしたところ、Cが現物をみたうえで決めるといったので、Cを同道して盗品が置いてある場所に出向いた途中で逮捕された。

なお、贓物罪は、被害者の財物に対する追求・回復を困難にするところに本質があるから、収受等の行為は、それが事実上行なわれたことが必要である。収受については単に契約だけでは足りず現実に贓物の引渡があったこと、運搬・寄蔵については、単なる運搬・寄蔵を引き受ける契約だけでは足りず、現実に贓物を運搬したことまたは保管したことが必要であることについては問題はない。故買については、売買などの契約だけで足りず、現実に贓物の引渡があったことが必要であるとする点については争いがない。ところが、牙保について判例は、売買等の周旋・媒介した事実があれば、その周旋・媒介にかかる契約が成立していなくても牙保罪が成立するとしている（最判昭二六・一・三〇刑集五・一・一一七）。これに対して、牙保については、その周旋・媒介にかかる契約が成立したことが必要であるとする見解も有力である。

▼盗品でないかと思いつつ買い取ると贓物故買罪（未必の故意）

Aは、Bが売りにきた盗品の衣類一二〇点ぐらいを二回にわたって買い取った。その際、Aは、Bの様子がおかしいし、売りにきた衣類の数量も多いうえ、その頃、衣類の盗難が各地にあったことを聞いていたので、Bらが盗んできたのではなかろうかと思ったが、そのまま、これを買い取った。

贓物罪は故意犯であるから、行為者がその物を贓物であることを知って行為することが必要である。贓物であることを不注意にも気づかなかったときには贓物罪は成立しない。もっとも、「贓物であることを知って」といっても、贓物であることをはっきり知っていることは必要でなく、贓物であるかも知れないという未必的な認識があれば十分である（最判昭二三・三・一六刑集二・三・二二七）。また、それは、なんらかの財産罪によって領得された物であることを認識しておれば足り、それがいかなる犯罪によって取得されたものであるか、犯人はだれであるか、被害者はだれであるかを知ることも、さらに、本犯の犯行の年月日、場所等を詳細に知ることも必要でない。なお、この賍物であることの認識は、収受・故買その他の行為をするときに存することが必要である。そこで、たとえば、賍物をその情を知らずに、贈与されてこれを受け取った後、または買いうけ受領した後に、それが賍物であることを知っても、賍物収受罪・故買罪は成立しない。しかし、賍物であることを知らずに贈与または売買契約をし、その後に情を知ってこれを受領したときには、賍物収受罪・故買罪が成立する。なお、賍物であるとの情を知らずに、賍物を運搬中または保管中に、それが賍物であるとの情を知ったが、そのまま運搬・保管を継続したときには、その情を知ってから以後の運搬・保管について、賍物運搬罪・寄蔵罪が成立する。

賍物罪は、他人（本犯）が不法に取得した賍物について成立するものであるから、たとえば、窃盗犯人が盗んだ品物を運搬しても、窃盗罪のほかに賍物運搬罪が成立しないこともちろんである。もっとも、窃盗を教唆し、被教唆者が窃盗してきた財物を故買したときには、窃盗教唆罪と賍物故買罪とが成立する。

▼共犯の中に親族がいても賍物故買罪になるばあいがある

B・C・Dは共謀してE方から「しらす」網を盗み出し、Dがこれを B の実父Aのところに持参し、買ってくれと申し入れた。Aは、それが盗品であることを知りながら買い取った。

「直系血族、配偶者、同居の親族およびこれらの者の配偶者」の間において賍物罪が犯されたときには、親族でない共犯のばあいをのぞき、その刑が免除される（二五七条）。その刑が免除されるのは、本犯と賍物罪の犯人との間に、右の身分関係があるばあいであるとするのが通説・判例である（最決昭三八・一一・八刑集一七・一一・二三五七）。たとえば、息子が他から盗んできた品物を父親が盗品と知りながら保管してやったばあいに、父親はその刑が免除される。なお、判例は、本犯が共同正犯であるばあいにおいて、共犯者の一人と賍物犯人との間に親族関係があっても、その者が賍物罪に関与しないときには、賍物犯人に対して二五七条を適用して刑を免除すべきでないとしている（最判昭二三・五・六刑集二・五・四七三）。

第40章　毀棄および隠匿の罪

第二五八条【公文書毀棄】 公務所の用に供する文書を毀棄したる者は三月以上七年以下の懲役に処す

第二五九条【私文書毀棄】 権利、義務に関する他人の文書を毀棄したる者は五年以下の懲役に処す

第二六〇条【建造物損壊】 他人の建造物又は艦船を損壊したる者は五年以下の懲役に処す。因て人を死傷に致したる者は傷害の罪に比較し重きに従て処断す

第二六一条【器物損壊】 前三条に記載したる以外の物を損壊又は傷害したる者は三年以下の懲役又は五〇〇円以下の罰金若くは科料に処す

第二六二条【自己の物】 自己の物と雖も差押を受け、物権を負担し又は賃貸したるものを損壊又は傷害したるときは前三条の例に依る

第二六三条【信書隠匿】 他人の信書を隠匿したる者は六月以下の懲役若くは禁錮又は五〇円以下の罰金若くは科料に処す

第二六四条【親告罪】 第二五九条、第二六一条及び前条の罪は告訴を待て之を論ず

〔1〕

▼未完成の弁解録取書を丸めてすてると公用文書毀棄罪

逮捕状によって逮捕されたAに対して、市警察局公安部において係官であるB巡査部長が、被疑事実の要旨および弁護人を選任しうる旨を告げ、Aがこれに対する供述をしたので、その旨を記載した弁解録取書を作成し、これを読み聞かせあやまりがないかどうかをたずねたところ、Aが黙秘したので、Bがその旨の文言を末尾に記載し、その書面を机の上においたまま、一寸わきみをした瞬間に、Aは、そのすきをうかがい、右弁解録取書を取って、両手で丸めしわくちゃにしたうえ、床上に投げすてた。

〔2〕

▼始末書を丸めて口の中でかむ（公用文書毀棄罪）

営林署の乗務員B・Cが過失で営林署のトラックを横転させたことについて、営林署長に提出した始末書を、右乗務員らが所属する労働組合の委員長Aが取りもどそうとして、同署庶務課長Dが出した書類綴りから、右始末書の紙片を右手でひっぱるようなかっこうでやぶりと

り、その場から逃走しようとしたところ、Dらに取り押えられたので、右始末書を右手で丸めて握りしめ、口の中に入れて何回か咬みつづけた。

公用文書毀棄罪は、公務所の用に供する文書を毀棄することによって成立する(二五八条)。「公務所の用に供する文書」とは、公務所で使用中の文書や公務所で使用の目的で保管中の文書をいい、それが公文書であると私文書であるとをとわない。たとえば、私人が作成した婚姻届は私文書であるが、市役所で保管していれば、その文書は、公務所の用に供する文書である。公務所の用に供されているものであれば、作成方式に欠陥のある文書であると、未完成の文書であると(最決昭三二・一・二九刑集一一・一・三二五)、保存期限を経過した文書であるとをとわない。なお、職員に対する将来の人事管理の参考資料として使用する目的をもつ始末書も、本罪の文書にあたるとされている(高松高判昭四四・四・九月報一・四・三八二)。

▼文書に貼ってある印紙を盗もうとしてはがす
(窃盗と文書毀棄の観念的競合)

Aは、法務局出張所に勤務し登記事務を取扱中に、同所が保管している登記書類に貼付してある印紙を盗もうと企て、数回にわたって登記書類から貼付してある印紙をはがし取って領得した。

「毀棄」とは、文書の本来の効用を害する一切の行為をいう。文書を丸めて床に投げすてるとか(最決昭三二・一・二九刑集一一・一・三二五)、文書の周辺を使用困難な程度に焼けこがすなどのほか、文書の内容の一部またはその署名・捺印を抹消することも毀棄にあたる。なお、判例は、文書に貼付してある印紙をはがしとることも文書の毀棄にあたるとしている(大判明四四・二・二一刑録一七・一四二)。

▼提出した退職届の日付を改ざんするのは私用文書毀棄罪

Aは、某村役場の書記をしていた者であるが、大正一〇年三月末かぎりで退職することになり、三月三一日退職届を同村役場に提出して書記を退職した。そして、Aは、同年四月二六日に行なわれる同村村会議員の選挙に候補者として立候補しようとしたところ、書記を退職後一カ月を経過しないと右被選挙権がないことがわかった。そこで、Aは、四月上旬ごろ村長Bにその事情を話して、Bが保管していた右退職届を借りうけ、同村役場内でひそかにその届出書の年月日大正一〇年三月三一日とある三一日の三の字を二の字に改ざんして、これを役場にもどしておいた。

私用文書毀棄罪は、権利・義務に関する他人の文書を毀棄することによって成立する（二五九条）。本罪の客体は、権利・義務に関する他人の文書である。「権利・義務に関する」文書とは、権利・義務の存否・得喪・変更などを証明する文書で、たとえば、借用証書、手形、小切手などがこれにあたる。「他人」の文書とは、他人名義の文書ではなく、他人の所有する文書の意味である。そこで、自己名義の文書も他人の所有に属しているときは、本罪の客体となる（大判大一〇・九・二四刑録二七・五八九）。たとえば、他人に差し入れた自己名義の借用証をやぶりすてたばあいには、私用文書毀棄罪にあたる。なお、自己の物でも、差押をうけ物権を負担しまたは賃貸したものは本罪の客体となる（二六二条）。たとえば、質入れした自分の債権証書を勝手にやぶりすてたばあいは、本罪にあたる。「毀棄」については、公用文書毀棄罪の項参照。本罪は親告罪であるから、告訴がなければ処罰されない（二六四条）。

▼壁などへのビラ貼りも限度をこえると建造物損壊罪になる

全電通労組東海地方本部副執行委員長Aらは、多数の組合員と共謀のうえ、闘争手段として、当局に対する要求事項を記載したビラを、電電公社の東海電気通信局庁舎の壁、窓ガラス戸、ガラス扉、シャッター等に、一回に四〇〇枚ないし二五〇〇枚を、同一場所に一面に数枚ないし数百枚を密接集中させて、三回にわたり糊付け貼付した。

損壊とは物質的にこわすだけでなく，効用を害する一切の行為をいう

建造物損壊罪は、他人の建造物・艦船を損壊することによって成立する。その結果として、人を死傷させせ

たときには、傷害の罪と比較し、刑の重い方にしたがって処断される（二六〇条）。本罪の客体は、他人の建造物・艦船である。建造物・艦船は、他人の所有に属するものであることを要する。もっとも、自己の建造物・艦船でも、差押をうけ、物権を負担しまたは賃貸したものは本罪の客体となる（二六二条）。建造物・艦船の意義については、放火罪・往来妨害罪の項参照。

ここで問題となるのは、器物損壊罪との関係で、建造物に建てつけてある器物が建造物の一部を構成するものかどうかであるが、判例は、それを損壊しなければ取りはずしができない状態にあるかどうかを区別の標準としている（大判明四三・一二・一六刑録一六・二一八八）。そこで、家屋の天井板・敷居・鴨居・屋根瓦などは、建造物の一部であるが、雨戸・障子などのように損壊することなく自由に取りはずしができるものは、建造物の一部ではないとしている。したがって、雨戸や障子をこわしても本罪ではなく器物損壊罪が成立するにすぎない。「損壊」とは、建造物・艦船を物質的にこわすことだけでなく、その効用を害する一切の行為をいう。そこで、たとえば、他人の居住している家屋を地上から三尺ぐらい持ち上げ、家人居住のまま定着地点から十数間移動させたばあいも損壊にあたる（大判昭五・一一・二七刑集九・八一〇）。なお、判例は、右にあげた事例について、建造物損壊罪の成立をみとめている（最決昭四一・六・一〇刑集二〇・五・三七四）。

〔1〕

▼鯉を流出させると「傷害」にあたる

Aは、Bが飼養していた鯉を池から流出させてBを困まらせてやろうと思い、Bの池の排水口に設けてある水門の板および鯉の散逸を防ぐための鉄製格子戸をはずして、三〇〇〇匹の鯉を川に流出させた。

器物損壊罪には「動物」も対象になる点に注意

▼料理店のすきやき鍋・徳利に放尿（器物損壊罪）

〔2〕 Aは、Bの経営する料理店において、営業上来客の飲食用に使用するすきやき鍋および徳利に放尿した。

器物損壊罪は、公用文書、権利・義務に関する文書、建造物・艦船をのぞく、他人の物を損壊・傷害することによって成立する（二六一条）。本罪の客体は、原則として他人の所有に属する物であるが、自己の物でも差押をうけ、物権を負担しまたは賃貸したものは本罪の客体となる（二六二条）。二五八条ないし二六〇条に記載された物以外の物であれば、その種類、性質をとわないから、動産・不動産、さらに動物も本罪の客体となる。行為は、損壊または傷害である。とくに傷害という表現が用いられているのは、動物が客体に含まれているからである。「損壊」または「傷害」は、物質的にこわすことのほか、物の本来の効用を害する一切の行為をいう。たとえば、右にあげた事例〔2〕のように、感情的にその物をふたたび本来の目的・用途に供しえない状態にすることも損壊にあたる（大判明四二・四・一六刑録一五・四五二）。また、判例は、家屋を建設するために地ならしをした他人の敷地を掘りおこして畑地とし畝を作って耕作物を植えつけることも損壊にあたるとしている（大判昭四・一〇・一四刑集八・四七七）。なお、ここにいう「傷害」は、動物が対象であるだけで損壊と実質的には同じ意味であって、飼犬や飼猫を傷つけるばあいだけでなく、それを殺しても、ここにいう「傷害」にあたる。右にあげた事例〔1〕について、判例は鯉を流出させた行為を二六一条にいう傷害にあたるとしている（大判明四四・二・二七刑録一七・一九七）。本罪は親告罪である（二六四条）。

信書隠匿罪は、他人の信書を隠匿することによって成立する（二六三条）。たとえば、下宿の女主人が下宿人である学生のところにきた女友人からの手紙を下駄箱の奥にかくすようなばあいが本罪にあたる。本罪の客体は、他人の信書、すなわち、他人の所有に属する信書である。発信人は他人でなくてもよい。「信書」とは、特定人から特定人にあてた意思を伝達する文書をいう。本罪の客体としての信書は封緘されたものでなくてもよいから、封書のほか葉書なども含まれる。「隠匿」とは、信書の発見を妨げる行為をいう。ところで、信書を破棄したばあいについて（それが文書毀棄罪にあたらないかぎり）、器物損壊罪が成立すると解すべきか、それとも本罪が成立すると解すべきかについては、見解が分かれている。なお、本罪も親告罪である（二六四条）。

第二六二条の二【境界毀損】 境界標を損壊、移動若くは除去し又は其他の方法を以て土地の境界を認識すること能はざるに至らしめたる者は五年以下の懲役又は一〇〇〇円以下の罰金に処す

▼境界標を壊しても境界が不明にならなければ（境界毀損罪は成立せず）

Aは、山中湖畔の別荘地に隣接するBの土地との境界に、境界線として設置されていた有刺鉄線張りの丸太三二本を地上すれすれのところからノコギリで切り倒し、根元付近に有刺鉄線をつけたまま放置した。そこで丸太の地中の部分（約二〇センチメートル）はそのまま残存し、その切株の位置を発見することがとくに困難という状況でなかった。

境界毀損罪は、境界標を損壊・移動・除去し、またはその他の方法で、土地の境界を認識することができなくすることによって成立する（二六二条の二）。「境界」とは、権利者をことにする土地の限界線を意味する。なお、本罪によって保護される境界は、かならずしも正当な法律関係を示すものである必要はなく、現に存在し境界とみとめられている事実上のものであればよい。境界標とは、土地の境界を示すために土地に設置されまたは植えられた標識・工作物（柱・杭・柵など）、立木、または、境界の標識として承認されている立木その他の物件をいう。行為は、境界標を損壊・移動・除去し、またはその他の方法で、土地の境界を認識することができなくすることである。「その他の方法」とは、たとえば、土地の境界を流れている小川の流れをかえるとか、溝を埋めることなどである。なお、本罪の成立には、境界を認識しえなくしたことが必要である。境界標を損壊するなどの行為があっても、なお土地の境界の認識に支障のないかぎり本罪は成立しない（最判昭四三・六・二八刑集二二・六・五六九）。境界を認識しえなくするとは、既存の境界を不明確にし、あらたに確認の方法をとらないかぎり認識できないようにすれば足りる。

事 項 索 引

あ 行

か 行

さ　行

た　行

な　行

は　行

ま　行

や　行

ら　行

わ　行

福田 平（ふくだ たいら）

大正12年11月4日生れる。昭和22年東京大学法学部卒業。現在，一橋大学教授。
〔主 著〕 刑法各論（評論社），行政刑法（有斐閣），違法性の錯誤（有斐閣），目的的行為論と犯罪理論（有斐閣），刑法総論（有斐閣）ほか。

市民のための刑法　〈有斐閣選書〉

昭和47年7月20日　初版第1刷印刷
昭和47年7月30日　初版第1刷発行

著　者　福田 平（ふくだ たいら）
発行者　江草忠允（えぐさ ただあつ）
発行所　株式会社 有斐閣
東京都千代田区神田神保町2～17
電話東京（264）1311（大代表）
郵便番号〔101〕振替口座東京370番
本郷支店〔113〕文京区東京大学正門前
京都支店〔606〕左京区田中門前町44

印刷　暁印刷株式会社・製本　株式会社高陽堂
© 1972，福田 平．
落丁・乱丁本はお取替えいたします。

市民のための刑法（オンデマンド版）

2001年11月30日 発行

著　者　　福田　平
発行者　　江草　忠敬
発行所　　株式会社有斐閣
〒101-0051　東京都千代田区神田神保町2-17
TEL03(3264)1314（編集）　03(3265)6811（営業）
URL http://www.yuhikaku.co.jp/

印刷・製本　株式会社　デジタルパブリッシングサービス
〒162-0813　東京都新宿区東五軒町6-21
TEL03(5225)6061　FAX03(3266)9639

©1972, 福田 平
AA743

ISBN4-641-90192-9　　Printed in Japan
本書の無断複製複写（コピー）は、著作権法上での例外を除き、禁じられています